Molly Moon
O Fantástico Livro do Hipnotismo

GEORGIA BYNG

Molly Moon
O Fantástico Livro do Hipnotismo

Tradução de Saul Barata

EDITORIAL PRESENÇA

FICHA TÉCNICA

Título: *Molly Moon's Incredible Book of Hypnotism*
Autora: *Georgia Byng*
Copyright © 2002 by Georgia Byng
Tradução © Editorial Presença, Lisboa, 2002
Tradução: *Saul Barata*
Capa: *Lupa Design — Danuta Wojciechowska*
Composição, impressão e acabamento: *Multitipo — Artes Gráficas, Lda.*
1.ª edição, Lisboa, Agosto, 2002
Depósito legal n.º 183 027/02

Reservados todos os direitos
para Portugal à
EDITORIAL PRESENÇA
Estrada das Palmeiras, 59
Queluz de Baixo
2745-578 BARCARENA
Email: info@editpresenca.pt
Internet: http://www.editpresenca.pt

*Para o Marc, com amor,
pelo estímulo e pelo apoio,
e por me fazer rir*

Capítulo I

Molly Moon olhou para baixo, para as suas pernas com manchas avermelhadas. Não era a água do banho que as fazia parecer da cor da carne enlatada, pois eram sempre daquela cor. E tão magras. Talvez um dia, qual patinho feio transformado num bonito cisne, as suas pernas de joelhos metidos para dentro crescessem até se tornarem as mais belas pernas do mundo. Sonhar não custa.

Deitou-se para trás, até os caracóis castanhos e as orelhas ficarem debaixo de água. Olhou para o tubo de luz fluorescente que estava lá em cima, para as paredes amarelas e sujas das moscas, com a tinta estalada a soltar-se, e para a mancha húmida do tecto, onde cresciam uns fungos muito esquisitos. Com os ouvidos cheios de água, o mundo parecia-lhe enevoado e longínquo.

Molly fechou os olhos. Era uma tarde vulgar de Novembro e ela encontrava-se numa casa de banho miserável de um edifício em mau estado, a que chamavam Hardwick House. Imaginou que era um pássaro e que estava a voar por cima do casarão, olhando para baixo, para o telhado de placas cinzentas e para os jardins cheios de silvas. Imaginou-se a voar ainda mais alto, até conseguir ver todo o monte onde se situava a aldeia de Hardwick. Acima, mais para cima ainda, até que Hardwick House se tornasse pequenina. Poderia ver toda a cidade de Briersville que se estendia para mais longe. Como Molly subisse mais, e mais, acabou por ver o resto do país e a sua linha de costa, com o mar por todos os lados. A mente disparou para o alto, até Molly se imaginar a voar pelo espaço, olhando para baixo, para a Terra. E por lá se deixou pairar. Gostava destes voos imaginários para longe do mundo. Eram calmantes. Por vezes, quando se encontrava neste estado, acabava por se sentir diferente.

Hoje tinha essa sensação especial, como se estivesse para lhe acontecer qualquer coisa excitante ou estranha. Da última vez em que se sentira especial, ao passar por uma das ruas da aldeia, tinha encontrado um pacote meio cheio de caramelos. Na ocasião anterior, tinha conseguido ver televisão durante duas horas em vez de uma. Magicava qual poderia ser a surpresa que lhe estava destinada desta vez. Então, abriu os olhos: continuava dentro da banheira. Molly ficou a ver a sua imagem distorcida pelo cromado da torneira. Credo! Com certeza que não era assim tão feia, ou era? Aquele pedaço de massa cor-de-rosa era a sua cara? Aquela batata seria o nariz? E aquelas pequenas luzes verdes, eram os olhos?

Alguém estava a martelar lá em baixo. O que era estranho, pois naquela casa nunca se reparava coisa alguma. Foi então que Molly percebeu que o martelar provinha de alguém que estava a bater à porta da casa de banho. Sarilhos. Levantou-se de repente e bateu com a cabeça na torneira. As pancadas na porta tornaram-se mais fortes e com elas veio o som de um berro furioso.

— Molly Moon, ordeno-te que abras esta porta *imediatamente!* Se não a abrires, obrigas-me a usar uma chave mestra.

Molly ouvia o som das chaves enfiadas na argola. Olhou para o nível da água do banho e sentiu-se mal. Tinha usado água em demasia, que ultrapassava em muito o nível autorizado. Deu um salto, retirando a válvula da banheira ao mesmo tempo, e pegou na toalha. Mesmo a horas. A porta abriu-se. Miss Adderstone estava ali, a lançar olhares de águia para a banheira, torcendo o nariz escamoso ao descobrir o nível da água que corria para o esgoto. Arregaçou a manga de *crimplene* e voltou a colocar a válvula no esgoto da banheira.

— Como eu suspeitava — sibilou. — Desrespeito intencional das regras do orfanato.

Os olhos de Miss Adderstone brilhavam de desprezo quando tirou uma fita métrica do bolso. Puxou pela ponta da fita metálica e, sem deixar de fazer ruídos esquisitos enquanto chupava a saliva por entre os dentes postiços mal ajustados, mediu a distância que ia do nível da água do banho de Molly até ao risco encarnado que fora pintado à volta do fundo da banheira. Molly tremia e batia os dentes. Os joelhos estavam ainda mais tortos e a ficar *azuis*. Como sucedia sempre que estava excitada ou nervosa, sentia as palmas das mãos húmidas de transpiração, apesar da corrente de ar que se infiltrava através do vidro partido da janela.

Miss Adderstone sacudiu a fita métrica, enxugou-a na saia da Molly e fê-la fechar-se com um estalido. A miúda procurava mostrar-se corajosa perante aquela solteirona empedernida que, com os ralos cabelos cinzentos e o rosto peludo, mais parecia um homem do que uma senhora.

— O teu banho tem trinta centímetros de profundidade — anunciou Miss Adderstone. — Tendo em conta a água que foi despejada por *velhacaria*, enquanto eu estive a bater à porta, calculo que na realidade o teu banho tivesse *quarenta* centímetros de profundidade. Sabes que a água dos banhos não pode ir além dos *dez* centímetros. O teu banho tinha essa profundidade multiplicada por quatro, pelo que, na verdade, já gastaste a água dos teus próximos três banhos. Portanto, Molly, durante três semanas estás proibida de tomar banho. Quanto ao castigo... — Miss Adderstone pegou na escova de dentes da Molly, que sentiu um baque no coração. Sabia o que vinha a seguir: o castigo preferido de Miss Adderstone.

Miss Adderstone encarou Molly com olhos escuros e inexpressivos. O rosto mexia-se de uma forma monstruosa porque deslocava os dentes postiços com a língua, fazia-os moverem-se dentro da boca e voltava a ajustá-los às gengivas. Enfiou a escova de dentes nas mãos da Molly.

— Esta semana vais encarregar-te da limpeza das sanitas, minha menina. Quero as sanitas impecáveis e esta é a escova que vais utilizar. E não penses em usar a escova das sanitas, porque vou estar de olho em ti.

Depois de uma última chupadela de satisfação aos dentes, Miss Adderstone saiu da casa de banho. Molly deixou-se cair sobre a borda da banheira. Até àquele momento, a sensação especial desta noite apenas lhe tinha trazido sarilhos. Ficou a rolar a escova entre os dedos, esperando que o seu amigo Rocky a deixasse usar a dele.

Ao arrancar um fio solto na sua velha toalha, já acinzentada e a ficar careca, ficou a pensar qual seria a sensação de se ver enrolada numa toalha macia e branquinha, como as que vêm nos anúncios da TV.

> *«A macieza é de norma,*
> *Também vai sentir-se em forma,*
> *Se lavar a sua toalha com....*
> Detergente *Nuvem Azul.»*

11

A Molly adorava anúncios. A publicidade mostrava quanto a vida podia ser confortável, fazendo-a esquecer a sua vida para viver na delas. Muitos dos anúncios eram idiotas, mas Molly tinha os seus preferidos, que não eram nada parvos. Eram povoados pelos seus amigos, uns amigos sempre satisfeitos de a verem quando os visitava nas viagens que fazia em pensamento.

«Deixe-se envolver no luxo
Da Nuvem Azul.»

O toque da sineta veio arrancar a Molly dos sonhos com toalhas. Estremeceu. Estava atrasada, como sempre. Sempre atrasada, sempre metida em sarilhos. Alguns miúdos chamavam-lhe «Zona de Acidentes», ou «Zono», por ser desgraciosa, desajeitada e propensa a acidentes. Outras alcunhas da Molly eram «Drono», pois os colegas diziam que a sua voz os fazia dormir, e «Bogey Eyes» [«Olhos de Bruxa»], por ter olhos verdes-escuro e muitos juntos. Só Rocky, o seu melhor amigo, e alguns dos internados mais novos é que lhe chamavam Molly.

— Molly! Molly!

Do outro lado do corredor, cujo soalho estremecia com a correria das crianças que desciam as escadas, Molly viu o rosto castanho-escuro de Rocky, emoldurado por caracóis pretos, a pedir-lhe que se despachasse. Pegou na escova de dentes e correu para o quarto que partilhava com duas raparigas chamadas Hazel e Cynthia. Ao atravessar o corredor foi atropelada por dois rapazes mais velhos, Roger Fibbin e Gordon Boils, que a empurraram contra a parede.

— Sai do caminho, Zono.

— Mexe-te, Drono.

— Molly, corre! — dizia o Rocky, a mostrar os pés já enfiados nos chinelos. — Não podemos atrasar-nos outra vez! A Adderstone vai ter um ataque... Tem cuidado — disse, antes de acrescentar: — Ela pode acabar por se engasgar com a dentadura.

Sorriu, encorajador, para Molly, que procurava desesperadamente o pijama. Rocky sabia sempre encontrar a palavra certa para a encorajar. Conhecia-a bem.

Era sempre assim.

★

A Molly e o Rocky tinham chegado a Hardwick havia dez verões. Um bebé branco e um bebé negro.

Molly tinha sido encontrada por Miss Adderstone, dentro de uma caixa de cartão, enquanto o Rocky fora achado num carrinho de bebé, no parque de estacionamento existente por detrás da esquadra de polícia de Briersville. E deram com ele por estar a gritar a plenos pulmões.

Miss Adderstone não gostava de bebés. Via neles apenas criaturas barulhentas, malcheirosas e insaciáveis; a ideia de mudar uma fralda enchia-a de nojo. Foi assim que Mrs. Trinklebury, uma tímida viúva vinda da cidade, que já tinha colaborado com o orfanato no tratamento de outros bebés, foi contratada para tomar conta de Molly e de Rocky. Mrs. Trinklebury baptizava as crianças de acordo com as roupas que traziam vestidas ou com os meios em que tinham sido transportadas: como aconteceu com Moses [Moisés] Wicker, que tinha sido encontrado numa cesta ou com Satin [cetim] Knight, que apareceu no orfanato aconchegada numa camisa com fitas de cetim. Por isso, tanto Molly como Rocky foram baptizados com nomes exóticos.

Moon, o apelido de Molly, vinha da caixa de cartão dentro da qual fora encontrada, a qual ostentava os dizeres «Moon's Marshmallows» [Caramelos da Lua] impressos a cor-de-rosa e verde em todas as faces. Por ter encontrado um pauzinho de gelado dentro da caixa, Mrs. Trinklebury deu à bebé o nome de Lolly Moon. Porém, depois que Miss Adderstone proibiu o nome Lolly, Lolly Moon transformou-se em Molly Moon.

O nome de Rocky foi directamente inspirado pelo carrinho encarnado. No puxador do carrinho tinham escrito: «The Scarlet Rocker». Rocky era de constituição sólida, como uma rocha, e muito calmo. Esta calma advinha de ser um sonhador, embora de um género diferente do da Molly. A rapariga sonhava acordada para se esquecer da vida que levava, enquanto os devaneios de Rocky eram uma espécie de reflexão, através da qual procurava perceber o mundo que o rodeava. Mesmo quando era bebé, era frequente ser encontrado feliz e contente no berço, a pensar e a emitir sons para se embalar a si próprio. A sua voz profunda, forte, a que se juntava o rosto bonito, levaram Mrs. Trinklebury a prever que ele viria a ser uma estrela de *rock*, um cantor de baladas de amor para as senhoras. Portanto, o nome que ela lhe deu, Rocky Scarlet, acabou por lhe assentar perfeitamente.

Mrs. Trinklebury não era muito inteligente, mas a doçura do seu coração compensava a sua natureza simplória. Foi, com certeza, uma felicidade ter sido ela a pessoa encarregada de velar pela Molly e pelo Rocky; se tivessem estado todo o tempo a cargo de Miss Adderstone talvez acabassem por crescer a pensar que todo o mundo era mau, o que poderia torná-los igualmente maus. Em vez disso, saltavam sobre os joelhos gordos de Mrs. Trinklebury e adormeciam embalados pelas cantigas da boa mulher. Com ela, aprenderam a ser bons. Fazia-os rir e limpava-lhes as lágrimas quando choravam. E, à noite, se lhe perguntassem a razão de serem bebés abandonados, ela diria que tinham sido empurrados para fora dos seus ninhos por um cuco malvado. Entoava-lhes, então, uma estranha cantiga de embalar. Era assim:

> *«Perdoem, lindos passarinhos, ao cuco castanho*
> *Que vos empurrou para fora do ninho.*
> *Foi assim que a mãe-cuco os ensinou a viver,*
> *Ensinou-lhes que empurrar é o que têm de fazer.»*

Se Molly e Rocky alguma vez se sentiram furiosos com os pais, fossem eles quem fossem, por os terem abandonado, a canção de Mrs. Trinklebury decerto os fez sentirem-se melhor.

Todavia, Mrs. Trinklebury já não estava a viver no orfanato. Tinha sido mandada embora logo que as duas crianças deixaram de usar fraldas. Agora só vinha uma vez por semana para ajudar nas limpezas e na lavagem da roupa. Molly e Rocky sonhavam com o aparecimento de mais bebés abandonados, para que Mrs. Trinklebury pudesse voltar, mas nunca mais aparecera nenhum. Apareciam crianças, mas já andavam e falavam, pelo que, para poupar dinheiro, Miss Adderstone usava a Molly e o Rocky como amas-secas para tratarem deles. De momento, Ruby, a criança mais pequena do orfanato, tinha cinco anos e já deixara de usar fraldas, mesmo de noite, há imenso tempo.

A noite estava a aproximar-se.

Molly ouviu, lá longe, o cucar abafado do relógio de cuco dos aposentos de Miss Adderstone a marcar as seis horas.

— Estamos *mesmo* atrasados — disse ela, a tirar o roupão de um gancho existente na porta.

— Ela vai ter uma fúria — concordou o Rocky, enquanto os dois corriam através do corredor. As duas crianças desembaraçaram-se com perícia do verdadeiro percurso de obstáculos que era o caminho para o andar de baixo, um percurso que já tinham feito milhares de vezes. Deslizaram no linóleo encerado para rodearem uma esquina e desceram mais de um degrau de cada vez. Calmamente, e também sem fôlego, passaram em bicos de pés pelo pavimento de pedra da casa de entrada, passando ao lado da sala da TV, na direcção da sala de reuniões que tinha paredes revestidas de madeira de carvalho. Deslizaram para dentro da sala.

Alinhadas ao longo das paredes havia nove crianças, quatro delas com menos de sete anos de idade. Molly e Rocky colaram-se ao fim de uma bicha, juntando-se a dois companheiros de cinco anos, Ruby e Jinx, com a esperança de que Miss Adderstone ainda não tivesse chamado pelos seus nomes. Molly arriscou um olhar para algumas das caras pouco simpáticas das crianças mais velhas, que estavam do lado oposto. Hazel Hackersly, a rapariga mais mesquinha de todo o orfanato, deitou um olhar mau na direcção de Molly. Gordon Boils fez o gesto de lhe cortar o pescoço com uma faca imaginária.

— Ruby Able? — leu Miss Adderstone.

— Presente, Miss Adderstone — piou a minúscula Ruby, ao lado de Molly.

— Gordon Boils?

— Estou aqui, Miss Adderstone — disse Gordon, fazendo uma careta à Molly.

— Jinx Eames?

Ruby deu uma cotovelada nas costelas de Jinx. — Presente, Miss Adderstone — respondeu o petiz.

— Roger Fibbin?

— Presente, Miss Adderstone — respondeu o rapaz alto e esguio que estava a seguir a Gordon, a olhar para a Molly com malícia.

— Hazel Hackersly?

— Presente, Miss Adderstone.

Molly sentiu um grande alívio. O seu nome era o próximo.

— Gerry Oakly?

— Presente, Miss Adderstone — respondeu Gerry, de sete anos de idade, levando a mão ao bolso das calças para evitar que o seu ratinho de estimação se escapasse.

— Cynthia Redmon?

— Presente, Miss Adderstone — respondeu Cynthia, piscando o olho à Hazel.

Molly não fazia ideia de quando é que o seu nome seria anunciado.

— Craig Redmon?

— Presente, Miss Adderstone — grunhiu o irmão gémeo de Cynthia. Parecia que Miss Adderstone se tinha esquecido da Molly. Que alívio!

— Gemma Patel?

— Presente, Miss Adderstone.

— Rocky Scarlet?

— Presente — disse Rocky, com voz ofegante.

Miss Adderstone fechou ruidosamente o livro de registo.

— Como de costume, Molly Moon não está presente.

— Agora estou aqui, Miss Adderstone.

Mal podia acreditar. Miss Adderstone devia ter chamado por ela em primeiro lugar, com a intenção de a apanhar em falta.

— Agora já não conta — afirmou Miss Adderstone, de lábios arrepanhados. — Esta noite ficas a lavar a louça. A Edna vai sentir-se feliz por ter uma noite de folga.

Com o desgosto, Molly cerrou os olhos com força. A ideia de que aquela era a noite em que lhe ia acontecer algo de especial estava a desvanecer-se rapidamente. Era óbvio que o serão ia ser igualzinho a muitos outros, cheio de sarilhos.

Começaram as orações da noite, como era habitual. Era a altura em que se cantava o hino e se diziam as orações. Em noites normais, a voz do Rocky elevava-se acima de todas as outras, mas hoje estava a cantar baixo, a tentar recuperar o fôlego. Molly tinha esperança de que ele não fosse ter um mau Inverno, com ataques frequentes de asma. E, depois, o serão prosseguiu, como acontecia sempre, trezentas e sessenta e cinco vezes por ano.

Dita a última prece, soou a sineta a anunciar o jantar e a pesada porta da sala de refeições foi aberta. Rapazes e raparigas precipitaram-se para dentro da sala, desta vez recebidos por um cheiro repulsivo a peixe estragado. Já tinham visto bem o peixe, dentro de caixotes de plástico colocados na álea que passava por detrás da cozinha, coberto de moscas e de baratas, a cheirar mal, como se tivesse ali estado uma semana inteira. E todos sabiam que Edna, a cozinheira do orfanato, devia ter cozinhado o peixe num molho espesso, gorduroso, com queijo e nozes para disfarçar o gosto horrível; um truque que tinha aprendido na Marinha.

Lá estava a Edna, grande e musculosa, com o cabelo ondulado já grisalho e o nariz achatado, pronta a assegurar-se de que todas as crianças comiam. Com a tatuagem de marinheiro numa perna (embora isto não passasse de um rumor) e a sua linguagem terrível, Edna parecia um pirata irritadiço. O seu mau humor era como um dragão adormecido, um mau humor que se revelava violento e irascível sempre que o faziam despertar.

Enquanto Edna ia distribuindo as doses malcheirosas, cada uma das crianças se sentia nervosa e agoniada, mas mantinha-se na bicha e tentava arranjar desculpas para não comer.

— Edna, sou alérgica ao peixe.

— Engole o maldito filete de bacalhau — foi a resposta grosseira de Edna, ao mesmo tempo que limpava o nariz na manga da bata.

— Isto é um filete de bacalhau — sussurrou Molly ao ouvido do Rocky, sem tirar os olhos da sua dose de peixe.

O serão regular estava prestes a acabar. A Molly só restava cumprir o castigo de lavagem da louça. Como era habitual, Rocky ofereceu-se para ficar a ajudá-la.

— Podemos compor uma canção sobre a lavagem da louça. Além disso, lá em cima há apenas o Gordon e o Roger a desafiarem-me.

— O que eles têm é inveja de ti. Por que é que não vais lá acima para lhes dares uma surra e resolveres o problema de uma vez por todas? — perguntou a Molly.

— Não estou para me ralar.

— Mas tu odeias lavar louça.

— E tu também. Despachas-te mais depressa se eu te ajudar.

E assim, naquele serão normalíssimo, o par seguiu em direcção à copa situada na cave. Contudo, a Molly tivera razão. Naquela noite *ia* acontecer uma coisa estranha e já não tardava muito.

Estava frio naquela cave em que o tecto era cruzado por tubos que pingavam e as paredes tinham frestas que deixavam passar o ar frio, onde cheirava a bolor e a ratos.

Molly abriu a torneira, que felizmente deixou sair água morna, enquanto Rocky se encarregou de ir buscar o detergente líquido. Já se ouvia a Edna a resmungar pelo corredor, enquanto empurrava o carrinho, com onze pratos a cheirar a peixe, pela rampa de tecto abobadado que conduzia à copa.

Molly fazia figas para que Edna se limitasse a deixar o carrinho da louça e a ir-se embora, embora fosse mais provável que viesse até à copa e desatasse a dizer disparates. Era mais próprio da Edna. Rocky chegou com o detergente líquido. Espalhou algum no lava-louça, a fingir que estava num dos seus anúncios preferidos da TV.

— Oh, *mamã!* — disse para a Molly. — Por que razão tens as mãos tão macias?

Era frequente que os dois se entregassem àquela brincadeira de imitarem os intervenientes dos anúncios da TV; eram capazes de fazer imitações de um grande número de anúncios. Fingir que eram as pessoas dos anúncios fazia-os rir.

Molly respondeu como modos afectados: — Tão macias? É por eu usar este detergente líquido, meu querido. As outras marcas são perniciosas. Só o *Bubblealot* cuida da pele.

De súbito, a mão de Edna, que parecia a pata de um dinossauro, caiu sobre Molly, que se colocou em atitude defensiva, à espera de um chorrilho de insultos. Mas, em vez disso, uma voz demasiado melada sussurrou-lhe junto ao ouvido: — Eu faço isso, minha querida. Deixa isso, vai brincar.

Querida? Molly nem queria acreditar que tivesse ouvido bem. A Edna *jamais* lhe falara com simpatia. Em dias normais, a Edna era simplesmente horrível e repugnante. Contudo, de momento estava a sorrir, um sorriso que lhe mostrava os dentes estragados.

— Mas Miss Adder...

— Não te rales com isso — respondeu a Edna. — Sai daqui e descontrai-te... Vai ver a porcaria da novela da TV ou fazer outra coisa qualquer.

Molly olhou para o Rocky, que se mostrava tão confuso quanto ela. Ambos fitaram a Edna. A mudança operada nela era um espanto. Um espanto tão grande como se lhe tivessem começado a crescer tulipas no alto da cabeça.

E esta foi a primeira das coisas estranhas que aconteceram naquela semana.

Capítulo II

Por vezes, quando a infelicidade nos bate à porta, pensamos que ela não mais terá fim. Era frequente que Molly Moon pensasse assim em relação à sua falta de sorte, o que não era de admirar, pois andava sempre a meter-se em trapalhadas. Se pudesse imaginar que a sua sorte estava para mudar, poderia ter desfrutado o dia seguinte, pois, chegada ao fim desse dia, Molly sentiria que iam acontecer-lhe coisas maravilhosas de todos os géneros. No entanto, naquela manhã, desde o momento em que abriu os olhos depois de um sono profundo em cima do colchão irregular do orfanato, o dia da Molly começou a dar para o torto. Vejamos como tudo aconteceu.

Foi acordada de chofre por um toque estridente de sineta mesmo junto de uma orelha. A ossuda Hazel, a menina bonita de Miss Adderstone, gostava que Molly acordasse da forma mais violenta possível. A Hazel já tinha vestido o uniforme azul da escola que se ajustava perfeitamente ao seu corpo atlético e o cabelo comprido, que lhe chegava aos ombros, estava cuidadosamente penteado e preso por uma fita.

— Bogey Eyes, hoje é dia das corridas de corta-mato da escola e do exercício de ortografia de cinquenta palavras — anunciou. Afastou-se, sempre a tocar a sineta, feliz por ter estragado a manhã da Molly.

Molly vestiu-se rapidamente e dirigiu-se ao quarto que Rocky partilhava com Gordon. À laia de cumprimento, Gordon atirou-lhe um copo de papel com água. Rocky estava a cantar para si próprio, esquecido de tudo o que o rodeava.

— Rocky — disse Molly —, lembraste-te do teste de ortografia para hoje?

Tentaram recuperar durante o pequeno-almoço, mas apenas conseguiram ver os cadernos de exercícios de casa confiscados por Miss Adderstone que, mais tarde, experimentou uma enorme alegria ao ver a Molly a limpar uma sanita com a escova de dentes. Por volta das 8h30m, Molly já estava a sentir-se agoniada.

A manhã não melhorou mesmo nada durante o caminho para a escola.

Para chegarem à escola que frequentavam, Briersville Junior, outro edifício cinzento de pedra, os internados percorriam um caminho de quinze minutos, sempre a descer. Na estrada, um dos rapazes da aldeia atirou uma bomba de água à Hazel. Como esta se abaixou, a bomba de água atingiu a Molly, rebentando devido ao impacte e deixando-a encharcada. Hazel e os seus acólitos, os outros quatro internados mais velhos, acharam imensa graça ao episódio.

Resultado: Molly e Rocky faltaram à chamada, pois estavam a tentar secar o casaco e a blusa da Molly no radiador do vestiário das raparigas. Sabiam que não iam conseguir despachar-se a tempo de assistirem à primeira aula, uma decisão nada inteligente.

— Atrasados! — exclamou Mrs. Toadley, a professora, logo que eles entraram na sala. — E também faltaram à chamada. De castigos, falamos mais tarde. Atchim!

Mrs. Toadley teve um ligeiro ataque de espirros, o que acontecia sempre que era contrariada.

Molly suspirou. Mais castigos.

Os castigos de Mrs. Toadley eram imaginativos. E, como não podia deixar de ser, Molly conhecia-os perfeitamente. Por exemplo, quando Molly foi apanhada, pela décima vez, a mastigar papel, Mrs. Toadley fê-la sentar-se no canto da sala de aulas e obrigou-a a comer um monte de folhas de papel de formulários para computadores. A tarefa exigiu-lhe duas horas e foi particularmente desagradável. É muito difícil fingir que uma massa de papel mastigado é uma sanduíche com molho de tomate ou um *donut*: sabe sempre a papel.

Molly detestava Mrs. Toadley e sentia prazer no facto de a professora ser tão repulsiva: tinha o rosto gorduroso, muita falta de cabelo e um estômago que parecia um saco de borracha cheio de água. E merecia bem aquela aparência. Molly poderia ter-se apiedado de Mrs. Toadley por causa dos interiores ruidosos e gorgolejantes da professora, por ela ser alérgica a quase tudo e, devido a isso, sujeita a ataques frequentes de espirros. Acontecia, porém, que a detestava.

Os espirros de Mrs. Toadley costumavam ser boas oportunidades para cabular, mas copiar pelo parceiro do lado estava fora de questão no teste de gramática daquele dia, pois nem a Molly nem o Rocky sabiam as respostas. Estavam ambos sentados em duas carteiras de madeira caruncosa, na fila da frente.

O teste estava escrito numa linguagem pretensiosa, de fantasia. Para além de escreverem as palavras, os alunos tinham de dar o significado de cada uma delas. Tanto a Molly como o Rocky o fizeram um pouco às cegas, inventando as respostas.

Quando acabaram, Mrs. Toadley recolheu os testes e dispôs-se a corrigi-los, pondo a turma a fazer um exercício de inglês. Começou pelo teste da Molly. Poucos minutos passados, a voz guinchada e aguda de Mrs. Toadley fez-se ouvir por toda a sala, seguida de uma sucessão de espirros. Molly sentiu o estômago a contrair-se perante a ideia de receber mais uma repreensão. Sentiu que lhe estavam a faltar as forças para a enfrentar. Afinal, há um limite para os ataques que uma pessoa consegue aguentar. Meteu-se dentro da sua concha à prova de repreensões e desligou. Teve de proceder assim para que a língua cruel de Mrs. Toadley não continuasse a massacrá-la. Em imaginação, voou para longe da sala de aulas, para um lugar onde os sons desagradáveis da voz de Mrs. Toadley se tornassem fracos e distantes, como se descessem de uma linha telefónica, e o padrão antiquado da sua comprida saia formasse uma mancha de cor entre púrpura e cor de laranja.

— Também erraste na palavra FAMIGERADO — dizia a voz de cana rachada. — Atchim... Na realidade, significa «famoso, mas no *mau* sentido» e devo dizer que é o que podemos pensar de ti, não é, Molly? Hã?... Hã?... Hã?

Molly levantou-se.

— Molly Moon! Estás a ouvir o que te digo, tu, rapariga sem préstimo?

— Lamento se a desapontei, Mrs. Toadley. Vou tentar fazer melhor da próxima vez.

Mrs. Toadley resfolegou, espirrou e voltou a sentar-se, com as veias a pulsarem com violência graças à descarga de adrenalina.

Para Molly, numa classificação de 0 a 10, aquela manhã horrível merecia a nota máxima. Contudo, durante a tarde aconteceu uma coisa muito pior, que nada teve a ver com professores.

Depois do almoço, a turma de Molly mudou de roupa para a corrida de corta-mato. Estava a chover a cântaros e os trilhos que subiam o monte, afastados da escola e escondidos pela mata, estavam lamacentos. Os pingos de chuva desciam pelas vidraças das janelas do vestiário enquanto Molly procurava uma das sapatilhas de ginástica. Quando conseguiu encontrá-la e saiu em companhia do Rocky para enfrentarem a chuva, os outros alunos já iam muito afastados. Rocky estava determinado a agarrá-los, mas o terreno escorregadio tornava a progressão difícil. Depois de correrem um bocado pelas matas barrentas, Molly precisava de descansar e Rocky começava a respirar com dificuldade. Resolveram, por isso, descansar um pouco e sentaram-se num banco colocado debaixo de uma árvore. As sapatilhas de ginástica estavam uma lástima, tinham as pernas frias e molhadas, mas os anoraques de plástico mantinham-nos quentes. Rocky tirou o dele e atou-o à cintura.

— Anda — disse. — Vamos correr mais um pouco, para não ficarmos muito atrasados.

— Olha lá, por que é que não voltamos para trás? — sugeriu Molly.

— Molly — disse o Rocky com ar de irritação —, *queres* arranjar sarilhos? Estás maluca?

— Não estou maluca, só não gosto de correr.

— Deixa-te disso, Molly, vamos embora.

— Não, acontece que... não me apetece.

Rocky inclinou a cabeça e olhou-a com curiosidade. Tinha perdido dez minutos a ajudá-la a procurar a sapatilha, o que o fizera atrasar-se também, e agora a Molly queria meter-se numa trapalhada ainda maior.

— Molly — exclamou exasperado —, se não vieres, é provável que nos obriguem a fazer o percurso duas vezes. Por que é que não tentas?

— Porque não sou boa nisto e também porque não quero.

Rocky olhou-a de frente. — Podias ser boa na corrida, como sabes, desde que tentasses. Se melhorasses acabavas por gostar, mas tu nem sequer tentas.

O rapaz olhou para as nuvens de chuva que encobriam o céu. — É o que se passa com muitas das coisas que fazemos. Se não somos bons, desistimos. E, então, como não somos bons em muitas mais coisas, cada vez tentamos menos, e depois somos cada vez piores nas coisas, e então...

— Rocky, cala-te.

Sentia-se cansada e o que menos desejava era um sermão dado pelo seu melhor amigo. Na realidade, sentia-se chocada com a pre-ocupação dele. Normalmente, era acomodatício e tolerante. Normalmente, ignorava as coisas que o aborreciam ou afastava-se delas. — E então — concluiu Rocky —, metes-te em *sarilhos*.

Rocky inspirou profundamente, uma inspiração sibilada de quem está enfadado. — E sabes que mais? Estou farto de te ver metida em trapalhadas. Parece que gostas delas. Parece que ape-nas *procuras ser* cada vez mais detestada.

Surpreendida pelas palavras do amigo, Molly sentiu um baque no coração. Rocky *nunca* a criticara. Estava furiosa com ele.

— Tu também não és lá muito popular, Rocky Scarlet — retorquiu.

— Por andar habitualmente contigo — respondeu ele, como se isso fosse evidente.

— No entanto, também pode acontecer que haja muitas pessoas a detestarem-*te* — atirou Molly. — Quero dizer, tu não és perfeito. És tão sonhador, é como se vivesses noutro planeta. De facto, comunicar contigo é como tentar esclarecer qualquer coisa com um extraterrestre. Não és lá muito de fiar. Por vezes, espero *horas* até tu apareceres. Como ontem, esperei uma *eternidade* por ti, junto aos cacifos do vestiário. Para finalmente te ver aparecer como se não estivesses atrasado. De tão reservado, às vezes pareces velhaco. Queres dizer-me onde é que foste ontem depois de saíres da escola? Nos últimos tempos estás *sempre* a desaparecer. As pessoas podem pensar que *eu* sou esquisita, mas acham que tu és tão estranho como eu. És uma espécie de trovador estranho e vagabundo.

— Mesmo assim, gostam mais de mim do que de ti, disso tenho a certeza — respondeu Rocky com ar satisfeito, voltando--lhe as costas.

— O que é que estás a dizer?

— Disse — respondeu Rocky em voz alta — que as pessoas gostam *mais* de mim do que de ti.

Molly levantou-se, presenteando-o com o mais detestável dos olhares.

— Vou-me embora — declarou —, agora que fiquei a saber quanto tu és melhor do que eu. E sabes uma coisa, Rocky? Podes correr e apanhar os outros. Vai e torna-te mais popular. Não per-mitas que te prenda aqui.

— Oh, não te ofendas dessa maneira. Eu só estava a tentar ajudar-te — disse Rocky, a franzir os sobrolhos. Mas Molly estava furiosa. Era como se, de súbito, sentisse que se partira alguma coisa dentro de si. Sabia que era menos popular do que o Rocky, mas não queria que lho dissessem. Era verdade que toda a gente implicava com ela e que ninguém implicava com ele. Era intocável, confiante, difícil de aborrecer e feliz por sonhar acordado. A Hazel e o seu bando não se aproximavam dele; tinha bastantes amigos na escola. Havia crianças que, em segredo, alimentavam desejos de ser como ele. Agora, por se sentir traída, Molly estava a detestá-lo. Olhou para ele e Rocky fez-lhe um gesto com as bochechas, como que a dizer «Tu pões-me maluco».

— Também tu. E quando fazes isso pareces um *estúpido* de um peixe. Talvez alguns dos teus novos amigos achem que esse gesto é inteligente.

Ao afastar-se, a bater os pés, gritou: — Odeio este lugar; na verdade, não consigo pensar que possa existir um lugar *pior* em qualquer parte do mundo. A minha vida é um verdadeiro HORROR.

Molly disparou através do matagal. Hoje, não fazia a corrida de corta-mato nem regressava àquela escola miserável. Ia para o seu lugar especial, para o seu lugar secreto, e todos eles podiam assobiar e resmungar e gritar até que as faces lhes ficassem roxas.

Capítulo III

Molly desarvorou pela mata da escola, com o mato rasteiro e molhado a fustigar-lhe as pernas. Apanhou uma vara de salgueiro e começou a bater com ela nas plantas. O primeiro feto viçoso a ser atacado representava Miss Adderstone. ZÁS. A vara sibilou pelo ar e cortou-lhe a cabeça. — Vaca velha! — murmurou Molly. Uma trepadeira verde-escura era Edna. ZÁS. — Velha porca! Chegou junto do tronco de um velho teixo. As bagas venenosas apodreciam no chão à volta da árvore e um cogumelo amarelo, enorme, crescia de forma repugnante no seu tronco. — Ah! Mrs. Toadley!

ZÁS. ZÁS. Molly sentiu-se melhor depois de ter cortado Mrs. Toadley em fatias malcheirosas. — É mesmo dela — disse, quando o fedor lhe chegou ao nariz.

Sentada num tronco caído, deu um pontapé numa urtiga e ficou a pensar no que o Rocky lhe tinha dito. A urtiga oscilou para trás e atingiu-lhe o tornozelo. Enquanto procurava uma folha de azeda para esfregar na mancha vermelha provocada pela urtiga, começou a pensar que talvez o Rocky tivesse razão, só um poucochinho, mas continuava zangada com ele. Afinal, ela nunca o importunava. É certo que em certas ocasiões, quando ele estava a cantar uma das suas cantigas, tinha de o abanar para lhe captar a atenção. Porém, nunca esperou que ele mudasse de hábitos. Molly pensara que o Rocky gostava dela exactamente como ela era, de modo que sofreu um choque muito grande ao descobrir que ele não gostava de uma parte da sua maneira de ser, um choque ainda maior por ver o amigo a alinhar com os outros. Pôs-se a pensar em quantas vezes teria ficado ressentido com ela, mas sem o dizer. Nos últimos tempos, tinha andado bastante tempo sozinho. Teria andado a evitá-la? Molly sentia a cabeça a arder. O que é que ele tinha dito? Que ela nunca tentava nada? Mas ela era brilhante nos anúncios que representavam juntos. Tentava, pelo menos nesses casos. Talvez devesse procurar outra área em que também fosse boa. Havia de lhe mostrar. Interiormente, Molly era uma enorme caldeira de fúria e de preocupação.

Vagueou pela mata, a sentir muita pena de si própria e a fazer inspirações profundas para se acalmar. Foi até ao fim da área arborizada e deixou-se ficar ao vento, no monte inóspito, a olhar para baixo, para a pequena cidade de Briersville. Havia a escola e, mais para diante, a rua principal, o prédio da Câmara, edifícios públicos e casas. Tudo brilhava com a chuva da tarde. Os automóveis pareciam ratinhos de laboratório a saltitar através do emaranhado das ruas. Molly gostaria que um daqueles carros a viesse buscar e a levasse para casa, para um lar agradável. Pensou na sorte das outras crianças; podiam ter um dia mau, mas também tinham sempre um lar amigo para onde regressar.

Pensando noutra coisa, concentrou-se no painel gigante que existia à entrada da cidade, que apresentava um novo anúncio em cada mês. Hoje, a mensagem que se pretendia enfiar na cabeça de toda a gente era: «SEJA SOFISTICADO, BEBA *QUBE*». O enorme cartaz mostrava a imagem de um homem na praia, de óculos de Sol e a beber uma lata de *Qube*. A famosa lata de *Qube* faiscava em tiras de ouro e cor de laranja. Molly gostava da ideia: uma embalagem quente, mas cheia de uma bebida fria. Banhistas bonitas rodeavam com ar de adoração o homem que estava a beber. Todas as pessoas tinham dentes maravilhosamente brancos, embora os mais brancos de todos pertencessem ao sujeito que empunhava a lata de *Qube*.

Molly adorava os anúncios da marca *Qube*. Em imaginação, já tinha passeado nas areias douradas daquela praia, conhecia as pessoas fascinantes que a povoavam. Como gostaria de ser levada para o mundo fantástico onde aquelas pessoas viviam. Sabia que eram actores e que a cena era uma montagem mas, no entanto, acreditava que o mundo delas existia mesmo. Um dia, escapar-se-ia da miséria de Hardwick House para começar uma nova vida. Uma vida cheia de encantos, como a das pessoas dos seus anúncios preferidos, mas uma vida verdadeira.

Molly tinha provado *Qube* uma vez, quando Mrs. Trinklebury comprou algumas latas. Mas a bebida tinha sido partilhada, de modo que só bebeu umas goladas. Era diferente do que conhecia, sabia a mentol e a fruta.

Ao aproximar-se da cidade ia a pensar como seria maravilhoso se o simples facto de beber uma lata de *Qube* fosse suficiente para tornar uma pessoa popular. Adoraria ser popular como as pessoas bonitas que eram mostradas no cartaz. Como gostaria de ser rica, além de bela. Acontecia, porém, que era pobre, de aspecto esquisito e impopular. Não era ninguém.

Descido o monte, Molly dirigiu-se para a biblioteca municipal. Gostava muito daquela biblioteca velha e desorganizada. A atmosfera era calma e os espessos livros de fotografias que continha mostravam-lhe muitos lugares longínquos com que podia sonhar. Tanto ela como o Rocky adoravam aquele lugar. A bibliotecária, sempre ocupada a ler e a catalogar livros, não tinha tempo para se preocupar com eles. De facto, aquele era o único lugar em que Molly não era objecto de repreensões. E podia descontrair-se no seu cantinho secreto.

Subiu os degraus de granito e passou pelos leões de pedra colocados no cimo da escadaria. Ao entrar no vestíbulo sentiu o cheiro adocicado que o soalho brilhante exalava, ficando desde logo dez vezes mais calma. Limpou os pés e dirigiu-se para o quadro de notícias da biblioteca, onde eram colocadas mensagens do mundo exterior. Nesta semana, havia alguém a tentar vender um colchão de água e uma outra pessoa que tentava encontrar lares para gatinhos. Havia notícias acerca de cursos de ioga, lições de tango, aulas de culinária e passeios guiados. O anúncio mais importante referia-se ao Concurso de Talentos de Briersville, a realizar na semana seguinte. O anúncio obrigou-a a lembrar-se do Rocky, que participava com uma canção de sua autoria. Molly gostaria que o amigo ganhasse, mas, recordando-se de que continuava zangada com ele, deixou imediatamente de lhe desejar a vitória.

Abriu calmamente a porta da biblioteca. A bibliotecária estava sentada à secretária, a ler um livro. Olhou a Molly de relance e sorriu.

— Ah, olá — cumprimentou, com os olhos azuis a pestanejarem por detrás das lentes. — Quando vi o anoraque da escola através das vidraças, pareceu-me que era o teu amigo. Nos últimos tempos, ele tem frequentado muito a biblioteca. Fico contente por te ver novamente.

Molly retribuiu o sorriso. — Obrigada.

O ar amistoso da bibliotecária fazia-a sentir-se esquisita. Molly não estava acostumada a que os crescidos a tratassem com amabilidade. Sentindo-se sem jeito, virou as costas à senhora e começou a ler os folhetos que estavam empilhados em cima da mesa dos jornais, onde uma senhora idosa, com os cabelos acobreados, bem penteados e seguros com laca, lia uma revista chamada *Dog Show*.

Então, era a biblioteca o lugar secreto em que o Rocky andava a refugiar-se... Molly voltou a pôr a hipótese de ele estar a querer evitá-la. Decidiu, porém, que não ia preocupar-se mais com o assunto e foi dar uma vista de olhos pelos livros. Dirigiu-se para as filas de prateleiras e, de passagem, tomou de empréstimo a almofada de uma cadeira próxima.

Passou por entre as altas prateleiras de livros. A a C, D a F. As prateleiras estavam pejadas de livros, em muitos casos colocados um atrás de outro. Alguns dos livros, pensava Molly, há décadas que não eram lidos. Passou pelas alas G a I, depois pelas J a L. M a P. Q a S.

T a W

e X a Z.

Z. O lugar preferido de Molly, a secção X a Z, ficava mesmo no fim da biblioteca, onde a sala se tornava mais estreita e só havia lugar para uma prateleira pequena. Entre a prateleira e a parede existia um lugar confortável, aquecido por um cano que passava por debaixo do chão e dispondo de luz própria. A alcatifa estava menos puída naquela parte da sala, pois não eram muitos os autores ou os assuntos com nomes começados pelas letras X, Y ou Z. Uma vez por outra, o corredor era percorrido por alguém interessado em Zoologia, ou num livro de um autor cujo nome começasse por um «Z». Mas não era muito frequente. Molly tirou o anoraque e deitou-se, a cabeça para o lado Y e os pés para o lado Z, descansando a cabeça na almofada. O chão estava morno e o bater rítmico e afastado da instalação de aquecimento, a que se acrescentava a voz calmante da bibliotecária a falar ao telefone, ajudaram a Molly a respirar calmamente e, quase de imediato, a ficar deitada, mas a imaginar-se de novo a flutuar através do espaço. E adormeceu.

Foi acordada por um rebuliço. Tinha dormido durante cerca de meia hora. Alguém, um homem com sotaque americano, estava tremendamente zangado e a sua voz grosseira elevava-se cada vez mais.

— Nem quero crer numa coisa destas — berrava o homem.
— Isto é inacreditável. Há uns dias, pelo telefone, fiz um contrato consigo. Enviei um vale telegráfico com o dinheiro do

aluguer do livro, depois voei de Chicago para aqui para o consultar. Percorri *cinco mil* quilómetros e você, nesse espaço de tempo, deixa que o livro se perca. Como é que pode ser, que miséria de instituição é esta, tão mal dirigida?

Esta era uma sensação muito estranha para a Molly. Outra pessoa, que não ela, a levar uma descompostura. A voz cacarejada e nervosa da bibliotecária fez-se ouvir.

— Lamento, Professor Nockman, na verdade não consigo pensar no que possa ter acontecido. Na semana passada, vi o livro com os meus próprios olhos. Só posso partir do princípio de que foi levado por outro leitor... Embora esta tenha sido sempre uma secção reservada, o que não deveria permitir que isto acontecesse... oh, meu Deus... vou verificar no ficheiro.

Molly levantou-se para espreitar através das estantes, para ver a pessoa que estava a fazer todo aquele alarido. Na mesa principal, a bibliotecária passava nervosamente os dedos pelas fichas que enchiam uma caixa de arquivo, olhava as fichas com desespero, como que a pedir a uma delas que lhe explicasse onde poderia estar o livro perdido. Molly sabia o que ela deveria estar a sentir.

— O autor é Logam, não foi o que disse? — A pergunta foi feita com preocupação.

— *Logan* — corrigiu a voz rude. — E o título começa por um «H».

Molly pôs-se de joelhos para poder olhar através de uma estante mais alta; queria ver o aspecto do homem. De onde estava, via-lhe o meio do corpo, a barriga em forma de barril e uma camisa hawaiana decorada com palmeiras e ananases. Estava de mangas curtas, e o braço peludo do homem ostentava um relógio de ouro com aspecto de valer uma fortuna. Tinha mãos pequenas, gordas e peludas, com unhas repugnantes por precisarem de ser cortadas. Batucava a secretária com impaciência.

Molly ergueu-se um pouco mais, para olhar através da prateleira seguinte.

O homem tinha nariz arrebitado e cara redonda, com duplo queixo. O cabelo preto e gorduroso começava a meio da cabeça e pendia até aos ombros. A barba estava aparada de modo a formar um triângulo pequeno, agudo e preto, mesmo por debaixo do lábio inferior; o bigode estava aparado e oleado. Os olhos eram salientes e o rosto estava tisnado pelo Sol. No conjunto, parecia um leão-marinho muito feio e, pensava Molly, nada parecido com a ideia que ela tinha do aspecto de um professor.

— Então? — perguntou ele, com ares beligerantes. — Já o encontrou?

— Bem, ainda não. Tenho muita pena, Professor Nockman, segundo parece não saiu emprestado para o exterior. Oh, meu Deus. Oh, isto é verdadeiramente embaraçoso.

A bibliotecária ia falando só por estar nervosa. Começou a procurar nas gavetas da secretária. — Professor Nockman, julgo que por agora o melhor é receber o seu cheque de volta.

— NÃO QUERO O MEU CHEQUE DE VOLTA — berrou o homem feio. — QUE DIABO DE BIBLIOTECÁRIA MISERÁVEL É A SENHORA, QUE PERDE OS LIVROS?!

O professor Nockman começou a berrar, furioso: — Eu quero esse livro. Eu paguei para ler esse livro. *Tenho de ter* esse livro!

Lançou-se para o corredor G a I. — É provável que algum idiota o tenha posto num lugar errado.

A bibliotecária mexia-se nervosamente na cadeira, enquanto o homem ia percorrendo os corredores, irritado e coberto de transpiração. Molly conseguia sentir-lhe a respiração alterada. Estava agora mesmo do outro lado da prateleira, tão perto que Molly podia tocar-lhe, se quisesse. Cheirava a óleo rançoso de fritar, a peixe e a tabaco. Do pescoço forte pendia-lhe um fio de ouro com um medalhão, que lhe assentava no peito cabeludo, em que era representado um escorpião. O escorpião de ouro tinha um olho de diamante, que captou a luz e a dardejou sobre a Molly. A garra com que terminava o dedo gorducho do professor passou, como uma ameaça, do topo dos livros começados por T para os começados por W.

— Muito bem! — exclamou subitamente. — Muito bem! É óbvio que não está aqui, de modo que quem tem de o procurar é você. Você — gritou ao dirigir-se para a secretária, apontando o dedo ameaçador para o espaço entre os olhos da bibliotecária —, a senhora vai conferir tudo com a sua colega e descobrir o que sucedeu ao *meu* livro. E telefona-me logo que souber alguma coisa.

O homem com cara de javali puxou de uma carteira de pele de cobra, que trazia no bolso traseiro das calças, de onde tirou um cartão. Escreveu qualquer coisa no verso do cartão.

— Estou no Briersville Hotel. Telefone-me e mantenha-me informado. E vai considerar que ter o livro de regresso à estante é um assunto prioritário. Preciso desse livro para uma investigação científica importante. O meu museu ficará *horrorizado* se souber como o assunto foi tão mal conduzido. Embora ninguém vá saber de nada disto, como é evidente, desde que consiga encontrar o livro. Expliquei-me bem?

— Sim, Professor.

Então, o professor pegou no seu casaco forrado de pele de carneiro e, sem deixar de emitir grunhidos furiosos, saiu da biblioteca.

A bibliotecária mordeu o lábio e começou a ajeitar os ganchos do cabelo. As portas exteriores foram fechadas com estrondo. De joelhos, Molly inclinou-se para trás. Em frente dela, um grande Y indicava o início das prateleiras dos livros começados por Y. YY. Porquê?

Que razões poderiam levar o homem feio a desejar tanto aquele livro? Tinha dito que pagara para o livro lhe ser emprestado, embora se tratasse de um livro do sector dos que não podiam sair da biblioteca. E tinha vindo de bem longe para o consultar. Devia tratar-se de um livro muito interessante. Mais interessante, pensava Molly, do que *Yachting* ou *Ypnotism*. *Ypnotism?* Molly olhou para o livro que tinha mesmo à frente dos olhos. A capa tinha sido rasgada, o que provocara o desaparecimento da primeira letra do título. Numa inspiração súbita, Molly percebeu que a letra que faltava era um «H»!

Sem perder tempo, tirou da prateleira aquele pesado volume forrado a pele e, sempre a olhar furtivamente para verificar se estava a ser observada, abriu o livro.

E leu, em letras impressas num tipo de caracteres antigos:

HYPNOTISM
An Ancient Art Explained
by
Doctor H. Logan
Published by Arkwright and Sons
1908

[*Hipnotismo. Uma Arte Antiga Explicada pelo Dr. H. Logan.*
Edição de Arkwright and Sons. 1908.]

Molly não precisou de ler mais para diante. Fechou o livro com cuidado, embrulhou-o no anoraque e, enquanto a bibliotecária estava a procurar qualquer coisa debaixo da secretária, abandonou a biblioteca.

E *aquele* foi o segundo acontecimento estranho da semana.

Capítulo IV

Cada vez mais excitada, Molly regressou através das ruas menos movimentadas de Briersville e dos trilhos que subiam para o orfanato. Tinha deixado de chover mas, mesmo assim, manteve o livro de hipnotismo cuidadosamente embrulhado no anoraque. Estava no hora do chá, mas a luz cinzenta de Novembro começava já a desaparecer. Enquanto procuravam o seu lugar de repouso, os faisões gritavam ruidosamente e os coelhos corriam a esconder-se, à passagem da Molly.

Quando chegou a Hardwick House, as janelas do edifício de pedra já brilhavam graças às luzes interiores. Por detrás da cortina de uma janela do primeiro piso, Molly conseguiu distinguir a silhueta mirrada de Miss Adderstone a fazer festas à *Petula*, a sua cadela *pug* com mau feitio.

Molly sorriu para si mesma e abriu o portão de ferro. A porta lateral do orfanato abriu-se quando ela caminhava sem fazer ruído pela vereda de gravilha. Era Mrs. Trinklebury. Lançou os braços rechonchudos à volta de Molly e abraçou-a.

— Oh, viva, Molly, minha boneca! Voltaste. Ao menos ainda vieste a tempo de eu te ver. Como é que estás? Estás bem?

— Estou, mais ou menos — respondeu Molly, retribuindo o abraço. Bem gostaria de falar do livro a Mrs. Trinklebury, mas decidiu que era melhor guardar segredo sobre o assunto. — Como é que está?

— Na forma do costume. Acabo de ter uma pequena contrariedade com a Hazel, mas isso já não é novidade. Olha, guardei-te um bolo.

Mrs. Trinklebury abriu o seu saco de lã às flores e remexeu o interior. — Cá está — exclamou, ao passar para a mão de Molly um embrulho de papel resistente à gordura. — É bolo de chocolate. Fiz um, na noite passada.

Ao captarem a luz vinda da entrada, as lentes dos óculos dela faiscaram. — Mas não deixes que a Miss que nós sabemos descubra que eu to dei.

— Não deixo, obrigada — disse a Molly, sinceramente agradecida.

— Agora tenho de ir, minha querida — anunciou Mrs. Trinklebury, a embrulhar-se no seu velho casaco de lã tricotado à mão, a apertar os botões floridos e a dar um beijo à Molly. — Não te deixes arrefecer, doçura. Até para a semana.

Dito isto, Mrs. Trinklebury fez-se à estrada, a caminho de casa, Molly entrou no orfanato.

Esgueirou-se para o quarto, e, como era a hora do chá, dispôs de tempo para esconder o livro e o bocado de bolo debaixo do colchão. Só depois desceu para a sala de jantar e sentou-se, sozinha, na mesa pequena, junto da lareira.

Costumava tomar chá na companhia do Rocky, mas desta vez ele não estava por ali, para a afastar de sarilhos. Comeu o seu pão barrado de margarina, sempre sem perder de vista a Hazel, sentada na mesa grande, do outro lado da sala. Estava a exibir-se por ter ganho a corrida de corta-mato. Tinha as pernas gordas cobertas de lama, a cara continuava vermelhusca devido ao esforço e tinha prendido um ramo florido no cabelo preto, como se fosse uma pena.

Molly sabia que a Hazel nunca deixava de a importunar quando a encontrava sozinha. E nunca se livrava da inevitável escalada de zombarias. Hazel começava por uns quantos comentários maldosos, em que Molly fingia não reparar. Os comentários de Hazel seriam cada vez mais maldosos, até conseguirem penetrar na couraça com que a Molly se defendia. Molly podia acabar por corar ou fazer uma careta ou, pior ainda, sentir um nó a formar-se na garganta e os olhos a ficarem húmidos de lágrimas. Molly sentia muitas dificuldades para não perder o autodomínio sempre que a Hazel e o seu bando se encarniçavam contra ela. Não se demorou a meter o resto do pão na boca e preparou-se para sair. Era, porém, demasiado tarde.

Hazel apercebeu-se da intenção dela e gritou: — Olhem, todos, a Zono conseguiu chegar, finalmente. Caíste num charco, Drono? Ou assustaste-te com um sapo que estava no meio do caminho? Ou será que essas tuas pernas esquisitas te deixaram ficar mal?

Molly presenteou-a com um sorriso sarcástico, tentando ignorar os insultos.

35

— Achas que esse é um sorriso superior? — perguntou a Hazel, com ar de desdém. — Vejam, todos, a Bogey Eyes está a pretender mostrar-se superior.

Molly odiava a Hazel, embora nem sempre tivesse sido assim. No início, tinha sentido pena dela.

Hazel tinha chegado ao orfanato havia quatro anos, com 6 anos de idade. Os pais, falidos, tinham morrido num acidente de automóvel, deixando-a sem nada, nem mesmo familiares. E, por isso, sozinha e sem recursos, tinha sido mandada para Hardwick House. Molly tinha feito tudo o que podia para ela se sentir apoiada, mas depressa percebeu que Hazel não queria a sua amizade. Hazel empurrou Molly contra uma parede e explicou que lhe era superior. *Ela* tinha conhecido uma maravilhosa vida de família. *Ela* não tinha sido abandonada como lixo nos degraus do orfanato. Tinha vindo para ali devido a um acidente trágico que lhe roubara os pais que amava. Sempre pronta a contar histórias da passada vida de fantasia, Hazel exercia um grande fascínio sobre as outras crianças. Contudo, para a Molly e para o Rocky era dura e venenosa. Há quatro anos que tentava, desafiava e desdenhava de Molly. Por uma qualquer razão desconhecida, a Hazel desprezava-a. E agora a Molly retribuía-lhe o desprezo.

As quatro crianças mais velhas, que estavam junto de Hazel, riam em silêncio. Cynthia e Craig, os gémeos atarracados, Gordon Boils e Roger Fibbin, que eram os amigalhaços mais chegados de Hazel, eram todos uns fracos de carácter, demasiado fracos para ousarem enfrentar a líder do grupo. Adoravam vê-la a zombar da Molly.

Gordon Boils, o dos cabelos oleosos, tinha posto o seu lenço colorido e sentava-se à esquerda de Hazel, de punhos cerrados. Desde que tinha tatuado todos os dedos, usando um compasso e tinta, os dedos da mão esquerda diziam «GORD» e os da mão direita «KING». Do ponto onde se encontrava, Molly conseguir ler o conjunto: «KING GORD». Como o visse dar uma dentada numa fatia de bolo, Molly lembrou-se do truque mais apreciado do rapaz, que consistia em pegar numa fatia de pão e assoar-se nela, fazendo aquilo a que ele chamava uma sanduíche de ranho, que comia de seguida. Tinha uma imaginação repulsiva e, se ganhasse alguma coisa com isso, podia fazer *fosse o que fosse*. Era o pau-mandado da Hazel.

O bisbilhoteiro Roger Fibbin estava sentado à direita da Hazel. Era o seu informador, o seu espião. Ao olhar para ele, de camisa branca engomada e cabelo bem penteado, não podia deixar de pensar quanto o rapaz se parecia com um adulto em ponto pequeno. O nariz afilado, os olhos frios e perscrutadores, tudo nele era sinistro. Rocky e Molly chamavam-lhe «o Rastejante». Quanto à Cynthia e ao Craig, eram «os Clones».

Quanto mais desagradáveis se tornavam os comentários da Hazel, mais o bando a encorajava e se ria à socapa. Gemma e Gerry, de 7 e 6 anos de idade, calmamente sentados numa outra mesa pequena junto da entrada da sala de jantar, começavam a mostrar-se incomodados. Detestavam ver a Molly a ser massacrada, mas eram demasiado pequenos para poderem correr em seu auxílio.

— Ou terias sido atacada por algum camponês por pareceres uma ratazana de olhos de bruxa? — sugeriu o magricelas do Roger.

— Ou foste atacada por uma ratazana porque as tuas mãos suadas cheiram mal? — interveio o musculoso Gordon.

— Ou terias ficado com o Rocky dentro dos arbustos, ambos a planearem o vosso casamento? — escarneceu Hazel.

Molly não conseguiu conter o sorriso. Um sorriso que, de súbito, brotou do mais fundo de si própria e das esperanças que o livro de hipnotismo tinha despertado nela. Já tinha começado a sonhar sobre o que seria capaz de fazer, se aprendesse a hipnotizar pessoas. A Hazel e o seu bando fariam melhor em se precaver. Sem uma palavra, Molly levantou-se e deixou a sala. Não podia esperar, tinha de ver o livro. Todavia, ainda teve de esperar bastante tempo até ter essa oportunidade.

Depois do chá, todas as crianças tinham um período de descanso nas suas camas, com excepção das que estravam autorizadas a treinar para actuarem no Concurso de Talentos de Briersville. Molly ardia por iniciar a leitura do livro de hipnotismo, mas não podia correr riscos, pois Cynthia estava na cama ao lado, a ler um livro de banda desenhada.

Os minutos arrastavam-se. Molly ouvia os sons das cantigas que vinham da escada. Ouviu a voz poderosa do Rocky e desejou mais uma vez que ele ganhasse, embora ainda se sentisse ofendida com o que ele lhe tinha dito e, por isso, resolveu não descer para o ouvir. Depois, era a hora dos trabalhos de casa. Parecia que estavam no ano dos trabalhos de casa.

O relógio de cuco de Miss Adderstone bateu as seis horas. Durante as vésperas, Molly fez o que pôde para evitar o Rocky, pelo que ele a ignorou totalmente. Depois de entoado um cântico, com música gravada, Miss Adderstone anunciou algumas novidades, sempre a segurar debaixo do braço a cadela estragada de mimos, demasiado gorda e sempre a ganir. A primeira foi que, por não ter conseguido terminar a corrida de corta-mato, Molly ficava encarregada de aspirar as instalações durante uma semana. A segunda foi a chegada, no dia seguinte, de uns visitantes americanos.

— Vão chegar às quatro horas da tarde. Devo informar que eles estão interessados em adoptar um de vós, por estranho que pareça. Se bem se lembram, os últimos americanos que aqui estiveram foram-se embora de mãos a abanar. Desta vez, não me deixem ficar mal. Gostaria de me ver livre de um de vós, pelo menos. Eles não estarão interessados em adoptar miúdos raquíticos, sujos e mordidos das pulgas.

Ao dizer isto, Miss Adderstone dirigiu o olhar para a Molly.

— Portanto, lavem-se. Só será escolhida uma criança respeitável. Com certeza que este discurso não é necessário para alguns de vós.

Todas as crianças presentes se sentiram excitadas ao ouvirem estas novidades. Molly até detectou um brilho de esperança nos olhos de Hazel.

À ceia, Molly sentou-se sozinha, a comer uma maçã tocada.

Finalmente, quando já pensava que poderia rebentar de curiosidade insatisfeita, houve um momento em que o quarto ficou livre. Sem perder tempo, tirou o livro e o pedaço de bolo do esconderijo debaixo do colchão, meteu tudo no saco da roupa suja e saiu com a intenção de encontrar um sítio onde pudesse ler.

«Hades» é a palavra grega para designar o Inferno. Era este o nome usado no orfanato para as salas da lavandaria, muito pouco visitadas, que se escondiam nas entranhas do edifício. Molly dirigia-se para lá agora, parecendo que pretendia apenas lavar umas peças de roupa.

As caves que serviam de lavandaria eram escuras e tinham tectos baixos. Ao longo das paredes alinhavam-se canos ferrugentos, onde estavam penduradas peças de roupa, pois as caves tinham uma qualidade: eram quentes. Na ponta oposta à entrada havia uns velhos lavatórios de porcelana, com escoadouros cobertos de calcário, onde as crianças lavavam a sua roupa. Molly encontrou um local aquecido, por debaixo de uma lâmpada e de alguns tubos onde havia roupa a secar e, ardendo de curiosidade, meteu a mão no saco da roupa suja.

Toda a sua vida desejara ser uma pessoa especial. Sonhava que *era* especial e que, um dia, lhe ia acontecer um milagre qualquer. Lá bem no fundo, sentia que, um dia, despertaria uma brilhante Molly Moon, que mostraria a todos os moradores de Hardwick House que era uma pessoa de valor. No dia anterior, pensara que lhe iria acontecer algo de importante. Talvez essa coisa importante se tivesse atrasado um dia.

Durante toda a tarde tinha procurado imaginar se seria este livro que faria os seus sonhos tornarem-se realidade; não dera descanso à cabeça, a tentar descobrir o que é que o livro lhe poderia ensinar. Talvez a Molly tivesse levado a imaginação longe de mais. Por isso, foi com uma mão tímida que, lentamente, levantou a capa dura, forrada de pele, do velho livro. Abriu-se com um ligeiro ranger.

Na primeira página, lia-se:

HIPNOTISMO
Uma Arte Antiga Explicada

Virou a primeira página e, na segunda, leu:

«*Caro Leitor,*
Bem-vindo ao Mundo Maravilhoso do Hipnotismo e parabéns por ter tomado a decisão inteligente de abrir este livro. Está prestes a partir para uma viagem incrível. Se puser em prática as pérolas de sabedoria que se seguem, vai sentir que o mundo está cheio de oportunidades fantásticas! Bon voyage *e* bon chance!

Assinado,
Doutor H. Logan

Briersville,
3 de Fevereiro de 1908.»

39

Molly ficou espantada por saber que o Dr. Logan era de Briersville. Uma coisa extraordinária, pois a sonolenta Briersville não se podia gabar de ter muita gente interessante. Virou rapidamente a página.

«INTRODUÇÃO

É provável que já tenha ouvido falar muitas vezes da antiga arte do hipnotismo. Talvez já tenha assistido a espectáculos itinerantes de feira, em que um artista hipnotiza pessoas da assistência, levando-as a agir de determinada maneira e a divertirem os espectadores. Talvez tenha lido depoimentos de pessoas que foram hipnotizadas antes de serem submetidas a operações, para não sentirem qualquer dor.

O hipnotismo é uma grande arte. E, tal como as outras, é uma arte que as pessoas, na sua maioria, conseguem aprender, desde que tenham paciência e pratiquem muito. Uns quantos estudiosos do hipnotismo serão dotados de talento natural. Outros poderão ser menos dotados de verdadeira aptidão. Será o leitor um desses raros eleitos? Prossiga a leitura.»

Molly sentiu as mãos a encharcarem-se de suor.

«O HIPNOTISMO», continuava o livro, *«foi assim chamado pelos gregos da Antiguidade Clássica. Em grego, "HYPNOS" significa dormir. Os hipnotizadores existem desde os tempos mais remotos. O hipnotismo também é chamado "MESMERISMO", palavra derivada do nome do médico Franz Mesmer, que nasceu em 1734 e morreu em 1815, e fez da hipnose a parte mais importante da sua prática profissional.*

As pessoas sujeitas ao poder de um hipnotizador entram em TRANSE, ou em hipnose. Sem que disso se apercebam, as pessoas estão sempre a entrar em transe. Quando, por exemplo, pousamos a caneta com que escrevemos para, um minuto mais tarde, não fazermos ideia de onde a deixámos, não conseguimos lembrar-nos por estarmos num estado de transe fugaz.

Sonhar acordado é outra forma de entrar em transe. Quem sonha acordado vive num mundo muito seu, sendo frequente que, ao sair do transe provocado pelo seu sonho diurno, não faça ideia daquilo que as pessoas à sua volta estão a dizer ou a fazer. Enquanto o transe dura, os pensamentos das pessoas flutuam acima deste mundo barulhento e voam pelos caminhos bem mais calmos do pensamento.»

Molly ficou a pensar no truque que acabava de aprender; a ideia de flutuar através do espaço e olhar o mundo lá de cima, ou de se desligar sempre que alguém lhe gritasse. Provavelmente, sem se aperceber disso, há muito que costumava entrar em transe. O livro continuava.

«A mente gosta de se descontrair desta maneira, do repouso de deixar de pensar. Os transes são fenómenos muito comuns.»

Molly sentiu que o coração lhe saltava dentro do peito ao ler a frase seguinte.

«Quem entra em transe com facilidade tem fortes possibilidades de ser um bom hipnotizador.»

Continuou a ler, avidamente.

«O que o hipnotizador faz é pôr as pessoas em transe e mantê-las em estado de hipnose, sem deixar de lhes falar de forma hipnótica. Quando a pessoa está em hipnose profunda, perfeitamente acordada mas a dormir um outro tipo de sono, o hipnotizador consegue sugerir as coisas que a pessoa deve pensar ou fazer. Por exemplo, o hipnotizador pode mandar: "Quando acordar não vai querer voltar a fumar o seu cachimbo". Ou: "Quando acordar, nunca mais vai ter medo de andar de automóvel".»

Molly pousou o livro durante uns momentos. «Ou», pensou em voz alta, «quando acordares podes pensar que és um macaco.»
À medida que as ideias iam assentando, o sorriso de Molly era cada vez mais rasgado. Porém, de repente ficou séria, a pensar. Este livro seria sério ou teria sido escrito por um lunático? Sem deixar de se debater com esta dúvida, foi passando as páginas.

O livro era ilustrado com pessoas em trajes da era vitoriana, mostrando exemplos de posições propícias à hipnose. Havia uma gravura que mostrava uma mulher deitada, só com uma cadeira debaixo da cabeça e outra debaixo dos pés. Era chamada a «Prancha Humana». Havia também grande número de desenhos estranhos de um homem que fazia toda a espécie de caretas, ora tinha uma cara inchada de xarroco, ora fazia outra em que os olhos ficavam virados para cima, a mostrar a parte branca. «Ui, que nojo!» pensou Molly. A folhear as páginas espessas daquele livro velho e pesado, apercebeu-se de que o fim do Capítulo Seis era seguido de imediato pelo Capítulo Nove. Dois capítulos, o sétimo, «Hipnotizar Apenas Com a Voz», e o oitavo, «Hipnotizar à Distância», tinham sido cuidadosamente removidos. Molly bem gostaria de saber quem tinha tirado as páginas que faltavam, se estavam perdidas desde há muito ou se a perda era recente.

Foi então que se recordou do homem com cara de javali que viu na biblioteca. Ele disse que tinha feito a viagem desde a América só para consultar aquele livro. O professor devia estar convencido de que as páginas do livro continham informações de valor inestimável. Tem de ser um livro muito, muito especial. Talvez, pensava Molly para si mesma, talvez tivesse deparado com um verdadeiro tesouro!

Perto do fim do livro havia algumas páginas de fotografias acastanhadas. Uma representava um homem de cabelo encaracolado, óculos e nariz bulboso.

«Doutor Logan. O mais famoso hipnotizador do mundo», dizia a legenda. Molly ficou satisfeita ao perceber que para ser um bom hipnotizador a beleza conta muito pouco. Sem perder mais tempo, regressou ao primeiro capítulo: «Pratique Em Si Mesmo».

O primeiro parágrafo, com o título «*VOZ*», dizia: «*A voz do hipnotizador deve ser agradável, calma, embaladora. Como a mão da mãe que embala o filho para que ele durma, também a voz do hipnotizador deve fazer que o sujeito entre em transe.*»

Isto era demasiado bom para ser verdadeiro. Molly tinha recebido a alcunha de «Chata» porque as pessoas diziam que a sua voz as fazia dormir. Ora bem, esta aptidão, em vez de ser algo de que devia envergonhar-se, passava a ser um talento de que devia fazer gala. O livro continuava: «*Seguem-se alguns exercícios que devem ser ditos com voz baixa e monocórdica. Use-os para praticar.*»

Leu as frases em voz alta: «*TENHO UMA VOZ CALMA E MA...RA...VI...LHO...SA. A MINHA VOZ É MUI...TO...*»

De súbito, ouviu passos pesados. Fechou o livro rapidamente, escondeu-o no saco da roupa suja e retirou de lá o pedaço de bolo de chocolate.

A Hazel estava a entrar no «Hades». Entrou com ruído na sala dos tubos, ainda com os sapatos de sapateado calçados.

— Bolas — disse com ar enjoado —, o que estás a fazer por aqui, atrasada mental? Notei que estavas a tentar cantar. Desiste. Não tens voz.

Como a Molly não reagisse, a Hazel acrescentou: — Oh, a propósito, hoje não te encontraste com a tua amiga, a atrasada da Trinklebury.

Com um sorriso de satisfação, rodou sobre os calcanhares e saiu.

Molly ficou a vê-la sair. Sorriu para si mesma e deu uma dentada no bolo. Sem deixar de mastigar, disse: — Espera, Hazel Hackersly, não perdes pela demora.

Capítulo V

O dia seguinte era sexta-feira. Molly acordou às seis horas da manhã, a sorrir por causa de um sonho que tivera, em que era uma hipnotizadora de fama mundial. Desde essa hora que estava empenhada na congeminação de um plano ousado. Ir à escola não fazia parte do plano. Era pouco provável que conseguisse estar sentada na carteira, a ouvir as lições sensaboronas de Mrs. Toadley, enquanto o livro, com todos os segredos que tinha para revelar, estava escondido debaixo do colchão. Havia o perigo de ser descoberto pela bisbilhoteira da Miss Adderstone. E, se o levasse para a escola, era certo e sabido que a Hazel lho tirava.

Quando tocou a sineta para levantar, fingiu que não tinha acordado e manteve os olhos fechados, mesmo quando o Rocky lhe veio fazer uma visita. Depois, quando a Hazel lhe fez retinir a sineta junto do ouvido pela segunda vez e a destapou, Molly continuou deitada na cama, muda e queda.

Hazel zombou. — Bogey, o cérebro voltou a não funcionar?

— Não me sinto muito bem — gemeu Molly.

Faltou ao pequeno-almoço. Quando teve a certeza de que toda a gente estava no piso inferior, entrou rapidamente em acção. Saltando da cama, abriu a janela do quarto e, munida de uma tesoura, raspou algum musgo verde da pedra para dentro de um prato da sopa. Depois moeu os pedaços de musgo até obter um pó finíssimo. Aplicado nas faces, o pó deu-lhe à pele um tom muito realista de doença. Mais tarde, lavou o prato e voltou a colocá-lo na bacia do lavatório.

A seguir, deslizou para o posto médico. Havia ali uma chaleira eléctrica, que Molly ligou. Passado pouco tempo, obtinha um copo de água quase a ferver e escondeu-o por baixo de um cadeirão de pernas curtas. Então, pegou no bacio dos doentes e colocou-o em cima de um armário colocado em frente do cadeirão.

Voltando ao quarto, vasculhou a mochila até encontrar uma saqueta de molho de tomate que tinha guardado para pôr nas sanduíches. Armada a cena, meteu a embalagem no bolso do pijama e voltou para a cama.

Os companheiros começaram a regressar do pequeno-almoço. Gordon Boils veio meter o nariz no quarto da Molly. — Doente? Haja esperança — disse. Antes de ele sair, Molly ouviu um pequeno estalido e sentiu qualquer coisa pequena, desagradável e húmida que lhe atingiu o pescoço. Depois reconheceu as vozes de Gerry e de Gemma, que também vieram vê-la.

— Aposto que apanhou uma constipação. Talvez, ontem, tenha caído num charco — sussurrou Gemma.

— Coitada da Molly. Se calhar está doente porque os miúdos maiores são maus para ela — disse Gerry.

— *Nã*. Não é melhor irmos alimentar o teu rato?

Finalmente, Miss Adderstone irrompeu pelo quarto.

— Doente, pelo que ouvi — disse, sem qualquer sinal de simpatia. — Bom, é melhor vires ao posto médico.

Molly fingiu que acordava, imitou o melhor que pôde uma pessoa com dores de cabeça e tonturas, e seguiu Miss Adderstone pelo corredor gasto, passando pelos quartos das outras crianças, que vinham espreitar às portas. Miss Adderstone mandou que Molly se sentasse no cadeirão do posto médico. E, pegando numa das chaves que trazia presas numa corrente pendurada à cintura, abriu uma gaveta, procurou o termómetro e enfiou-o na boca de Molly. Os dedos molhados da miúda estavam cruzados por detrás das costas, a fazer figas para que Miss Adderstone deixasse o posto médico por pouco tempo que fosse. Segundos depois, a sua prece foi ouvida.

— Volto dentro de cinco minutos. Veremos se estás realmente doente.

A chupar os dentes falsos, Miss Adderstone saiu para o corredor.

Logo que a julgou a uma distância segura, Molly tacteou à procura do copo de água, que escondera quase a ferver e ainda estava muito quente, e enfiou o termómetro lá dentro. Ficou em ânsias, com o coração a bater mais depressa, a ver o mercúrio a subir silenciosamente. Quando o termómetro chegou aos 42 graus, achou que já era suficiente para convencer Miss Adderstone de que não estava bem. Contudo, só para ter a certeza, Molly abriu a saqueta de molho de tomate e voltou a metê-la no bolso. Nesta altura, os nervos começaram a ceder; a espera para conseguir levar o plano até ao fim punha-a muito nervosa.

Um minuto depois, ouviu os ruídos de quem chupava os dentes e os passos de Miss Adderstone. Molly deixou descair a cabeça, a esforçar-se o mais possível para parecer doente. Miss Adderstone entrou e, sem dizer nada, arrancou-lhe o termómetro da boca.

Molly soltou um profundo suspiro. Ao ver Miss Adderstone equilibrar os óculos na ponta do nariz para poder ler a temperatura, a rapariga não pôde deixar de sorrir. — Miss Adderstone — gemeu, a fazer movimentos de quem tentava levantar-se —, acho que vou vomitar.

Miss Adderstone fez uma careta, como se pensasse que lhe ia cair em cima uma doninha fedorenta. Não perdeu tempo a procurar o bacio. — Onde é que está...? — começou a perguntar. Então viu o bacio em cima do armário.

Molly emitia os sons próprios de quem está aflito para vomitar: — Aaaaaggg — e enquanto Miss Adderstone subia para cima de um banco, a tentar chegar ao bacio, Molly meteu algum do molho de tomate na boca e também um grande gole de água. Quando Miss Adderstone desceu do banco, a segurar o bacio, Molly estava pronta para o acto final.

Agarrou o bacio. — Blaaaaaaggggggg.

O falso vomitado de cor alaranjada esparramou-se pelo bacio de aço. Depois de mais uns quantos vómitos, Molly sentiu-se satisfeita com a sua actuação, que considerou bastante convincente.

— Desculpe, Miss Adderstone — disse com voz fraca.

Miss Adderstone parecia aterrada. Dando um passo atrás, voltou a consultar o termómetro. — Recolhe imediatamente as tuas coisas, o robe, a escova de den... — começou, mas a voz traiu-a. — Pega nas tuas coisas. Depois vais para a enfermaria. Estás com 42 graus. Acredito em ti. Só espero que isso não se pegue a nós todos. E lava esse bacio imundo. Leva-o contigo para cima.

De tão entusiasmada por ter conseguido enganar Miss Adderstone, Molly sentia vontade de saltar e de dar palmadas no ar, mas não podia deixar transparecer a satisfação que a dominava. Arrastou-se de novo para o quarto, vestiu o robe pouco espesso e calçou os chinelos, tirou um casaco de malha da gaveta, sem esquecer o saco da roupa suja, onde, está bem de ver, escondera o manual de hipnotismo. Depois, subiu pelos degraus forrados a linóleo de cor verde-garrafa que conduziam à enfermaria.

Não era bem uma enfermaria, com diversos quartos ou muitas camas. Tinha apenas um quarto e ficava nas águas-furtadas de Hardwick House, afastada dos quartos de dormir e situada mesmo por cima das instalações de Miss Adderstone. Molly passou pelo patamar da directora, com a sua mobília pesada de mogno e a fotografia severa da locatária. A almofada arroxeada da cadela *Petula* estava no chão, por debaixo de um aparador castanho, e por perto viam-se diversos seixos e pedaços de gravilha. *Petula* tinha o hábito de chupar pedras que depois cuspia. Para além dos seixos, havia um pires cheio de bolachas de chocolate.

Chegada ao cimo da escada, Molly dirigiu-se à enfermaria. Abriu a porta e, como estava um dia soalheiro de Novembro, achou que lá dentro a temperatura era agradável. Os raios de luz que entravam pela janela faziam dançar as partículas de poeira do ar e havia moscas mortas no parapeito da janela. Encostada à parede pintada de amarelo, havia uma cama de metal. Molly retirou o horrível resguardo de plástico que protegia o colchão, pois não pensava molhar a cama; voltou a fazer a cama com lençóis de algodão e duas mantas. Feito isto, instalou-se para ler.

Decidiu passar por cima do Capítulo Um, «Pratique Em Si Mesmo». Sentia-se impaciente e tinha a noção de que já tinha passado anos a aprender como sonhar e como entrar em transe. Procurou, portanto, o Capítulo Dois.

«*Como hipnotizar animais.*

Agora que domina a arte de entrar em transe, o leitor pode já ser capaz de hipnotizar um animal. Provocar a hipnose em animais é uma arte difícil, ainda mais difícil do que hipnotizar seres humanos. Mas se conseguir alcançar aquilo a que eu chamo "Sentimento de União" quando estiver a hipnotizar animais, também, mais tarde, quando estiver a hipnotizar pessoas, reconhecerá esse mesmo "Sentimento de União", que lhe será muito útil.

Se não conseguir obter o "Sentimento de União", nem os animais nem as pessoas estarão convenientemente hipnotizados.

Primeiro passo: Entre você mesmo em transe.

Segundo passo: Durante este seu estado de hipnose, pense no animal (cão, gato, leão) que pretende hipnotizar. Pense na essência desse animal.»

Molly fechou o livro e escondeu-o por debaixo das mantas. Olhou fixamente para a luz que se reflectia na parede amarela e começou a entrar em hipnose, como se fosse a subir uma encosta íngreme, afastada do mundo, a entrar na sua própria mente. Conseguiu atingir facilmente a sensação de afastamento e de flutuação, pelo que, passados instantes, tudo o que a rodeava, com excepção da luz na parede, se confundiu numa mesma mancha indistinta. Então, seguindo as instruções do livro, Molly pensou no animal que tinha escolhido. *Petula*, a cadela de estimação de Miss Adderstone, era o único animal existente no orfanato. Teria de ser ela a sua paciente.

«*Pense acerca da essência desse animal. Tente ser esse animal.*» As palavras do Dr. Logan perpassaram pelo cérebro de Molly.

A essência da *Petula*. Molly concentrou-se na *pug* de pêlo sedoso. Era uma cadela de mau génio, estragada com mimos, que comia demasiado e era preguiçosa. Como é que se tinha tornado má? Molly nunca conhecera nenhum cão que estivesse sempre irritado, como acontecia com a *Petula*. Molly via-a em espírito: a compleição robusta, o pêlo preto, as patas dianteiras arqueadas devido ao excesso de gordura, a cauda enrolada para cima, o focinho maciço, a mancha branca entre as orelhas, o mau hálito, os olhos salientes. No seu transe, Molly olhou intensamente os olhos mortiços, aguados e estrábicos da *Petula*. Foi-se aproximando mais e mais, até os olhos da cadela ficarem do tamanho de bolas de bilhar, depois do tamanho de bolas de basquetebol, enormes bolas medicinais. E então, quando parecia que os olhos da cadela iam inchar até ficarem do tamanho de dois balões de ar quente, a mente de Molly deslizou para dentro da mente canina da *Petula*.

Começou a sentir que era uma cadela. Em imaginação, sentiu as quatro patas possantes, as orelhas, o nariz extremamente sensível. Molly cheirou as bolachas de chocolate que estavam a seu lado, no chão, cheirou a bafienta almofada de veludo em que se deitava. Que coisa estranha! Estava realmente a sentir o cheiro da almofada cheia de pêlos da *Petula*. E depois sentiu a barriga, inchada e excessivamente cheia. Sentiu-se enjoada, por causa de todas aquelas bolachas com que Miss Adderstone a empanturrava. Ui! Doía a valer. Molly soube exactamente como a cadela se sentia e deu consigo a arreganhar os dentes, a rosnar por solidariedade. — Ggrrrrrrr.

Ouviu o relógio de cuco de Miss Adderstone, lá longe, a bater as oito horas, e abriu os olhos. Então, era aquela a causa de a *Petula* ser uma cadela irritadiça, hostil. Estava sempre com dores de barriga por comer bolachas em demasia.

De súbito, teve a sensação de que se lhe abria uma porta na mente. Estava espantada com a facilidade com que tinha entendido a *Petula*. E sentia uma enorme curiosidade acerca de outras aptidões que poderia também possuir. Aptidões que poderia aprender a usar, graças aos ensinamentos do Dr. Logan. Se conseguisse aprender todas as lições do livro com a facilidade com que tinha aprendido esta, a Molly não tardaria a ser uma especialista em hipnotismo.

Por um momento, hesitou. Na realidade, ainda não fizera coisa alguma. Quando muito, teria compreendido as sensações da *Petula*. Sem perder tempo, voltou a abrir o livro. Não tardaria a ir verificar se era realmente possível hipnotizar a *Petula*. Tudo o que tinha a fazer era seguir para o passo seguinte.

Capítulo VI

Depois de todos os internados terem saído para a escola, Molly ouviu os passos rígidos de Miss Adderstone que, de má vontade, subia a escada para se dirigir à enfermaria. Miss Adderstone ficou aliviada por descobrir que Molly estava a dormir. Sempre a apertar o nariz, atravessou a sala e deixou uma nota na mesa-de-cabeceira da miúda.

> *«Como o mais provável é estares a sofrer de qualquer doença infecciosa, ficarás afastada das outras pessoas até estares melhor. Quando já estiveres em condições de manter a comida no estômago, dirige-te ao corredor que dá para a cozinha e chama pela Edna. Haja o que houver, não estás autorizada a entrar na cozinha ou a expirar o ar para cima da comida.*
>
> *Deixo-te um termómetro. Quando estiveres melhor e a tua temperatura descer para os normais 37,5 graus, tens de voltar para o teu quarto para começares a cumprir o horário normal. Espero que então possas retomar os trabalhos de limpeza que deixaste por fazer.*
>
> *Miss Adderstone.»*

A chupar a dentadura postiça, Miss Adderstone desceu para as suas instalações, a fim de tomar o seu copo matinal de Xerez. Até agora, pensou, o dia tinha sido bastante cansativo, por isso, serviu-se de duas doses. Passado algum tempo, Molly sentiu a gravilha do exterior a ser calcada pelos passos dela. Quando o portão de ferro se abriu, olhou para fora, ainda a tempo de ver Miss Adderstone a dirigir-se com passos pouco firmes para o *minibus*. Ia a qualquer lado, mas sem levar a *Petula*. Molly viu chegada a sua oportunidade de tentar a experiência! Apressou-se a acabar de ler o terceiro passo do capítulo que ensinava a hipnotizar animais.

> *«Descobrir a essência do seu animal pode levar semanas, mas não desista. Tem de atinar com a "voz" adequada ao seu animal.»*

Pois bem, por puro instinto, Molly já o tinha conseguido. Tinha rosnado exactamente como a *Petula*.

«*Quarto passo: Olhe o seu animal de frente, aproximando-se lentamente, se for necessário. Pense na "voz" do animal e comece a usá-la de forma lenta e calma. Repita a "voz" do animal, como a querer embalá-lo, até o animal entrar em hipnose. Pode utilizar-se um pêndulo. (Todos os estudantes de hipnotismo devem adquirir um pêndulo e estudar o Capítulo Quatro.) Através do "Sentimento de União", saberá sempre o momento em que o animal entra em hipnose.*»

Molly fechou o livro e dirigiu-se ao patamar das águas-furtadas. Olhou por cima do corrimão e só viu a *Petula* deitada na sua almofada de veludo, a ressonar ruidosamente. Deslizou sem ruído pela escada, até ficar a uns três metros da cadela. De olhos semicerrados, concentrou o pensamento na *Petula*, até que a rosnadela lhe veio novamente à boca. Ajustou o rosnar, de forma a baixar o tom e a dar-lhe mais ritmo.

— Ggrrrr, grrrr, grrrrrr — continuou. Por momentos, sentiu-se tola, mas depois, ao ver a cadela arrebitar as orelhas e abrir os olhos, concentrou-se seriamente no que estava a fazer.

A cadelita viu a Molly no cimo da escada e ouviu-a emitir um som que lhe era familiar. Ficou à escuta, de cabeça inclinada para um lado. Numa situação normal, teria ladrado, pois uma criança a aproximar-se dela envolvia quase sempre o risco de que lhe pegassem. E *como* a Petula *odiava* que lhe pegassem! Fazia-lhe sempre doer a barriga. A estúpida da dona estava sempre a pegar-lhe ao colo, e isso era extremamente doloroso para a cadela. Mas esta criança era simpática. Os sons que a rapariga emitia eram muito reconfortantes. *Petula* viu que a criança estava cada vez mais perto, mas não se importou. Na verdade, até gostaria que se aproximasse mais, de modo a poder olhar melhor aqueles amorosos olhos verdes. Gostava da maneira como a voz da criança estava a pô-la descontraída.

Pouco tempo depois, Molly estava a pouco mais de um palmo de distância, com os olhos negros da *Petula* a olharem directamente para os da rapariga.

— GRRRR, grrrr, GGRRRR, grrrr.

Molly rosnava conforme a essência de *Petula* lhe mandava que rosnasse, à espera, a desejar, que a hipnose resultasse. E, de súbito, os olhos da cadela ficaram vidrados, como se um par de cortinas se tivesse fechado por dentro deles, embora continuassem abertos. Era um fenómeno único. Enquanto olhava, a Molly sentiu uma vaga sensação de calor que lhe foi subindo pelo corpo, até à raiz dos cabelos. Era o sentimento de união de que falava o Dr. Logan. Molly deixou de emitir os sons. A *Petula* ficou sentada, como se fosse uma cadela embalsamada, de olhos fixos no espaço. Molly tinha conseguido! Mal conseguia acreditar. Era uma coisa espantosa! Na realidade, tinha conseguido hipnotizar um animal.

Agora, pensou, podia sugerir certos gestos à cadela, mas acabou por perceber que a tarefa seria difícil, pois não falava a «língua» dos cães. Como gostaria de mandar que a *Petula* brincasse com o copo onde Miss Adderstone bebia o seu vinho doce, ou que mordesse os tornozelos da dona, ou que se rebolasse numa bosta de vaca e depois fosse dormir para a cama de Miss Adderstone. De repente, Molly percebeu qual era a melhor coisa que podia fazer pela cadela. Ia ordenar-lhe que deixasse de comer as bolachas de chocolate com que a dona lhe atafulhava o estômago. Percebeu que a *Petula* comia as bolachas por hábito e por voracidade, sem perceber que a punham doente e a faziam ter mau feitio. Tirou do bolso a saqueta, ainda meia, de molho de tomate.

Petula levantou os olhos para a rapariga que tinha à frente, a melhor e mais simpática pessoa que jamais conhecera. A rapariga estava a pegar numa das bolachas de chocolate da cadela e a derramar-lhe qualquer produto nojento por cima. Uma coisa encarnada. *Petula* sabia que devia ser uma coisa repugnante por causa das caretas que a rapariga fazia ao derramar aquele produto encarnado. E uma das bolachas da *Petula* estava inteiramente coberta daquilo. Agora parecia muito pouco apetitosa. E a rapariga pensava o mesmo. Emitia sons que o demonstravam. Além disso, a cadela tinha confiança naquela rapariga. Na sua mente canina sabia que não devia esquecer-se daquilo que esta menina simpática lhe estava a mostrar. As bolachas de chocolate eram más, muito más, *péssimas*.

Então, a rapariga fez uma festa na cabeça da *Petula* e a cadela ficou a gostar ainda mais dela. A menina recomeçou a rosnar de mansinho e, quando se afastou um pouco mais, soltou um latido agudo. Com isto, a *Petula* acordou da hipnose.

Abanou as orelhas de pêlo sedoso, com uma expressão de espanto espelhada no focinho. Não se recordava do que tinha acontecido durante os últimos dez minutos, mas sentia-se diferente. Por qualquer razão, havia uma sensação inteiramente nova; já não gostava de bolachas de chocolate. Mas gostava muito da pessoa que estava sentada nos degraus da escada.

Molly acenou para a *Petula*, exclamando: — Menina bonita!

A cadela ainda sentia a dor de barriga, mas gostava tanto desta menina que subiu as escadas para receber uma festa. Agitou a cauda, uma sensação deliciosa, pois havia *semanas* que não a agitava...

Fazer festas à *Petula* deixou a Molly muito satisfeita. Depois deitou a bolacha suja de molho de tomate para a sanita e puxou o autoclismo.

Embora durante o dia o estômago de Molly protestasse bastante devido à falta de comida, ela não se preocupou. Estava a devorar o manual de hipnotismo. À hora do almoço, chegou-lhe às narinas o odor a enguias guisadas que Miss Adderstone e Edna estavam a comer. Deslizou até ao patamar da *Petula* e ficou muito satisfeita por ver que a cadela não tinha tocado nas bolachas. Depois de um almoço de bolachas de chocolate, a Molly voltou ao trabalho com o livro.

Às quatro horas da tarde, ouviu o regresso de todos os colegas da escola e a Miss Adderstone a pôr mais bolachas no pires da cadela. Depois, foi a hora do chá para toda a gente, incluindo a Molly: três bolachas tiradas do pires da *Petula*. Meia hora mais tarde, ouviu um carro a chegar. Espreitou pela janela e viu a chegada dos visitantes americanos: um homem magro, com barba, e uma senhora com a cabeça protegida por um lenço cor-de-rosa. Miss Adderstone, no seu fato de *crimplene* púrpura e as suas maneiras mais agradáveis, chiava: — Sejam bem-vindos, façam o favor de entrar.

Por momentos, Molly sentiu pena de não estar lá em baixo. Não poderia acontecer que fosse ela a escolhida para ser adoptada? Levada dali, como tinha acontecido com a Satin Knight e o Moses Wicker? Mas também sabia que a adopção era um acontecimento raro e que, se alguém tivesse de ser escolhido naquele dia, não seria certamente ela. E, de qualquer forma, tendo em conta o livro, a vida no orfanato nem era má de todo.

O pires das bolachas foi abastecido mais duas vezes durante o dia. De cada vez, Molly deslizou sem ruído pelas escadas para se servir; conseguiu, assim, iludir a fome.

Ficou a ler até tarde, profundamente concentrada nas lições do Dr. Logan. Quando, finalmente, apagou a luz, sentiu-se bem, confortável, com a noção de que o tempo jogava a seu favor. Antes de Miss Adderstone se dispor a investigar o que estava a acontecer, passaria, pelo menos, mais um dia em que poderia continuar doente. Podia sobreviver à custa das bolachas destinadas à *Petula* e absorver com toda a calma a sabedoria do Dr. Logan. Em poucos dias, Molly deveria ter os segredos do livro bem arquivados dentro da cabeça. Lastimava que dois dos capítulos tivessem sido arrancados, mas podia aprender tudo o que era exposto nos outros sete. Estava ansiosa por contar a grande novidade ao Rocky. A zanga deles parecia mesquinha, perante os segredos poderosos transmitidos pelo livro de hipnotismo. Deitada na cama, Molly ficou a magicar onde é que poderia encontrar uma corrente e um pêndulo.

Viu em pensamento a imagem do professor de mau génio na biblioteca. Sentiu-se ligeiramente culpada. Este devia ser o *melhor* de todos os manuais sobre hipnotismo, escrito pelo mais famoso especialista de todo o mundo. Apesar de ter percorrido milhares de quilómetros para chegar junto do livro, o pobre professor não poderia incluir no seu trabalho as ideias do Dr. Logan sobre o assunto. Não admira que estivesse tão danado. No seu museu ficariam muito zangados por verem o dinheiro ser desperdiçado em custosas viagens de avião. Bom, Molly pensava devolver o livro quando ele já não lhe fosse útil. Poderiam, então, estudá-lo durante anos. Assim, tranquilizada a sua consciência, adormeceu.

Não voltou a pensar no professor. E *esse* foi o seu grande erro.

Capítulo VII

No dia seguinte, sábado, Molly só acordou de um sono profundo quando a *Petula* tentou saltar para cima da cama. Quando Molly olhou para baixo, a cadela abriu a boca e deixou cair um seixo, uma prenda. O animal parecia muito mais alegre. Levantou a cadela do chão e apertou-lhe as orelhas.

— Eu é que devia ter ido agradecer-te, *Petula*. Sabes que me ajudaste muito?

A cadela bateu com a pata no peito de Molly, como se estivesse a dizer: «Não, *tu* é que *me* ajudaste.»

Tornaram-se, portanto, amigas.

Molly lançou as pernas para fora da cama e foi espreitar pela janela. Para lá dos telhados de ardósia da aldeia, só conseguia avistar o relógio da igreja. As outras crianças já tinham saído para o passeio matinal de sábado.

Miss Adderstone gostava de meter as crianças no *minibus* para as conduzir até ao sopé de um monte, Bartholomew's Hump, a 15 quilómetros de distância da escola. Deixando os miúdos ali, mandava-os regressar ao orfanato, mas passando pelo cume do monte. Deste modo, ficava com três horas e meia livres, que passava sempre na cidade. Molly sabia que ela consultava com frequência o calista, para que ele lhe cortasse as unhas e lhe observasse os joanetes; talvez ainda fosse beber uns cálices de xerez a qualquer outro sítio.

Ora, isto queria dizer que Molly dispunha de cerca de três horas até ao regresso dos outros.

Sem perder tempo, vestiu o roupão e deixou o quarto. Que maravilha! Podia escorregar pelo corrimão sem que ninguém a visse. *Petula* arrancou de trás, entrou nas instalações de Miss Adderstone através da abertura que tinha na porta e voltou a sair com a coleira nos dentes. Seguiu a sua nova amiga para o andar térreo. Molly atravessou o corredor, deslizou sobre o chão polido da sala de reuniões e entrou calmamente na sala de jantar. Depois, ambas seguiram na direcção da cozinha, passando pela rampa que estava a seguir ao armário dos talheres e das prateleiras dos pratos. Ouvia-se a Edna a manusear as panelas de metal, a preparar o almoço. Molly entrou sem ser detectada, sempre a recordar-se do que tinha aprendido no Capítulo Três, «Hipnotizar Outras Pessoas», e no Capítulo Quatro, «Hipnose Com Pêndulo».

Ainda nas águas-furtadas, Molly já tinha feito uma viagem imaginária à cabeça da Edna. Encontrou lá uma pessoa descontente, cheia de ressentimentos, aborrecida com a vida e cansada de trabalhar. Molly pensou que sabia a maneira de hipnotizar a Edna. Não seria tarefa muito difícil. Afinal, os grunhidos da mulher eram bastante semelhantes aos de um animal. Assaltada por uma onda súbita de nervosismo, Molly parou para inspirar profundamente. Contudo, mesmo que tudo corresse mal, só havia o risco de a Edna a considerar esquisita. Entrou na cozinha antiquada, com as suas paredes de azulejos rachados, os lava-louças partidos, os dois fogões de gás e o chão lajeado.

Edna estava a tirar cabeças de frango de um saco e a lançá-las para dentro de uma grande panela com água a ferver.

— Olá, viva, Edna — cumprimentou Molly. — Que cheirinho bom.

Edna sobressaltou-se e depois lançou-lhe um olhar mau.

— Raios, que andas tu a farejar por aqui, a rastejar sem ninguém dar por isso?

Como era evidente, a Edna não estava com aquela disposição simpática de duas noites atrás. Molly arriscou nova tentativa.

— O que é que está a fazer?

— Uma porcaria duma sopa — grunhiu Edna, tirando uma pena de uma das cabeças de frango. Desta vez a linguagem de Edna era a mais adequada; com todas aquelas cabeças de frango dentro da panela, a sopa só podia ser uma porcaria.

— É — começou Molly a perguntar, com o estômago a revoltar-se — outra receita aprendida na Marinha?

— Acho que vieste à procura de qualquer coisa para meteres no bandulho. É melhor não vires para aqui com essa porcaria de infecção.

— Você parece desconfortável como um raio — disse Molly, subitamente.

— Claro que sinto uma porcaria de um desconforto — retorquiu a Edna. — Sinto-me mal como o diabo. Esta cozinha parece um forno.

Agarrou nas pontas da bata branca e abriu os braços; Molly teve a sensação de estar a ver um peru grande e gordo.

— Por que é que não se senta? — sugeriu a Molly. — Eu fico a mexer a maldita sopa, e pode sentar-se confortavelmente durante um bocado. Vá lá, Edna. Que diabo, merece isso!

Edna encarou-a com olhos suspeitosos. Mas as palavras da miúda tinham qualquer coisa que a fazia sentir-se bem.

— Sentada, ficará muito mais confortável — dizia a Molly, a animá-la.

E, mandriona como era, Edna concordou. — Pois é. Não vejo razão nenhuma para não me sentar. Afinal, tu estiveste dois dias no quentinho, enquanto eu tenho estado para aqui a trabalhar como uma escrava.

Sentou-se na cadeira de braços da cozinha, de pernas abertas como uma boneca.

— Aposto que assim se sente muito melhor — disse Molly, a tirar-lhe a colher da mão. — Deve estar cansada como um raio.

Edna assentiu. — Estou... feee.

Inclinou-se para trás e exalou o ar ruidosamente.

— Está a fazer o que deve — disse Molly, a olhar calmamente para a Edna. — A respirar como fez agora, inspirações e expirações profundas, farão que se sinta... muito... mais... descontraída.

— Hum, acho que tens razão — concordou a Edna, como que rosnando o ar para fora dos pulmões.

A voz de Molly tornou-se mais lenta, de uma maneira muito subtil.

— Com... mais... algumas... inspirações... verá... que... se... sente... mais descansada... vai sentir... quanto... precisava... de... estar... sentada.

— Sim — respondeu Edna —, estava cansada e precisava mesmo de me sentar. Espera lá, tu tens essa porcaria dessa doença. Não devia deixar-te aproximar da comida.

Uma situação embaraçosa. Molly percebeu que hipnotizar a Edna não seria tão fácil como parecia. Talvez devesse ter-se munido de um pêndulo qualquer, para conseguir concentrar a atenção da Edna.

— Não faz mal, a coze...dura da por....ca...ria da sopa vai matar os germes... todos — disse a Molly. E, num lampejo de inspiração, começou a mexer a sopa com lentidão e ritmo certo.

A colher de pau fazia círculos que acompanhavam o ritmo das suas palavras. A Edna não tirava os olhos da colher. — Não... pensa — disse Molly — que a sopa a ferver vai matar... os germes... todos? Não há nada a temer.

Concentrou-se totalmente nas palavras que dizia e nos círculos que fazia com a colher de pau. A Edna parecia ter vontade de dizer qualquer coisa, mas não conseguia despegar os olhos do movimento da colher, sentindo aquela lassidão a tomar conta de si.

— Hummm, acho que tens razão — suspirou, reclinando-se mais para trás.

— Es...pero... que... os seus om...bros... e as costas... se sintam... muito mais... confortáveis — disse a Molly.

— Hummm — concordou a Edna —, estão muito melhor. Então, disse: — Molly, tens uns olhos muito grandes, sabes.

— Obrigada — respondeu a Molly, voltando os seus olhos verdes para os da Edna. — Agora... é provável... que sinta... os *seus*... olhos... muito... pesados... agora... percebe... quanto... precisava... de descanso.

Os olhos da Edna começaram a pestanejar quando se concentraram nos da Molly e deixou-se ficar, a ver a rapariga a mexer a sopa.

— E... esta... cozinha... é... muito... acolhedora... e... confortável... desde... que... fique... aí sentada... a ver-me... mexer... a sopa... a rodar... a rodar... a rodar.

Molly continuou a mexer a sopa, tentando não olhar para as cabeças de frango que ferviam dentro da panela.

— Vou... continuar... a rodar... a rodar e... a Edna... fica... sentada e para... descansar... ainda... melhor... talvez... devesse... fechar... os olhos...

Edna não fechou os olhos mas ficou com ar distante e sonhador. Por sua vez, Molly estava tão excitada que lhe apetecia gritar: «Sim! Estou quase a conseguir», mas, em vez disso, falou com voz calma e disse: — Agora... vou contar... de diante... para trás... a começar em vinte, e vai... sentir-se... mais... e mais... repousada... enquanto... eu conto... de diante... para trás.

Molly continuou a mexer a sopa e conseguiu realmente falar num sussurro. — Vinte... dezanove — Edna ficou com um ar plácido. — Dezoito... dezassete — as pálpebras da Edna bateram. — Dezasseis... quinze... catorze... treze...

De súbito, quando chegou a treze, as pálpebras da Edna fecharam-se; e Molly começou imediatamente a notar por todo o corpo aquela sensação de formigueiro, os pêlos a eriçarem-se.
— O sentimento de união! — suspirou. Então, verificando que ao falar as pálpebras da Edna bateram de novo, continuou a contagem. — Onze... dez... nove... Agora... Edna... sente-se... tão descansada... que está... em transe... Oito... tão descansada... Sete... profundamente descansada.

Molly parou de mexer a sopa e foi até junto da Edna. — Seis — disse, com a boca apenas a dois palmos da cara dela. — Cinco... e, conforme eu for contando, você, Edna, vai dormir mais e mais profundamente, até que, quando chegar a zero, vai sentir uma irresistível vontade de fazer tudo o que eu mandar... quatro... três... dois... um... zero... Bom — disse Molly, a olhar para a Edna, agora sentada perfeitamente imóvel no cadeirão. Conseguira! Mal conseguia acreditar. A voz baixa e calma que lhe valera a alcunha de Drono [«Chata»] era obviamente a voz perfeita para o hipnotismo. Talvez os olhos também tivessem algo a ver com aquele resultado. Sentiu neles uma espécie de incandescência.

Por momentos, sentiu-se sem palavras. Tinha estado tão concentrada na tarefa de hipnotizar a Edna que nem pensara naquilo que queria mandar que a cozinheira fizesse. Assim, disse a primeira coisa que lhe veio à cabeça.

— Edna, a partir de agora, vai ser, muito, muitíssimo simpática para mim, a Molly Moon. Vai defender-me, se alguém me repreender, ou castigar, ou aborrecer.

Achou que tinha começado muito bem. — E sempre que eu vier à cozinha deixa-me fazer sanduíches com molho de tomate... Vai à cidade comprar coisas maravilhosas para eu comer, porque gosta muito de mim e... e... vai deixar de fazer aquele peixe com molho de queijo e nozes. Na realidade, vai recusar-se a cozinhar peixe *sempre* que não seja fresco, desse dia, e... — chegada aqui, Molly hesitou — e começará a mostrar-se *muito* interessada na cozinha italiana. Vai arranjar livros de culinária italiana e vai esforçar-se muito para se tornar a melhor especialista em cozinha italiana... de todo o mundo... e a partir de agora vai dar-nos excelente comida italiana. Excepto a Miss Adderstone, a quem dará a comida normal, mas com muito, muito mais picante. Também, sem o saber, vai dar à Hazel Hackersly uma comida com muito picante, e ao Gordon Boil e ao Roger Fibbin... Percebeu tudo bem?

Edna acenou que sim, com gestos parecidos com os de um robô. Uma visão maravilhosa. Molly queria desatar às gargalhadas, mas sentiu que o estômago estava a protestar e disse com voz firme: — E agora, Edna, vai levar-me à cidade para me pagar um pequeno-almoço como deve ser e fará o que eu lhe mandar.

Edna acenou que sim, levantou-se e, de olhos ainda fechados, caminhou resolutamente para a porta.

Molly teve de intervir sem demora. — Mas, Edna, como é evidente tem de abrir os olhos para caminhar e para conduzir.

Edna abriu os olhos e concordou. Tinha um ar ausente, os olhos vidrados, tal como acontecera com a *Petula*.

— Tudo bem. Vamos embora.

E foi assim que Edna, de bata branca, barrete de cozinheira e chinelos brancos, saiu do edifício, a caminhar como um fantasma. De caminho, Molly pegou num casaco para vestir por cima do pijama e, cá fora, a *Petula* abocanhou uma pedra para chupar.

Viajar com Edna a conduzir nunca poderia ser experiência agradável. Logo que ela carregou no acelerador, fazendo que as rodas traseiras do *Mini* levantassem a gravilha, Molly apertou o cinto de segurança. Quanto à Edna, parecia não estar «ali». A caminho de Briersville conduziu sempre com a expressão que se esperaria numa senhora a quem se tivesse deitado um cubo de gelo para dentro do vestido. Seguiu pela rua principal aos ziguezagues e esteve prestes a chocar com um furgão que circulava em sentido contrário. Passou por dois sinais vermelhos e atravessou um canteiro de flores, num parque só para peões. Finalmente, parou o carro em cima do passeio, em frente de um café para onde, olhando sempre em frente e sem demonstrar nenhuma emoção, conduziu a Molly e a *Petula*. Antes de entrar, Molly olhou para ambos os lados da rua, muito aliviada por não haver nenhum polícia nas imediações.

Dentro do café, dois operários tiraram os olhos das suas sanduíches de presunto para observarem a Edna. Realmente, assim vestida de branco, ela parecia muito esquisita. Além disso, caminhava como se fosse uma boneca de corda. Logo que pôde, Molly mandou-a sentar.

— Posso ajudar? — perguntou um empregado de mesa de ar jovial, que trazia um cravo na lapela.

— Sim, por favor — disse Molly, pois a Edna fitava o saleiro com ar de surpresa e começava a babar-se. — Quero quatro sanduíches com molho de tomate, não com muita manteiga, e meio copo de concentrado de sumo de laranja, sem água.

Molly sentia água na boca. Que coisa maravilhosa, poder encomendar as coisas de que mais gostava.

O empregado parecia estar a divertir-se. — Quer que traga um pouco de água para fazer aqui a mistura?

— Não, obrigada — respondeu Molly. — Mas agradecia que trouxesse uma tigela de água para a cadela.

Petula sentava-se fielmente ao pés da nova amiga, inclinando a cabeça para um lado ao ver a Edna cuspir.

— E para a senhora? — perguntou o empregado.

— Eu cá adoro a porcaria da Itália — disse a Edna, a chupar num garfo.

— É bom estar fora do hospital durante um dia, não é? — perguntou-lhe Molly com voz doce, como se ela tivesse sido autorizada a sair por um dia de qualquer manicómio. O empregado sorriu com simpatia.

Vinte minutos mais tarde, depois do mais embaraçoso pequeno--almoço de toda a vida de Molly, iniciaram a viagem de regresso ao orfanato. Passaram junto das lojas da cidade. Viram a Shoot It, a loja das máquinas fotográficas, a loja de bicicletas chamada Spokes, a loja de antiguidades, com o nome pintado em letras redondas, Mouldy Old Gold. Molly ia a pensar nas coisas que sempre desejara ter e sentia-se nas nuvens. Era provável que Miss Adderstone tivesse *montes* de dinheiro do orfanato registado na sua conta bancária. Tudo o que tinha a fazer era hipnotizar Miss Adderstone e levá-la às compras. Olhou de lado para a Edna, que ia a sorrir como uma idiota, com a boca toda aberta. Estava sob o domínio absoluto de Molly. As outras pessoas seriam tão fáceis de hipnotizar como a Edna? Até agora, Molly parecia ter um dom natural de hipnotizadora.

— Edna — disse Molly —, quando regressarmos vai dirigir-se para a cozinha e, logo que passar pela porta, vai acordar. Vai esquecer-se da nossa viagem à cidade. Não saberá que foi hipnotizada por mim. Vai dizer a Miss Adderstone que eu desci da enfermaria para procurar um comprimido, mas que me julga ainda muito doente. Percebeu?

Edna acenou que sim.

— E, a partir de agora, sempre que me ouvir bater as palmas uma vez, entrará imediatamente em transe, durante o qual fará tudo o que eu lhe mandar. E sempre que eu bater palmas duas vezes regressará do estado hipnótico. Está tudo esclarecido?

De boca aberta como uma boneca, a Edna voltou a fazer um sinal de concordância. Então, esmagando o pedal do acelerador debaixo do pé e tocando a buzina, fez o carro subir rapidamente o monte.

O professor Nockman foi acordado de um sono agitado, cheio de pêndulos e de ideias em torvelinho, pelo chiar dos pneus e pelo buzinar de um carro na rua, defronte do seu quarto no Briersville Hotel. Esfregou os olhos e passou a língua pelos dentes cheios de tártaro. «Há aqui mais barulho do que em Chicago», murmurou para si mesmo, a tentar soltar o fio do medalhão preso nas malhas de pijama, e procurando o copo de água.

Depois da frustrante experiência na biblioteca, o professor tinha prolongado a estada em Briersville. Decidiu que aquela bibliotecária patética, desde que fosse bem apertada, acabaria por encontrar o manual de hipnotismo. Ou ainda alimentava a esperança de ver alguém a lê-lo. Briersville era uma cidade muito pequena.

Desde quinta-feira que percorria as ruas, sempre atento às pessoas que transportavam livros. Mães com filhos tinham atravessado para o outro lado da rua a fim de o evitarem e um grupo de adolescentes chamou-lhe maluco. Mas nada disso o preocupava. Estava disposto a tudo, para conseguir deitar a mão ao livro do Dr. Logan.

Tinha razões muito particulares para achar que necessitava dos segredos escondidos no livro, que nada tinham a ver com pesquisas de qualquer museu.

O professor Nockman conhecia inúmeros pormenores sobre a vida do famoso hipnotizador. Tinha lido a biografia de Logan, que fora criado em Briersville e emigrara para a América, onde, graças aos espectáculos de hipnotismo, enriqueceu e se tornou famoso. Nockman tinha estudado páginas amarelecidas, velhos recortes de jornais que descreviam as espantosas sessões de hipnotismo conduzidas pelo médico, no espectáculo que fez dele uma das maiores celebridades do seu tempo. Tinha visitado Hypnos Hall, a mansão que Logan tinha mandado construir com o dinheiro ganho na sua carreira de estrela do palco.

Tinha, porém, ficado verdadeiramente fascinado quando teve conhecimento de que o Dr. Logan escrevera um livro que, segundo parecia, continha tudo o que sabia sobre hipnotismo e sobre os métodos de o provocar. O livro era extremamente raro, pois o número de exemplares impressos foi pequeno. No entanto, o professor Nockman tinha sabido que um dos poucos exemplares existentes era propriedade da biblioteca de Briersville. A partir desse momento, não deixou de fazer tudo o que era possível para adquirir o livro. Quase o conseguira, mas aquela bibliotecária estúpida tinha-o perdido.

Estremecia de raiva, só de pensar na bibliotecária. Imaginar-se a apertar-lhe aquele pescoço magro, fazia-lhe subir o sangue à cabeça. Vermelho de raiva, levantou o auscultador do telefone.

— Serviço de quartos — berrou para o aparelho —, tragam-me uma chávena de bibliotecária... isto é, de café.

Sentia-se desesperado por causa do livro. Nunca sentira um tal desejo de possuir qualquer coisa. Nunca, em toda a sua vida de vigarista, existira algo tão atraente; tinha grandes planos que dependiam da obtenção do livro. *Ninguém* ia evitar que conseguisse obtê-lo e não voltaria aos Estados Unidos sem que o livro estivesse bem seguro nas suas mãos gordas e oleosas.

Capítulo VIII

Edna e Molly pararam junto do orfanato fazendo levantar uma chuva de gravilha. O lugar estava calmo e silencioso, pois Miss Adderstone continuava ausente e as outras crianças ainda não haviam regressado do passeio. Petula deslizou para fora do carro para ir explorar o jardim e Molly, muito contente consigo própria, regressou às águas-furtadas. Sentou-se na cama e ficou a pensar nas coisas extraordinárias que acabava de realizar. Hipnotizar a Edna parecera-lhe um sonho. Enquanto se maravilhava com o seu novo poder, ouviu a música que vinha da escada, proveniente do aparelho de rádio que havia na cozinha. Sentia os olhos cansados. Não tinha dúvidas de que algo de estranho se passara com eles, na altura em que hipnotizou a Edna. Tivera a sensação de que eles brilhavam, como se estivessem incandescentes, mas agora pareciam-lhe baços e pesados. Molly começou a percorrer as páginas do livro de hipnotismo, procurando descobrir se havia alguma referência a olhos brilhantes ou a olhos cansados. No capítulo «Como Hipnotizar Uma Multidão», havia uma parágrafo chamado «Tudo Depende dos Olhos».

«Para hipnotizar um grupo numeroso de pessoas, terá de aprender a hipnotizar apenas com os olhos. Esta forma de hipnotismo é muito cansativa para os olhos. Pratique os exercícios que se seguem.»

O livro mostrava diagramas do olho humano. Um olho a olhar para a esquerda. Um olho a olhar para a direita. Um olho a olhar para objectos próximos ou afastados. Foi a seguir que Molly chegou ao chamado «Exercício do Espelho».

«Coloque-se em frente de um espelho e fixe os seus próprios olhos. Tente não pestanejar. Depressa verá o seu rosto a mudar de forma. Não se alarme. Os seus olhos experimentarão a sensação de que estão incandescentes. Esta sensação de incandescência é a sensação que tem de experimentar sempre que hipnotizar pessoas recorrendo apenas aos olhos. E é o truque de que necessita para hipnotizar uma multidão.»

Teria Molly hipnotizado a Edna apenas com os olhos? Tinha a certeza de que usara a colher, como se fosse um pêndulo, e também a voz. Pôs-se de frente para o espelho e olhou-se. Viu um rosto rosado e sardento, um nariz abatatado. Fixou os seus dois olhos, muito juntos. E os olhos reflectiram o brilho verde e intenso. Olhou durante dez segundos, vinte segundos, trinta segundos. Os olhos tremeluziram e depois pareceram maiores, cada vez maiores. A música do andar de baixo parecia vinda de muito longe. Molly concentrou-se nos olhos e tentou não pestanejar, tentou que os olhos sentissem que estavam de novo a brilhar com aquele brilho de incandescência. Depois, subitamente, aconteceu uma coisa muito esquisita. O rosto de Molly desapareceu completamente e, como por magia, começou a aparecer um rosto diferente no sítio onde tinha estado o seu verdadeiro rosto. O cabelo da Molly ficou cor de laranja e eriçado. Um grande alfinete de segurança nasceu de um dos lados do seu nariz e as pálpebras cobriram-se de maquilhagem azul e branca. Estava a ver-se como uma *punk*. Sentiu formigueiros nas pernas, os olhos pareciam palpitar, brilhar de incandescência e acenderem-se e apagarem-se como as luzes de um farol. E este era, segundo o livro, o truque para hipnotizar multidões. Molly pestanejou com força. Ficou aliviada por voltar a ver a sua verdadeira cara no espelho. *Aquilo* tinha sido muito estranho. Ter--se-ia hipnotizado a si mesma com o exercício do espelho? Talvez o livro lhe desse a explicação do que tinha acontecido.

Analisou a secção chamada «Exercício do Espelho». Continha um parágrafo intitulado «Hipnotize-se a Si Mesmo».

«Imagine-se como gostaria de ser, se não fosse como é», sugeria o livro. *«Por exemplo, se gostasse de ser mais amável ou mais arrogante, imagine-se a ser mais amável ou mais arrogante e, na face do espelho, verá o seu eu alternativo.»*

Molly recostou-se na cadeira; sentia-se confusa. Não se tinha imaginado como uma *punk*, como a visão que acabava de aparecer no espelho. Era como se o seu espírito inconsciente a quisesse ver como uma *punk* e, através da hipnose, lhe tivesse mostrado uma identidade diferente. O que eram os *punks*? Sempre os considerara pessoas rebeldes. E Molly queria, sem sombra de dúvida, ser uma rebelde. Sim, parecia que o seu espírito inconsciente seguia um passo à sua frente, para lhe mostrar como, lá bem no fundo, ela gostaria de ser.

Metendo o livro de hipnotismo no seu esconderijo seguro, por debaixo do colchão, Molly ficou a conjecturar quantas outras Mollys poderiam ser encontradas através da hipnose. Depois, ainda a pensar neste assunto, pegou num lápis e começou a fazer um furo num pedaço de sabão que estava no lavatório. Tirou um bocado de fio da ourela da colcha da cama e passou-o pelo furo. Dispunha, agora, de um pêndulo de construção caseira. Não muito bom, mas tinha de servir e, embora se sentisse cansada, não havia tempo a perder se quisesse experimentá-lo na Edna antes da chegada dos outros. Assim, vestido o roupão, começou a descer a escada.

De caminho, passou junto da *Petula*, que seguiu a trotar alegremente atrás dela. Desceu pelo corrimão até ficar com os pés assentes no chão lajeado do vestíbulo. Voltou a ouvir música, agora vinda da sala da TV, e surpreendeu-se por ouvir o canto lamuriento da voz de Hazel Hackersly. A Hazel teria arranjado maneira de escapar ao passeio matinal de sábado?

Molly percorreu o corredor em bicos de pés e espreitou por uma fresta da porta. Viu a Hazel vestida de gato, com um fato justo ao corpo, perneiras e meias brancas, sapatos de dança brancos e orelhas brancas, fofas e peludas, presas à cabeça por uma fita. Na mão, segurava uma cauda também branca e, enquanto dançava, ia cantando:

> *«Desculpem por ter caçado aqueles pombos,*
> *Desculpem por ter matado aquele rato,*
> *Desculpem por eu gostar de roubar leite.*
> *É que não passo de um gato... Miau, miau.»*

Molly ficou a observar a Hazel, a vê-la dançar à volta da sala, a bater as pálpebras e de olhos muito abertos, a parecer realmente estúpida. Bem gostaria de ter uma câmara de filmar. Mas teve outra ideia. Quando Hazel tinha atingido a fase das vénias, Molly respirou fundo e entrou.

— Ah, és *tu*, Chata... *mais* a *Petula* malcheirosa. Não estás melhor, pois não? — resmungou a Hazel. A cadela mostrou-lhe os dentes.

— Sim, estou melhor, obrigada — respondeu a Molly, tirando o pêndulo de sabão da algibeira. Sentou-se em frente da Hazel, a fazer oscilar o pêndulo, como se estivesse apenas a brincar com ele.

— O que é isso? — perguntou a Hazel. — Um bocado de sabão que tens de trazer sempre contigo por transpirares demasiado das mãos?

Molly manteve o pêndulo diante dos olhos da outra, a fazê--lo oscilar de um lado para o outro.

— O que é que estás a fazer?

— Apenas a des...can...sar — respondeu a Molly.

— Não, não estás nada. Estás a tentar hipnotizar-me — atalhou a Hazel. — Pensar que o hipnotismo existe é típico de uma parva como tu.

Molly fez parar o pêndulo e respondeu apressadamente: — Não, não estou a fazer nada disso.

— És tão parva — zombou a Hazel, e Molly percebeu que estava a lidar com a Hazel de forma desastrada. Os êxitos anteriores tinham-lhe dado um excesso de confiança. A Hazel estava agora demasiado precavida para poder ser hipnotizada.

— Não estava a tentar hipnotizar-te. Nem isto é um pêndulo, é apenas... um pedaço de sabão preso a um fio, para não o perder no banho.

— Espero que não estejas a planear um *banho* — disse a Hazel de maus modos, enquanto rebobinava a cassete —, porque a Adderstone não ficará nada satisfeita se souber que ignoraste o castigo que te impôs. Se estás na enfermaria, tens de ficar como estás. Sem banho, durante *quatro* semanas, não é?

— Pois é — disse Molly. — Estou apenas a preparar-me.

Hazel olhou-a com desprezo. — Grande parva — disse. Depois, quando Molly ia a sair da sala, disse com ar de malícia:

— A propósito, sabes a grande novidade?

— Que novidade?

— O Rocky encontrou uma família.

Molly sentiu um baque ao ouvir aquelas palavras. Foi como se um balde de água fria a tivesse encharcado da cabeça aos pés.

— Qua... quando?

A Hazel sorriu com desprezo. — Aquele casal americano que veio cá ontem. Sem se perceber a razão, gostaram dele... Um casal *esquisito*. De qualquer maneira, saiu na noite passada. Não te disse adeus, pois não? É que, bom, disse-me que estava farto de ti. Disse que era como comer demasiado de qualquer coisa. Disse-me que te tinha aturado demasiado tempo... Disse que te deixaria uma nota escrita.

— Estás a gozar... ou, por qualquer razão, a inventar isso tudo — contrapôs a Molly.

— Não, nada disso, não estou a brincar, embora suponha que tem graça — respondeu a Hazel friamente.

Molly ficou a olhar a cara antipática da Hazel. — Mentirosa! — exclamou, voltando-lhe as costas. Contudo, por dentro, sentia-se dilacerada por emoções violentas.

O Rocky, ir-se embora? Que ideia horrível! Molly nem queria acreditar. A ideia de perder o Rocky destroçava-a, era como perder um braço ou uma perna, ou toda a família de uma só vez, pois ele era toda a sua família. Hazel devia estar a mentir. Rocky nunca se iria embora sem consultar a sua amiga. Melhor, nunca sairia dali se não fossem adoptados em conjunto. Esse fora sempre o seu pacto. Se saíssem, saíam juntos. Acontecia apenas que a tortura da Hazel tinha atingido novos limites.

No entanto, Molly não deixou de alimentar uma horrível suspeita; talvez, afinal, a Hazel não estivesse a mentir. Quando saiu da sala e se encaminhou para a escada, sentia um peso crescente no coração. Embora sentisse um frio intenso, as mãos enclavinhadas estavam húmidas de suor. No patamar do primeiro andar, o caminho era iluminado pela luz amigável e familiar que vinha do quarto dos rapazes. Ao vê-la, Molly sabia que as coisas pertencentes ao Rocky lhe saltariam à vista logo que entrasse no quarto. Sentir-se-ia uma tola por ter acreditado na história da Hazel. Porém, a cada passo sentia a cabeça a ficar mais confusa. E então, a terrível verdade atingiu-a como um soco em pleno rosto.

A cama do Rocky estava sem lençóis, os três cobertores bem arrumados a formarem três quadrados perfeitos. Não havia nenhuma revista de banda desenhada em cima da mesa-de-cabeceira. O armário estava aberto e as roupas tinham desaparecido.

Molly mal conseguia respirar. Parecia que um medo invisível se lhe tinha apertado à volta do pescoço e do cérebro para não deixar que ela utilizasse os pulmões. Encostou-se à ombreira da porta, a olhar o canto agora anónimo e o leito sem dono.

«Como é que pudeste fazer-me isto? — murmurou. Arrastou-se pelo quarto e sentou-se no velho colchão do Rocky. Passou algum tempo até que conseguisse respirar com normalidade e pensar logicamente. Sabia, por intuição, que Rocky não se iria embora sem se despedir dela, a não ser que houvesse uma razão muito forte. Tinham discutido, mas a zanga não fora assim *tão* séria e, embora o Rocky andasse muito reservado ultimamente, Molly não podia acreditar que estivesse farto dela. Essa parte da história devia-se à imaginação malévola da Hazel. Contudo, como é que podia explicar-se o seu desaparecimento súbito? Sempre fora imprevisível e um pouco descuidado, mas Molly não pensava que tais defeitos fossem suficientes para o fazerem *esquecer-se* de se despedir dela no caso de se ir embora. Eram como irmãos. Ele não podia ser *tão* descuidado. Era tudo demasiado estranho.

Sem o Rocky ali, não tinha ninguém, estava só, exceptuando a cadela *Petula*. Os miúdos mais novos eram bons mas demasiado pequenos para serem seus amigos. Sem o Rocky, não conseguia conceber a vida num lugar daqueles. Tinha de descobrir onde ele estava e de falar com ele.

Porém, ao forçar-se a subir a escada até às águas-furtadas, sentia-se confusa, desnorteada. No meio do torpor, colocou a válvula no lavatório para poder lavar a cara. Sentia-se muito tonta, preocupada e desorientada. Olhou-se no espelho. Lá estavam os dois olhos muito juntos, a brilharem com as lágrimas. Olhou intensamente para a sua imagem reflectida, a recordar-se do que acontecera da outra vez em que praticou o exercício do espelho. Talvez imaginando-se feliz, naquele momento, conseguisse entrar num estado de hipnose feliz.

Enquanto olhava, viu as suas feições desaparecerem. A música miada da dança da Hazel subia pela escada e Molly imaginou que, afinal, não se sentia muito mal. Bastou um instante para o seu rosto se modificar. As maçãs do rosto tornaram-se-lhe mais redondas e mais rosadas, os cabelos mais macios, mais louros e mais encaracolados. Também apareceram os laços para o prenderem. Parecia bonita! Como uma estrela, embora em ponto pequeno. Que coisa incrível! Molly começou a sentir uma espécie de formigueiro, como o sentimento de união, a subir-lhe pelo corpo. A depressão caiu como se fosse uma velha crosta seca e foi substituída pelo optimismo. Através do espelho, a sua mente dizia-lhe, uma vez mais, o que ela queria ser e a forma como poderia transformar-se.

Com aquela sua imagem bonita, mas desconhecida, a olhar para si, descobriu a ideia. Uma ideia imensa e espantosa.

Podia dispor deste truque do olhar. E o truque do olhar era o truque que permitia hipnotizar *multidões*. Dentro de poucos dias, teria ao seu dispor uma assistência, uma *multidão* de pessoas atentas, no concurso de talentos da cidade. *Alguém* teria de vencer essa competição, de ganhar o enorme prémio em dinheiro. Esse alguém podia chamar-se Molly, não podia?

Molly pestanejou e voltou ao seu estado normal. Mas agora sentia renascer a esperança. Recusava-se a admitir que o Rocky a detestava, mesmo que ele já ali não estivesse.

Tomou a sua decisão ali mesmo. Iria descobrir onde ele estava, arranjar maneira de sair de Hardwick House e juntar-se a ele. Talvez a tarefa fosse difícil, mas prometeu a si própria que usaria o último grama de talento e energia que lhe restasse até encontrar o Rocky. E nunca desistiria, até que estivessem novamente juntos.

Capítulo IX

Na noite de sábado, Molly estava levantada e retomara a vida normal. Embora já estivesse melhor, sentia a falta do Rocky. Durante toda a duração das vésperas do princípio da noite, enquanto os colegas comentavam excitadamente a adopção do Rocky, ela sentia-se triste e parecia privada de voz. Bem gostaria de estar a olhar para ele, para o seu cabelo preto e brilhante, com caracóis miúdos, para a sua pele macia e negra, para os olhos meigos e escuros. Sentia saudades dos seus *jeans* remendados, que todas as semanas apareciam com novos rasgões, e das suas mãos onde raramente faltavam os desenhos feitos a esferográfica. Porém, mais do que tudo, sentia a falta daquele sorriso confiante do amigo. Enquanto ia proferindo as palavras do cântico, via que a perda do amigo lhe provocava, bem dentro de si, um vazio assustador. No entanto, resolveu enfrentar o que vinha a seguir, desviando a atenção para o cheiro delicioso que vinha da sala de jantar. A despeito de Miss Adderstone se preparar para os habituais anúncios, Molly sentia crescer água na boca.

— O primeiro anúncio é o seguinte. Todas as tardes da semana que vem, a Gemma e o Gerry vão encarregar-se da limpeza das janelas, pois passaram as vésperas a bisbilhotar entre si. A partida do Rocky Scarlet pode ter uma grande importância para vós, mas para mim não tem nenhuma. Durante as vésperas é obrigatório guardar silêncio.

Miss Adderstone fungou e Gemma e Gerry olharam-se com ares carrancudos. A directora continuou: — Agora, o segundo anúncio. Amanhã desenrola-se a Competição de Talentos de Briersville. Penso que alguns de vós vão concorrer. Saem da escola a pé, de forma a estarem no salão de festas da Câmara Municipal pelas 13 horas. O prémio monetário atinge, como todos sabem, a soma ridícula de 3 mil libras e, no caso de algum de vós ganhar, espera-se que o prémio seja doado para os fundos do orfanato. Estamos entendidos?

— Sim, Miss Adderstone.

— Depois do jantar, vamos proceder a um breve ensaio — anunciou Miss Adderstone, a olhar para a Molly e a mostrar os dentes postiços num sorriso. Mas o sorriso depressa desapareceu. — Molly Moon, vejo que já estás boa. Vais sentar-te sozinha a uma mesa, pois não posso permitir que pegues a tua doença às outras crianças.

— Sim, Miss Adderstone.

Molly seguiu atrás dos outros para a sala de jantar. Ninguém lhe falou, mas não ficou nada preocupada. Lá dentro, as mesas de diversos tamanhos tinham guardanapos e velas acesas e a Edna apresentava-se triunfante, ao lado de uma grande panela de *spaghetti* fumegante, onde se viam também ervilhas e outros legumes verdes. Cheirava realmente bem.

— *Spaghetti Primavera* — anunciou a Edna com ar dramático.

— Exactamente como a mamã fazia — prosseguiu. E pegando num pão gorduroso, com azeitonas, acrescentou, cheia de orgulho: — E um verdadeiro pão *ciabatta,* caseiro.

O pão tinha espetada uma pequena bandeira italiana, encarnada, branca e verde, como também acontecia com todos os outros pães. Na parede, por detrás de Edna, havia um mapa de Itália.

— Edna, você enlouqueceu? — perguntou Miss Adderstone friamente.

— Não — retorquiu a Edna. — Mas acontece que amo a Itália do fundo do meu coração e, por vezes, esse amor salta cá para fora.

— Nunca tinha saltado.

— Nunca tinha saltado na sua presença — respondeu a Edna —, mas há sempre uma primeira vez para tudo.

— Pois bem, espero que tenha feito comida normal para mim... Não quero comer dessas porcarias italianas.

— Com certeza, Miss Adderstone.

Impassível, Miss Adderstone foi ocupar o seu lugar, levando um prato de pastelão de rins e fígado. Enquanto a comida arrefecia e as crianças estavam na bicha para receberem o seu prato, serviu-se de um copo de vinho doce, que bebeu avidamente. Molly reparou que a Edna preparou pratos especiais de *spaghetti* para a Hazel, o Gordon e o Roger. *Spaghetti* picante, muito picante, esperava. Parecia que a Edna não se esquecera de nenhuma das instruções dadas pela Molly. Muito impressionada, tomou lugar na mesa vazia, junto da janela. Daquele ponto, podia observar facilmente toda a gente.

O *spaghetti* com legumes da Edna estava fantástico. Molly ficou a apreciar as caras que os mais pequenos faziam ao provarem a comida. Gemma, Gerry, Ruby e Jinx estavam a engolir a comida como se receassem que alguém viesse tirar-lhes os pratos da frente antes de acabarem. Era, sem sombra de dúvida, o melhor prato alguma vez preparado pela Edna. Mas não para a Hazel, o Roger e o Gordon. Todos eles se engasgaram e cuspiram a primeira garfada que levaram à boca.

— Passa-me a água — gemeu a Hazel. Gordon Boils esqueceu-se da primazia da Hazel. Encheu o seu copo e emborcou a água toda de uma vez.

— Gordon! — exclamou a Hazel. Ele pôs alguma água no copo dela e depois Roger apoderou-se do jarro.

— Isto... está.. horrível — disse a Hazel, a gaguejar e apontar para o seu prato de *spaghetti*.

Todavia, vinda de quatro mesas mais adiante, ouviu-se o trovão da voz de Edna. — O que é que estás para aí a dizer?

A comida da Edna tinha melhorado mas ela continuava a ser a mesma, com o mesmo mau feitio de sempre. Levantou-se de um salto e os miúdos fizeram-se mais pequenos nas cadeiras.

— Que porcarias é que estás a dizer da minha comida, tu, Hazel «burra» Hackersly?

— Bem, está demasiado picante para mim — disse a Hazel, numa voz de lombriga. Não estava habituada a levar descomposturas.

— Picante? Tu estás parva, ou quê? Estás a comer um maldito de um *spaghetti Primavera*. É *italiano*, Hazel Hackersly... da terra das oliveiras e da ópera. Se não tens paladar para apreciar a finura e a riqueza dos montes na minha massa, se pensas que o Sol de Verão da minha comida é demasiado quente, então tu, nem gosto de te dizer isto, és um estupor completo e uma parva sem remédio, e o melhor é comeres a lavagem dos porcos.

Hazel olhava para o prato e as pálpebras não paravam, para baixo e para cima. A Edna parecia estar maluca.

— Edna, isto está uma delícia — disse Molly em voz alta. A Hazel dardejou um olhar fatal na direcção dela.

Edna sorriu com modos apreciadores. — Obrigada, Molly — agradeceu, radiante.

O grito de Miss Adderstone fez-se ouvir do outro lado da sala: — Molly Moon, por mais que aprecies a comida da Edna, sabes que gritar na sala de jantar é contra as regras do orfanato. Quando acabarmos, vais ao meu gabinete para seres punida.

Dito isto, bebeu o seu cálice de vinho doce e deixou escapar um arroto de bêbada.

Perfeito, pensou Molly a olhar para a Edna e a imaginar se ela se lembraria das outras instruções que lhe dera. Edna olhava para Miss Adderstone como quem se sentia ultrajada. As faces começavam a ficar-lhe vermelhas e todo o rosto se contorcia de fúria.

— O que é que se passa, Edna? — perguntou Miss Adderstone com voz rude.

O rosto de Edna fez-se mais vermelho, mais vermelho e mais vermelho, como a cratera de um vulcão em erupção. Então, explodiu.

— Que se passa... *Que se passa?* A Molly está apenas a elogiar a minha comida, Agnes Adderstone...

Miss Adderstone abriu a boca de espanto e deixou escapar um pedacinho de rim que estava a comer. Em frente das crianças, a Edna nunca lhe tinha respondido mal, jamais ousara chamá-la pelo nome de baptismo.

— ... Elogiou o meu *spaghetti Primavera*, talvez em voz alta, mas eu gosto que ela me elogie em voz alta e, o que é mais importante, gosto dela. *Gosto dela à brava*. Ainda gosto mais dela do que de culinária italiana, que adoro mais do que qualquer outra coisa deste mundo, e você, VOCÊ REPREENDEU-A!

Apontou uma das bandeiras italianas a Miss Adderstone e berrou: — Você não vai punir Molly Moon mais tarde, nem pense... Terá de passar por cima do meu maldito cadáver!

Miss Adderstone pousou o garfo e a faca, e levantou-se.

— Edna, penso que você está a precisar de umas pequenas férias.

— Umas pequenas férias? Deve estar a gozar comigo. O meu trabalho só agora está a começar. Tenho uma maldita de uma montanha para subir. Tenho toda a culinária italiana para aprender.

Edna estava agora a levar a bandeira italiana ao peito, como quem fazia um juramento e, para espanto de todos, subiu para uma cadeira e depois para cima de uma mesa. — Porque *eu* vou tornar-me a melhor cozinheira italiana de *todo o mundo*.

Toda a gente estava embasbacada. Gordon Boils não resistiu à tentação de lhe espreitar para debaixo da saia, a tentar ver a lendária tatuagem que ela teria na coxa. Miss Adderstone dirigiu-se com passos pouco firmes para a porta da sala de jantar.

— Edna — disse com ar severo —, gostaria de falar consigo mais tarde.

— Não acaba o seu jantar? — perguntou a Edna, lá das alturas.

— Não. Também acho o meu jantar demasiado picante.

Ao ver sair Miss Adderstone, Edna rosnou entre dentes: — Velha tonta. Devia ter provado o meu *spaghetti*.

Capítulo X

Depois do jantar, Molly dirigiu-se obedientemente à porta das instalações de Miss Adderstone e bateu. A directora apareceu e, logo que viu quem era, tapou a boca com um lenço.

A sala de estar de Miss Adderstone era uma divisão escura, com paredes de painéis de madeira pintados de castanho-escuro e mobilada com cadeiras cor-de-ameixa. O chão estava coberto por uma carpete cinzenta com desenhos e toda a divisão exalava cheiro a naftalina, a vinho doce e, acima de tudo, a um elixir dental anti-séptico. Havia duas mesas pequenas cobertas com toalhas bordadas, mas não se viam fotografias emolduradas, pois Miss Adderstone não tinha família nem amigos. A sala era iluminada por três lâmpadas com quebra-luzes que, na prática, só iluminavam as gravuras penduradas nas paredes. Todas as gravuras representavam florestas escuras, rios escuros e cavernas escuras. Molly deteve-se a pensar no ar fantasmagórico de tudo aquilo mas a *Petula* dirigiu-se para ela, cuspiu-lhe um seixo aos pés e lambeu-lhe os joelhos.

— Esteja quieta, *Petula* — mandou Miss Adderstone. Depois, para a rapariga: — Senta-te.

Tanto a Molly como a cadela se sentaram de imediato. Molly ocupou um banco duro colocado perto da lareira apagada. Por momentos, a sala esteve silenciosa, excepto pelo barulho que Miss Adderstone fazia a chupar nos dentes postiços e, pensava Molly, os batimentos do seu coração. Sentia-se extremamente nervosa. Miss Adderstone constituía o maior desafio enfrentado até agora e havia a possibilidade horrível de tudo vir a correr mal, especialmente por lhe faltar uma colher de pau, ou qualquer outro objecto, com que pudesse prender-lhe a atenção. Porém, a sua resolução fortalecia-se graças à antipatia que votava a Miss Adderstone que, segundo percebera, teria feito de propósito, logo por maldade, para que o Rocky se fosse embora sem se despedir dela.

O relógio de cuco pendurado na parede rompeu o silêncio com o seu som oco e sonolento «Cucu!»

Molly deu um salto, que provocou o sorriso desdenhoso de Miss Adderstone. O relógio ainda bateu mais seis horas. Molly ficou a observar o pássaro cheio de poeira, com o bico quebrado a abrir e a fechar, mais a jaula do cuco e a respectiva mola, até que o bicharoco recolheu ao seu buraco. Miss Adderstone voltou-se para olhar para fora da janela e falar para a Molly.

— Como sabes, o Rocky deixou-nos. Era responsável por diversas tarefas que têm de ser feitas por qualquer outra pessoa. Decidi que passes a desempenhá-las todas porque és aquele género de criança que tem muito a aprender com o trabalho duro. Aquela tua exibição na sala de jantar, que provocou a reacção da Edna, foi muito ordinária. Considero-te inteiramente responsável pelo que aconteceu.

Miss Adderstone virou-se, Molly tinha os olhos postos no chão.

— Faz o favor de prestares atenção quando estou a falar contigo.

Molly cerrou os dentes e levantou os olhos. Tinha estado à espera daquela sensação especial nos olhos e agora, ao enfrentar os olhos tristes e inexpressivos de Miss Adderstone, o seu novo poder, como se fosse um feixe de laser comandado à distância, atingiu directamente o cérebro da directora. Miss Adderstone voltou-se. Parecia sofrer de uma instabilidade esquisita. — Obrigada, assim já está melhor — articulou o mais normalmente que pôde. Contraiu-se, a pensar se aquela sensação esquisita não seria provocada pelas palpitações do coração. Tomado um gole de vinho doce, sentiu-se melhor.

— Como eu estava a dizer...

Os olhos frios de Miss Adderstone voltaram a fixar-se nos da Molly, atraídos para eles como a borboleta é atraída pela luz. Olhava porque não conseguia deixar de o fazer, por mais que quisesse. E, ao fazê-lo, aconteceu uma coisa insólita.

Miss Adderstone sentiu que toda a sua fúria a abandonava, juntamente com todo o raciocínio. Não conseguia recordar-se do que pretendia dizer. Tudo o que conseguia perceber era que os olhos verdes da Molly eram muito, muito calmantes e que sentia um certo calor interior, para além de uma grande vontade de dormir. E então, de súbito, Miss Adderstone... passou-se. Molly pestanejou e o sentimento de união percorreu-lhe todo o corpo.

77

Os nervos da rapariga distenderam-se ao ver que Miss Adderstone inclinava a cabeça para o lado e que a língua lhe saía da boca, empurrando a dentadura postiça para diante. Era óbvio que o seu domínio era agora absoluto. Quando começou a falar, a voz dela era como música celestial para os ouvidos de Miss Adderstone.

— Agnes... Adderstone... ouça... bem... o que... lhe... digo. Agora... vai fazer... tudo o que eu... lhe mandar.

A voz de Molly soava como as ondas a derramarem-se sobre a areia da praia. Miss Adderstone aquiesceu. — A partir de agora, nada do que eu fizer estará errado, percebe? A partir de agora, vai gostar tanto de mim como a Edna... o que é assim uma carrada de dez toneladas.

Miss Adderstone concordou com tudo.

— E a primeira coisa que quero é o número de telefone do Rocky. Vai dar-mo agora mesmo.

Miss Adderstone abanou a cabeça e com voz monótona, como de um robô, disse: — Não... tenho... registos... deitei... o papel... fora.

Molly ficou chocada. Era óbvio que Miss Adderstone não estava tão hipnotizada como parecia. Só devia estar semi-hipnotizada. Concentrou nela toda a força do olhar.

— Miss Adderstone, *tem de* me dar esse número — disse com voz dura.

— Estou a dizer... a verdade — disse o robô Adderstone. — Nunca... mantenho... registos... destruo... sempre... os registos das crianças que saem. É sempre bom... vê-las pelas costas... Bem gostaria... que todas... saíssem e me deixassem sossegada... com excepção de ti, Molly... — Miss Adderstone sorriu. — Molly, não te vás embora.

Molly ignorou-a. Então a Adderstone livrava-se dos registos das crianças! Que atitude mais horrorosa! Falou-lhe com voz rude.

— Deve lembrar-se da cidade para onde ele foi, ou do nome da família que o adoptou. *Ordeno-lhe que se lembre.*

Obediente, Miss Adderstone procurou nas profundezas da memória. — O nome da família era... Alabaster, a cidade era... era... Não consigo lembrar-me... Trata-se de um endereço muito comprido, na América... perto de Nova Iorque.

— Tem de se lembrar!

Quase provocava o despertar de Miss Adderstone. Voltou a recorrer ao poder do olhar. — Tem de se recordar do nome da cidade.

Miss Adderstone parecia um boneco, a rolar os olhos de um lado para o outro. — Vá lá — ordenou Molly. — Pense!

— Polchester, Pilchester, Porchester — engrolou Miss Adderstone. — Algo parecido.

— Onde é que estão arquivados os processos? — perguntou Molly. — Mostre-me. Não pode ter-se desfeito de tudo o que diz respeito ao Rocky. Não acredito no que está a dizer.

Com modos submissos, Miss Adderstone abriu o arquivo, um armário cinzento que estava a um canto da sala. — Aqui — apontou — estão aqui todos os registos.

Molly afastou Miss Adderstone do caminho e, sentindo-se furiosa, foi passando os processos contidos na gaveta. Não encontrou o processo do Rocky. Em vez do processo dele, viu o seu próprio nome num dossiê. Retirou-o do lugar.

Com Miss Adderstone de pé, junto da secretária, como se fosse uma sentinela, Molly abriu o dossiê. Lá dentro encontrou um passaporte e uma folha de papel. — É tudo o que tem sobre mim? Não há relatórios... não há mais nada?

— É tudo — confirmou a directora.

Molly leu a folha e sentiu-se gelada.

Nome	*Molly Moon*
Data de Nascimento	*?*
Local de Nascimento	*?*
Pais	*?*
Como veio para Hardwick House	*Abandonada à porta*
Descrição da Criança	*?*

Havia uma entrada feita com a letra incerta de Miss Adderstone: «Uma criança vulgar. Sem nada de especial. Estranha. Não se faz estimar.»

E era tudo.

Molly ficou a olhar para a folha de papel. Mais do que nunca, sentiu que não era ninguém, que não existia. Abriu o passaporte, que nunca tinha visto, embora se lembrasse de lhe tirarem a fotografia para o documento ser emitido. Miss Adderstone mantinha os passaportes das crianças sempre em dia para que, se chegassem estrangeiros e escolhessem um dos internados para adopção, pudessem levar imediatamente a criança com eles. Uma Molly Moon de seis anos de idade sorria excitadamente de dentro do pequeno livro. Lembrava-se da alegria que tinha sentido por lhe irem tirar a fotografia e de Miss Adderstone lhe ter ralhado por se ter rido quando a câmara disparou. A olhar aquela solteirona rígida e detestada, que agora estava na sua frente, quase não conseguia entender que uma pessoa pudesse ser tão falha de simpatia. Então, percorrendo aquela sala fria com os olhos, ficou subitamente cheia de curiosidade. Pensou no que poderia constar do dossiê pessoal de Miss Adderstone, se é que ela tinha um... Por isso, perguntou-lhe.

A resposta de Miss Adderstone fez que aquela sala lúgubre parecesse ainda mais fria e mais escura.

— A minha mãe.. foi para um manicómio... depois de eu nascer. O meu pai era um bêbado. Fui viver com a minha tia. Era cruel... batia-me. O meu tio também me batia. Eram ambos... muito severos.

Molly não estava à espera disto. Por instantes, sentiu uma onda de simpatia por Miss Adderstone. Pareceu-lhe que a vida da directora fora ainda pior do que a sua. Mas recompôs-se rapidamente, desfez-se de quaisquer sentimentos de compaixão. Tirou a folha que constituía o triste registo da sua vida, juntou-a ao passaporte e meteu tudo no bolso. Limpou as mãos suadas à saia e voltou a concentrar-se.

— Muito bem. Agora, Miss Adderstone, vou fazer que entre num estado de hipnose... profunda... e... vai obedecer... a tudo... o que... eu mandar.

Miss Adderstone acenou como um boneco de corda e Molly humedeceu os lábios com a língua. Durante toda a sua vida fora o alvo preferido da brutalidade daquela mulher. Tinha chegado a hora da vingança.

Vinte minutos mais tarde, Molly deixou os aposentos de Miss Adderstone com a *Petula* a trotar a seu lado. Sentia-se mais poderosa do que nunca.

O ensaio para o espectáculo dos talentos estava marcado para as 20h00m, no vestíbulo. Molly sentou-se no oitavo degrau da escada, de onde poderia ver tudo. Quando Miss Adderstone deu entrada no palco improvisado, defronte da lareira apagada, Molly recostou-se e soltou um profundo suspiro de satisfação. Miss Adderstone tinha-se esmerado na roupa. Vestia uma camisa de dormir com rendas e botas altas de borracha. Na cabeça trazia um sutiã e os dentes postiços pendiam de um fio que trazia ao pescoço.

— Boa noite a todos — declamou numa voz cantante, saída daquela caverna mole que era a sua boca desdentada. Depois levantou a camisa de dormir e mostrou as cuecas.

— Woopsie Daisy!

Todas as crianças presentes ficaram em silêncio, consternadas pela visão das pernas brancas e engelhadas de Miss Adderstone. Era uma mudança tão drástica, tão estranha, que ninguém ficaria mais admirado se um marciano tivesse aterrado na sala.

— Siga o espectáculo! — anunciou uma alegre Miss Adderstone. Batendo a dentadura postiça no ar como se fossem castanholas, martelou com as botas de borracha como se dançasse e, com um floreado digno de uma dançarina cigana, saiu do palco e sentou-se numa cadeira junto a uma das paredes da sala.

Ouviram-se, aqui e ali, uns quantos risos nervosos. Então, Miss Adderstone falou na sua voz severa habitual: — Gordon Boils! Deita fora essa pastilha elástica.

Gordon Boils enterrou-se na cadeira. Preferia ser admoestado pela antiga Miss Adderstone. Esta metia medo.

— Sim, Miss Adderstone — disse em voz que mal se ouvia, cuspindo a pastilha e guardando-a no bolso.

Molly saltou para o palco.

Cynthia e Craig apuparam em uníssono. — Uhhhh, sai daí, Zono.

Molly olhou para os sapatos, concentrando-se na sensação visual, com muita, muita força. Ia tentar hipnotizar toda a gente utilizando apenas os olhos.

— O que é que se passa... esqueceste-te do tom da tua parvoíce?

— Chega de *asneiras* — atalhou Miss Adderstone, a bater castanholas com a dentadura postiça e fazendo que ela mordesse o ar. — Quem causar sarilhos leva uma *ferroada*.

Todos se aquietaram. Molly ergueu lentamente os olhos para a assistência. Apontou-os para o grupo, como um farol de busca. E todos, sem escapar nenhum, foram apanhados, paralisados como os coelhos iluminados pelos faróis dos automóveis. Molly teve a sensação de que estava apenas a jogar um jogo de computador. Quem se fixava nos olhos dela sentia que as suas defesas caíam por terra. Percorreu as filas uma por uma. Gemma, Gerry e Jinx eram os mais fáceis, mas nem os mais velhos foram presas difíceis. Todos aqueles olhos, que normalmente só mostravam desdém e desagrado por Molly, estavam agora em alvo, sem expressão. Gordon, Roger... Foi então que alguém tocou no ombro de Molly.

— Penso que sou a primeira — disse a Hazel com o seu sorriso venenoso. Molly voltou-se e concentrou o olhar na Hazel, mas os olhos dela desafiaram os da Molly. Depois, a cara dela torceu-se de uma forma estranha.

O olhar da Hazel tornou-se estranho. Hazel tinha os olhos fixos na Molly: na feia e impopular Molly, para a qual, em condições normais, nunca perderia tanto tempo a olhar, mas, por qualquer razão, sentia-se como que magnetizada. Tentou desviar o olhar, mas não conseguiu. E, como uma pessoa que se agarra à margem do rio sentindo-se puxada pela corrente forte da água, a Hazel, demasiado fraca para se aguentar por mais tempo, abandonou o esforço.

A sala estava em silêncio. Toda as pessoas se deixaram ficar sentadas, de olhos arregalados e assombradas. Molly olhou à volta, satisfeita, muito impressionada consigo própria, porque nem sequer tivera necessidade de usar a voz.

— Dentro de um minuto, vou sentar-me. Quando o fizer, bato as palmas. Quando ouvirem o batimento, todos sairão desse estado de hipnose e não guardarão nenhuma lembrança de que foram hipnotizados por mim... E a partir de agora, sempre que algum de vós se recordar de alguma coisa desagradável que disse, ou que fez, à Molly Moon, baterá na própria cabeça com qualquer coisa que tiver à mão.

Deixou o palco e sentou-se. Fez um único batimento seco com as mãos. Não hipnotizara todas aquelas pessoas para que gostassem dela. Não precisava disso, por agora. Só pretendeu saber se era capaz de manipular uma multidão e descobriu que sim. Quando o grupo voltou à vida, Molly meteu a mão no bolso, retirou de lá a folha de papel que encontrara nos ficheiros de Miss Adderstone e rasgou-a.

Na vida que levara até agora, Molly tinha tido sempre muito pouco. Agora pretendia obter aquilo a que se julgava com direito. Uma vida como a que via nos seus anúncios preferidos da televisão. Era possível que estivesse tudo ali à mão. Ao pensar em todas aquelas coisas maravilhosas que sempre quisera e nunca conseguira ter, tremia de satisfação antecipada. Encheria os bolsos com o dinheiro do prémio do concurso de talentos, mas isso seria apenas o princípio. Tinha a certeza de que, de posse dos poderes do hipnotismo, nunca mais teria falta de dinheiro. E quanto às pessoas, decidiu que, a partir daquele momento, *ninguém* ia empurrá-la, ou oprimi-la, mandar nela, aborrecê-la ou ignorá-la. Agora iria ser alguém e o mundo teria de ter cuidado, porque uma nova e brilhante Molly Moon estava prestes a voar pelos ares e a deslumbrar toda a gente.

Capítulo XI

Na manhã seguinte, o orfanato acordou com o cheiro encantador de *croissants* frescos e pão feito da massa da *pizza* e os aromas vindos do forno estavam de acordo com a alegre disposição da Molly.

Na sala de jantar, a época italiana da Edna estava no auge. Tinha trazido a sua instalação de alta-fidelidade que tocava, com o som muito alto, uma ópera. Havia livros italianos espalhados pelas mesas.

— Edna, tem ido à biblioteca? — perguntou a Molly, tirando um *croissant* estaladiço e um pãozinho doce de um prato.

— Tenho, como sabes, sou uma fanática pela Itália — explicou a Edna com delicadeza, como se a Molly não a conhecesse.

— Adoro a Itália, em especial a culinária italiana. Aqueles malditos italianos sabem viver — continuou, servindo um chocolate quente à rapariga.

— Edna, deixe que eu faça isso — exclamou Miss Adderstone com um sorriso desdentado, arrancando o jarro de chocolate das mãos poderosas da cozinheira. — Molly, querida, onde é que queres sentar-te?

Conduziu a Molly através da sala, até junto da janela, como se estivesse a servir uma princesa. As crianças murmuravam à passagem de Miss Adderstone e apontavam para o colar de onde pendia a dentadura postiça, que oscilava a cada passo da directora. Esta manhã tinha enfiado umas enormes calcinhas de senhora na cabeça. Vestia o seu fato de *crimplene*, mas este tinha sido todo retalhado e estava cheio de golpes e de rasgões. Parecia uma criação louca de um qualquer costureiro maluco.

— Gosto do seu fato — elogiou a Molly.

— Oh, obrigada, muito obrigada, Molly. Talhei-o eu mesma durante a noite, utilizando apenas uma tesoura.

Ouviu-se um grito vindo de detrás dela. Miss Adderstone voltou-se com a sua expressão habitual de maldade (pois nada tinha mudado nos seus sentimentos em relação às outras crianças) e mostrou-se horrorizada. A Hazel Hackersly tinha-se agredido a si própria com o jarro, despejando o chocolate quente por cima da cabeça.

— Hazel, *o que* diabo é que estás a fazer?

Miss Adderstone estava furiosa. — Molly, peço desculpa.

Ouviu-se outro grito quando o Roger entornou o leite por cima da própria cabeça. Miss Adderstone bateu as castanholas, que não eram mais que os dentes postiços, e dirigiu-se a ele como uma lagosta com mau feitio. — Não escapas, Roger Fibbin, vais levar um beliscão.

Dirigiu-se para o miúdo que tremia e, sempre a bater as castanholas, pespegou-lhe um beliscão violento num braço.

— Uuiiii! — gritou Roger, com os olhos dilatados de espanto.

Molly estremeceu. Não hipnotizara Miss Adderstone para que ela se tornasse *tão* bravia.

Edna, que tinha vindo para junto da Molly, sussurrou-lhe ao ouvido: — Acho que a Agnes ficou um bocado pírulas da cabeça.

Quando ia a deixar a sala de jantar, Molly reparou que o Gordon Boils estava a bater na sua própria cabeça com um *croissant*. Olhou para ele com um certo ar de consternação.

Molly faltou à catequese de domingo. Em vez disso, teve a Edna e Miss Adderstone à sua disposição durante toda a manhã. Ficou sentada com a *Petula* ao colo, a Edna preparou-lhe excelentes iguarias e Miss Adderstone massajou-lhe os pés. Por volta do meio-dia, Molly sentia-se maravilhosamente descontraída e pronta para o desafio que tinha de enfrentar naquela tarde.

Os outros internados seguiram a pé, mas Edna conduziu a Molly à cidade no *minibus*, levando-lhe a mochila e abrindo-lhe a porta traseira. Depois sentou-se no banco da frente, ao lado de Miss Adderstone. Juntamente com a cadela *Petula*, Molly foi conduzida de automóvel até à Câmara Municipal de Briersville.

A Câmara estava instalada numa construção vitoriana de pedra, com um telhado de cobre coberto de verdete. As escadarias estendiam-se, como um bigode, para os dois lados do edifício. Naquele dia de festa, os degraus estavam pejados de crianças. Crianças vestidas com roupas de todos os géneros. Com fatos guarnecidos de lantejoulas, de fraque e chapéu alto. Algumas iam vestidas para cantar ou dançar, outras para representarem uma determinada cena e várias vestiam trajes para dizerem uma rábula de comédia ligeira. Todas estavam preparadas para o concurso de talentos. E cada criança era acompanhada de um dos pais. Molly sentiu dificuldades para passar. Havia pais e mães a ajeitarem penteados, a coserem uma bainha entretanto descosida ou a fazerem uma última recomendação.

— Jimmy, não o deixes fugir... Mostra-lhes o que vales.

— Sally, não te esqueças do sorriso quando estiveres a cantar.

— Lembra-te, Angelica, tudo depende dos olhos.

— Certamente que sim — disse Molly para consigo, enquanto trepava pelos degraus.

Ninguém reparou na rapariga vulgar, um pouco desajeitada, que tentava abrir caminho. Ninguém prestou atenção ao *minibus* parado na rua, à espera que ela regressasse.

A agarrar a mochila onde guardava o livro de hipnotismo, Molly conseguiu chegar junto de uma secretária colocada no átrio.

— Nome? — perguntou uma senhora com óculos de armação branca e brilhante.

— Molly Moon.

— Morada?

— Orfanato de Hardwick House.

A senhora entregou-lhe o cartão onde escrevera o nome da rapariga. — Tens de estar nos bastidores quando o espectáculo começar e serás informada de quando chegar a tua altura de apareceres no palco. Boa sorte — concluiu, com um sorriso agradável.

— Obrigada. Bem preciso dela.

Molly seguiu por um corredor com piso de tacos de madeira, até que desembocou no Grande Salão, muito alto, onde havia centenas de cadeiras com armação metálica e assentos de tela encarnada, algumas já ocupadas. Reparou numa plataforma baixa, com seis cadeiras, colocada no centro do salão. Eram as cadeiras do júri.

Os corredores à volta da Molly ecoavam com as vozes que afinavam as escalas musicais e com os exercícios de aquecimento dos participantes no concurso. Passou pela Hazel e pela Cynthia, ambas lhe fizeram caretas, e entrou na sala que ficava por detrás do palco. Era como entrar numa jaula cheia de pássaros de cores vivas, todos a piar e a grasnar. Mães e pais afadigavam-se à volta dos filhos, as crianças preocupavam-se com as roupas. Os nervos próprios dos últimos minutos enchiam o ar de tensões. A visão destes grupos familiares provocou uma certa angústia na Molly. Virou-lhes as costas e sentou-se num canto, em frente de um televisor ligado, mas sem som. Sentiu que era justo ser ela a vencer o concurso de talentos. Comparados com ela, aqueles miúdos tinham vidas fáceis. Mas também sentia a autoconfiança a abandoná-la. Ficou a ver televisão, com a esperança de que assim conseguisse acalmar-se, de que as palmas das mãos deixassem de transpirar.

Durante um intervalo de publicidade apresentaram o anúncio da *Qube*. O mesmo homem do cartaz que dominava a paisagem de Briersville era agora mostrado no ecrã do televisor, a despejar uma lata de *Qube* pela goela abaixo. Concentrar-se no anúncio, que conhecia bem, fez Molly sentir-se mais à vontade. «Oh, és tão bonita, posso beber a tua *Qube*?» Molly disse as deixas da mulher que vestia o fato de banho resplandecente. Depois fez-se eco dos pensamentos do herói do anúncio: «Eia, o mundo parece realmente muito mais belo quando tenho uma *Qube* na mão.» Molly sabia que chegara agora a vez de uma voz profunda dizer: «*Qube*... A cerveja que pode saciar mais do que a sua sede!»

Molly olhava e sentia saudades do Rocky. Quando ensaiavam o anúncio da *Qube* acabavam sempre a rir-se às gargalhadas. Bem desejaria que estivessem os dois naquela praia paradisíaca. Porém, nesse momento Mrs. Toadley entrou na sala de espera. A explosão de espirros da professora desviou a Molly dos seus pensamentos.

— Aaaaaaatchiiimm. Oh — disse ela com voz de desdém, a assoar o nariz com ambas as mãos —, estou surpreendida por te ver aqui. Desconhecia que tivesses um qualquer *talento* pessoal.

— Vai ficar surpreendida — disse a Molly friamente.

— Sou uma das juízes, como sabes — afirmou Mrs. Toadley, espirrando de novo.

— Eu sei, e estou *verdadeiramente* encantada com a ideia de actuar para si — disse Molly com ar de satisfação, enquanto Mrs. Toadley se afastava.

Passados mais cinco minutos, chegou um homem que vestia um vistoso colete vermelho e começou a distribuir cartões numerados.

— Posso actuar em último lugar? — perguntou a Molly delicadamente.

— Com certeza.

O homem deu-lhe um cartão com o número 32 e levou o cartão onde estava escrito o nome da Molly.

Começou o concurso. Molly deixou o vestiário quando dois miúdos iniciaram uma zaragata por causa de uma varinha mágica. Foi para os bastidores e esperou, junto da mulher que, sentada num banco alto, se encarregava de correr as cortinas. Dali, a Molly tinha uma visão lateral do palco. Depois de cada actuação, a mulher puxava uma corda e a pesada cortina de veludo começava a fechar-se, provocando uma ligeira corrente de ar. O apresentador, o homem do colete vermelho, saltava então para o centro do palco para anunciar o concorrente seguinte.

Molly ficou a observar os concorrentes que a precediam. Dançarinos de sapateado, malabaristas, mimos, dançarinas de *ballet*, um rapaz com uma bateria de tambores que executou um solo de cinco minutos e uma rapariga que fez imitações de vedetas da TV. Algumas das crianças levavam pautas de música, o que aconteceu, por exemplo, com o pianista que se sentou ao piano branco que estava do outro lado do palco. Assistiu às actuações de ventríloquos, cantores, músicos, comediantes e de alguns que se deixaram vencer pelo medo do palco. Terminada uma actuação, o artista descia os degraus da frente do palco e ia sentar-se entre a assistência. De cada vez, a Molly sentia um espasmo nervoso no estômago.

Espreitou por uma nesga da cortina para ver o aspecto da assistência. A gorda Mrs. Trinklebury, radiante de felicidade, estava sentada na fila da frente. Mas Molly só conseguia ver as poucas filas da frente que eram iluminadas pelas luzes do palco. O resto da assistência sentava-se na *escuridão*. Entrou em pânico. Se não conseguisse olhar a assistência nos *olhos*, como é que poderia ter a certeza de que estavam a olhar para ela? Se uma mãe da última fila estivesse a remexer na mala de mão, ou se um dos juízes estivesse a apertar um sapato, podiam não olhar para os olhos da Molly. Se não conseguisse hipnotizá-los, seria desmascarada. Molly não conhecia o método de hipnotizar todo um grupo de pessoas apenas com a voz. O capítulo «Hipnotizar Apenas Com a Voz» tinha sido retirado do livro. Que situação terrível!

— Número 27, Hazel Hackersly — anunciou o apresentador.

A Hazel entrou muito atarefada no palco. Molly deveria estar a gozar aquele momento delicioso. Na noite anterior, tinha tido uma «reunião» com a Hazel. Mas, em vez disso, estava preocupada por não conseguir ver a assistência.

Começou a dança da Hazel. Uma dança? Na verdade, era mais um andar a bater os pés em cima das tábuas do palco. A Hazel saltava e batia com os pés como se estivesse a pregar pregos no chão. Cantava, ou melhor gritava, a sua canção de gato, cujas palavras tinham sido trocadas. Agora era assim:

«*Tenho pena de não saber dançar*
Tenho pena de ser uma fedelha
Tenho pena de ser brigona
Às vezes até me sinto velha.»

Quando abandonou o palco, com o sorriso de quem tivera uma actuação digna de um Óscar, houve um silêncio constrangido e depois ouviram-se algumas palmas desgarradas.

— Meu Deus — disse a senhora que manobrava a cortina, — não me parece que vá ganhar.

— Número 28 — anunciou o apresentador, o que fez o estômago da Molly contrair-se de dor, roubando-lhe o resto da sua autoconfiança. A escuridão em que estava a assistência era aterradora. Sentou-se, a tentar recompor-se, a tentar conseguir aquela sensação no olhar, mas as dúvidas continuaram a massacrá-la, a não deixarem que se concentrasse. Era uma situação horrível. E foi então que da cabeça da desesperada Molly brotou uma ideia brilhante. Só esperava que resultasse.

— Número 30 — chamou o apresentador. Molly continuou a olhar o chão intensamente.

O número 30 foi um rapaz a fazer imitações de cantos de aves, que arrancou expressões de espanto da assistência. Seguiu-se a número 31, uma rapariga vestida de deusa grega. Enquanto cantava a sua parte, a Molly lutava para conseguir dominar os nervos. Era agora ou nunca.

Concentrou o olhar e bateu de leve no ombro do apresentador. Quando ele se voltou, os seus olhos ficaram prisioneiros dos da rapariga. Depois, a Molly virou-se para a encarregada da cortina e olhou-a também nos olhos. A número 31 acabou. O jovial apresentador apresentou-se de novo no palco.

— E agora, a última, que bem pode ser a primeira — anunciou, — a concorrente número 32... Miss Molly Moon.

Molly caminhou para a boca de cena, com as mãos mais húmidas que já sentira em toda a sua vida. A cortina foi aberta e sentiu o rosto inundado de luz e do calor do holofote. Caminhou até ao microfone, com o estômago contorcido pelo nervosismo. De súbito, encheu-se de terror, com medo de que não conseguisse lembrar-se de como hipnotizar *fosse o que fosse*, tanto mais tratando-se de uma assistência de pessoas da cidade. Olhou para o grande buraco negro que era o salão e sentiu que estava cheio de pessoas que olhavam para ela. A expectativa fazia vibrar a assistência. O silêncio era completo, exceptuando as tosses e um espirro de Mrs. Toadley.

— Boa tarde, senhoras e senhores — começou, com os nervos à flor da pele —, chamo-me Molly Moon e esta tarde vou mostrar-lhes a minha capacidade de ler o que se passa na mente das pessoas.

Ouviu um murmúrio de vozes curiosas.

— Para isso, tenho de poder vê-los. Para o conseguir, senhoras e senhores, rapazes e raparigas, as luzes da sala vão ser acesas.

Protegendo os olhos com as mãos, olhou para cima. — Técnico de iluminação, pode desligar o holofote e acender as luzes da sala.

Com dois toques de interruptor, o holofote do palco apagou-se e as luzes da sala foram acesas. Havia ali muita gente. Notou a Hazel, sentada na fila da frente, a bater nela mesma com a cauda do gato.

— Viva, peço a vossa atenção — continuou Molly, já a sentir-se mais calma. — Agora, senhoras e cavalheiros, se permitirem que me concentre durante uns instantes, vou mostrar-lhes aquilo de que sou capaz. Não tarda que comece a receber mensagens telepáticas... os vossos pensamentos, e vou dizer-lhes aquilo em que estão a pensar.

Molly ficou a olhar para o chão.

Para a assistência, esta rapariga era, só por si, o espectáculo. Estava ali, a concentrar-se da forma mais teatral. Toda esta história da leitura da mente era, sem dúvida, uma treta, mas a rapariga representava muito bem. Seria interessante ver como é que ela lhes ia ler os pensamentos. Teria, talvez, alguns ajudantes entre a assistência, que agiriam como se nunca a tivessem conhecido.

Então, para surpresa daquela gente, quando a rapariga levantou os olhos do chão, cada uma das pessoas presentes na sala pensou que, numa segunda análise, esta rapariga era muito mais *especial* do que lhe tinha parecido à primeira vista. Aquela rapariga normal, magra como um fuso, era verdadeiramente encantadora. Quando mais a assistência observava a Molly, a tentar saber a razão de não ter descoberto há mais tempo o seu encanto, mais ficava prisioneira do magnetismo do seu olhar.

— Agora já falta pouco — disse a Molly, que percorria metodicamente as filas de rostos hirtos, a verificar os olhos de cada pessoa. — Não levou mais do que alguns segundos a concluir a verificação e a começar a notar o sentimento de união, que se tornava mais forte a cada momento que passava. Molly ficou espantada por verificar que a maioria das pessoas tinha sucumbido de imediato ao seu encantamento, júri incluído. Mrs. Toadley parecia um sapo velho, de boca aberta. Mrs. Trinklebury parecia prestes a ser vítima de um ataque de riso.

O único problema parecia provir de uma senhora sentada na sexta fila.

— Madame, sim, a senhora da sexta fila, a que está de óculos escuros, quer fazer favor de os tirar?

Quando a senhora tirou os óculos, Molly verificou que ela já tinha entrado em hipnose. Um rapaz que tinha ido à casa de banho quase conseguia escapar-se, mas a Molly conseguiu caçá-lo quando ele regressava ao seu lugar. Ao vê-lo sentar-se, já de olhos vidrados, Molly convenceu-se de que tinha cada uma das pessoas solidamente agarradas, como se as tivesse na palma da mão, aliás, muito húmida de suor. O próprio técnico de iluminação tinha os olhos arregalados. A ordem da Molly não se fez esperar: — Agora, pode diminuir de novo a iluminação da sala.

Iluminada pelo feixe brilhante do holofote, começou a dirigir-se à assistência.

— Todos os presentes... têm de obedecer às minhas ordens — disse. — Todos se esquecerão de que subi ao palco para ler as mentes das pessoas. Pensarão, em vez disso, que subi ao palco e ... — concluiu, dando instruções bem claras que ecoaram pelo enorme salão.

A actuação de Molly começou. As pessoas assistiam, embasbacadas. Esta actuação de canto e dança da Molly Moon era tão boa, tão interessante, que pensaram estar a testemunhar o nascimento de uma nova estrela do espectáculo. A rapariga era tremendamente talentosa, carismática e engraçada, além de ter um rosto adorável. Dançava com tal graça que parecia nem tocar com os pés no chão. Cantava como um anjo e também contava anedotas. Que anedotas mais engraçadas! De tanto rirem com as piadas da miúda, as pessoas até sentiam as costas doridas.

Na realidade, Molly limitava-se a estar em cima do palco, a descrever à assistência o que as pessoas *pensavam* estar a ver e a ouvir. Antes de terminar, Molly trocou umas palavras particulares com Mrs. Toadley.

— A partir deste momento, a senhora vai informar toda a gente que é uma professora horrível e embirrante — disse-lhe Molly, enquanto Mrs. Toadley ficou a ouvi-la, a abrir e a fechar a boca como um gordo peixe vermelho, para mostrar que estava de acordo.

Então Molly bateu as palmas e, de imediato, toda a assistência saiu do estado de hipnose. Ouviram-se aplausos, palavras de estímulo e assobios de aprovação. A concorrente número 32, Molly Moon, era a vencedora óbvia e indiscutível do concurso. Tinha mais talento no dedo mindinho que todo o conjunto dos outros concorrentes tinha em todo o corpo. E ali estava ela, de saia e camisola muito simples. Acabava de ser demonstrado que todos aqueles trajes complicados não eram de todo necessários. Para que serviam, se a Molly Moon conseguia uma tal presença no palco sem necessidade de roupas e maquilhagens próprias? A rapariga tinha algo de muito especial. Era, como dizer, tão *popular*. Tinha, sem dúvida, aquela magia especial a que se pode chamar «carácter de estrela».

As pessoas aplaudiram até as mãos lhes doerem. A Molly ficou encantada, a sorrir e a fazer vénias. Apreciava os aplausos, a adoração de que era alvo. Por fim, foi sentar-se na fila da frente. As pessoas que estavam por perto cumprimentaram-na efusivamente.

— M...Molly, foste m...maravilhosa — gaguejou Mrs. Trinklebury. Até a Hazel Hackersly estava a sorrir para ela com olhos de carneiro mal morto, uma experiência chocante para a Molly.

Através da coxia, o júri dirigiu-se para o palco. Mrs. Toadley era a segunda da fila, logo a seguir ao Presidente da Câmara. A Molly ouviu-a dizer ao homem que seguia logo atrás dela:

— Como sabe, eu sou uma professora horrível e embirrante.

— Pois sei — respondeu ele —, tenho um filho na sua turma.

Quando o Presidente da Câmara anunciou que Molly era a vencedora absoluta, os restantes membros do júri abanaram as cabeças como aqueles bonecos de cabeça articulada que se vêem junto ao vidro traseiro dos carros.

— ... pura e simplesmente a criança mais talentosa que esta cidade alguma vez teve o prazer de aplaudir. Por isso, peço uma nova salva de palmas para a nossa conterrânea Molly Moon.

Molly subiu ao palco para receber o seu prémio monetário. Mal conseguia acreditar no que tinha conseguido. O seu mais ardente desejo, formulado no monte que domina Briersville, ao observar o anúncio da cerveja *Qube*, era ser rica, popular e bem--parecida. E agora, com um simples dardejar de olhos, tinha conseguido realizar os seus sonhos.

— Muito obrigada — agradeceu com ar tímido.

Ao agarrar o envelope gordo, cheio de notas de banco novas, bem juntas, foi tomada por um violento desejo de abandonar a cena do «crime» o mais depressa possível. Assim, depois de posar para algumas fotografias, deixou o palco e saiu do edifício apressadamente. Antes de alguém se aperceber da sua saída, já ela tinha descido a escadaria da Câmara Municipal e entrado no *minibus*, com a sua condutora particular.

— Para o Briersville Hotel — ordenou.

Edna rodou a cabeça e sorriu-lhe, a *Petula* saltou-lhe para o colo e Miss Adderstone ficou a olhá-la com ar submisso.

— Sim, minha senhora.

O carro arrancou com um chiar de pneus no asfalto.

Capítulo XII

Tudo estava a decorrer de acordo com o plano. Molly e a cadela *Petula* passaram a tarde num quarto do Briersville Hotel que, embora estivesse longe de poder ser considerado o melhor hotel do mundo, pois as camas eram velhas e tortas e a mobília estava riscada e gasta, era um bom lugar para a Molly recuperar o fôlego; e a cadela achou o cadeirão confortável.

Molly tinha ordenado que a Edna e Miss Adderstone permanecessem no *minibus,* enquanto ela levava a cabo a nova fase do plano. Pegou no telefone e ligou para a operadora internacional.

— O nome é Alabaster. Vivem na América — explicou Molly.

— Lamento, mas tem de me fornecer elementos mais concretos — respondeu a operadora. — Em que estado e em que cidade é que vivem?

— Polchester, ou Pilchester, ou Porchester. É uma cidade próxima de Nova Iorque.

— Tenho muita pena, mas isso é muito vago — disse a senhora. — Nos Estados Unidos existem milhares de pessoas com o apelido Alabaster... Precisaria da noite inteira para as consultar a todas.

— Está a... sentir-se... descontraída? — perguntou a Molly com voz lenta.

— Como disse? Se pretende brincar, acho melhor que desligue de imediato.

— Não é brincadeira; obrigada pela sua ajuda — concluiu Molly. Estava profundamente desapontada por constatar que o Rocky seria mais difícil de encontrar do ela pensava.

No entanto, sentia-se excitada por estar no quarto do hotel. Ligou o televisor e sentou-se para contar o dinheiro. Metido dentro de um sobrescrito, o dinheiro formava um maço preso por uma cinta de papel. Molly rebentou a cinta de papel e espalhou as notas como se faz com os baralhos de cartas. Nunca tinha possuído uma nota de 10 libras e nunca tinha visto uma nota de 50 libras; e nunca lhe passara pela cabeça possuir *sessenta* notas de 50 libras! As 3 mil libras tinham bom aspecto, cheiravam bem, faziam-na sentir-se bem. Faziam-na sentir-se poderosa e livre. Com 3 mil libras podia ir onde lhe apetecesse: Austrália, Índia ou China. Bastava-lhe comprar um bilhete e seguir viagem. Ou podia gastar o dinheiro todo em doces. Carradas de doces. Molly não gostava de doces, mas desejava diversas coisas. Assim, metendo o dinheiro no bolso e o livro de hipnotismo por debaixo do anoraque, chamou a *Petula* e foram ambas às compras.

Dez minutos depois, estavam a percorrer a Briersville High Street. Molly transportava uma cesta de viagem para a *Petula*, que tinha comprado na Animal Love, uma loja de animais. A cadela mostrava-se vaidosa e empertigada com a nova coleira vermelha que lhe enfeitava o pescoço.

Molly parou junto à montra do oculista e deu-lhe a veneta de entrar. Cinco minutos mais tarde, estava novamente na rua, mas agora de óculos escuros. Sempre quisera ter uns e agora, pensava, até lhe podiam ser úteis como disfarce. Não queria que as pessoas a reconhecessem como a rapariga do concurso. Prosseguiu o caminho pela curva que a rua faz e parou em frente da montra emoldurada a madeira da loja de antiguidades: a Mouldy Old Gold.

A montra apresentava uma diversidade de peças e objectos interessantes. Bolas de vidro espelhado, copos de cristal facetado, caixas de prata com compartimentos secretos, uma sombrinha com um papagaio esculpido a servir de pega, binóculos, um espartilho, um enorme ovo de avestruz, uma taça com frutos de cera, uma espada e um par de botas de montar da era vitoriana. Porém, a atenção de Molly foi despertada por um disco dourado, colocado em cima de um mostrador de veludo, no fundo da montra. A superfície do disco tinha gravada uma espiral escura que parecia obrigar os olhos a fixarem-se nela. Era uma beleza e, embora a respiração da Molly tivesse embaciado o vidro da montra, quase diria que o disco estava preso a um fio. Para a Molly, era a ideia que fazia de um pêndulo.

Tirou os óculos escuros, abriu a porta da loja e entrou. Ouviu-se o som de uma velha sineta, o que alertou o dono da loja, Mr. Mould, que se encontrava no fundo da loja a limpar uns óculos antigos. Humedeceu os dedos, ajeitou as sobrancelhas espessas e apressou-se a passar à divisão principal para atender a cliente. Todavia, o seu zelo desvaneceu-se ao verificar que , a cliente era uma miúda de pescoço esguio acompanhada de uma cadela.

— Boa tarde — cumprimentou, a ajeitar o colarinho.

— 'Tarde — respondeu Molly, levantando os olhos de uma montra cheia de artigos de joalharia e belos ganchos de cabelo.

— Posso ajudar? — perguntou Mr. Mould.

— Sim, se faz favor. Gostaria de dar uma vista de olhos ao pêndulo que está na montra, por favor. — Molly tinha decidido equipar-se. Precisava de um pêndulo como devia ser, pesado, que seria a prenda perfeita para oferecer a si própria pelos seus feitos na área do hipnotismo.

— Um pêndulo... bem...

O dono da loja abriu a montra e debruçou-se lá para dentro. Pegou numa bandeja e pousou-a em cima do tampo de vidro do balcão, entre ele e a Molly.

— Acho que pode haver aqui alguma coisa parecida com um pêndulo.

Molly olhou atentamente. Havia uma colecção de colares de contas coloridas, fios, medalhões e pendentes, mas o pêndulo de que gostava não se encontrava ali.

— Ah! Aquele de que lhe falei é o dourado, o que está em cima do mostrador de veludo, na parte de trás da montra — explicou.

— Estou a ver — disse Mr. Mould. — Tenho a impressão de que esse pêndulo deverá estar para além das tuas possibilidades, minha menina. — Pegou no pêndulo antigo pelo fio e fê-lo rodar para que Molly o admirasse. Assim visto de perto, tinha ainda melhor aspecto do que antes. Era de ouro, fora bastante usado mas não tinha riscos e a espiral estava perfeitamente desenhada.

— Quanto é que custa?

— Bom... hã... 550 libras. É de ouro maciço, de 22 quilates e bastante antigo. Talvez este seja mais adequado à tua bolsa.

Mr. Mould pegou num colar feito de uma liga metálica, com uma pedra acastanhada, em bruto. Molly ignorou esta peça e continuou a analisar o pêndulo de ouro. A espiral parecia rodar quando se olhava para ela. Achou o objecto irresistível. Tinha de o possuir. Estava farta de não ter dinheiro para comprar aquilo de que gostava. A partir de agora, compraria o que quisesse! Com um gesto extravagante, levou a mão ao bolso e tirou o seu maço de notas.

— Levo o pêndulo de ouro — disse com delicadeza. E contou onze notas de 50 libras.

Mr. Mould estava espantado. — Deves ter tido sorte nas corridas de cavalos!

— Não, tive sorte no concurso de talentos — explicou Molly.

— Ah! És a rapariga que ganhou! A minha neta telefonou-me e falou de ti. Disse que eras fabulosa!

O senhor idoso não conseguia disfarçar o assombro. Estava espantado por uma rapariga com um aspecto tão vulgar ou, melhor dizendo, tão feia como a Molly, poder ser descrita como «bonita», «deslumbrante» e «amorosa», as palavras que a sua neta tinha usado para descrever a vencedora do concurso.

— Deixa-me apertar-te a mão — disse ele. — Parabéns.

Apertou a mão fria e húmida de Molly. — Então, obrigaste toda aquela gente a ficar com dores nas costas de tanto rir — continuou, quase a pedir à Molly que fizesse uma imitação para ele ou lhe contasse uma anedota.

— Mmmnnn — respondeu a Molly, brindando-o com um sorriso enigmático.

— Nesse caso, estás a oferecer uma prenda a ti própria.

O lojista pressionou um botão da caixa, fazendo abrir a respectiva gaveta, onde guardou as 550 libras.

— É.

— E onde é que aprendeste a representar dessa maneira?

Molly sentia-se tão feliz e estava tão excitada que não hesitou em dizer-lhe. — Foi num livro muito antigo — disse, com ar misterioso, batendo num objecto volumoso que transportava debaixo de anoraque.

— Estás a brincar comigo!

— Não, é verdade. É um livro muito especial.

— E é por essa razão que o trazes sempre contigo — concluiu o lojista.

— Adivinhou — disse a Molly.

O comerciante embrulhou o objecto comprado pela rapariga.

— Obrigado, oxalá sejas feliz com o berloque.

— Obrigada. Adeus.

— Adeus.

Quando a Molly estava a guardar o embrulho e a virar-se para sair, a sineta por cima da porta tocou e entrou um novo cliente. Passou por ela envolto numa nuvem de fumo de cigarro e ainda lhe tocou de raspão.

Molly saiu da loja a levantar a gola do anoraque azul e pôs os óculos escuros comprados há pouco. Mr. Mould ficou a vê-la sair.

O novo cliente tapou-lhe a vista. — Deixe-me ver de novo aqueles binóculos que me mostrou esta manhã — ordenou.

— Ah, claro, Professor Nockman — disse Mr. Mould, tirando os óculos que estivera a limpar da algibeira e pondo-os em cima do balcão. — Nunca me passaria tal coisa pela cabeça, mas aquela rapariga que saiu acaba de ganhar o concurso de talentos da cidade!

O seu novo cliente, baixote, gordo e impaciente, não estava nada interessado em saber pormenores da vida corrente de Briersville. Mas interessava-se vivamente pela vida de Briersville de um século antes. Desde que soubera que o antiquário conhecia a biografia do Dr. Logan e que o próprio Mr. Mould tinha comprado, e vendido, artefactos que tinham sido usados nas viagens e nos espectáculos de hipnotismo de Logan, tinha visitado a loja por diversas vezes.

Hoje, o motivo que levava o professor Nockman a voltar à loja eram aqueles óculos antigos, que agora estavam em cima do balcão. Tinham lentes pretas com uma espiral branca desenhada e dizia-se que tinham pertencido ao próprio Dr. Mesmer.

— Dizia-se que protegiam quem os usava dos olhares dos hipnotizadores — explicara Mr. Mould. — Uma história com a sua graça, embora seja uma tolice. Mas, diria eu, bastante apropriada para a colecção do seu museu.

Os óculos eram caros e o professor Nockman ainda não se decidira a comprá-los. Pegou neles e coçou o bigode oleado com a unha comprida do dedo roliço. Mr. Mould continuava com os olhos postos na rua, a ver a Molly e a *Petula* afastarem-se, mas parando em frente das montras.

— Tem a certeza absoluta de que esse livro do Dr. Logan nunca lhe passou pelas mãos? — perguntou o professor

Nockman. — Porque o meu museu está disposto a pagar um preço para além do que seria razoável, só para o apresentar na exposição sobre hipnotismo que estou a organizar.

— Não... não, certamente que não — dizia o comerciante, desviando o olhar da Molly. — Aparentemente, consegue dançar como a Ginger Rogers. A minha filha achou-a bonita! Para mim é bastante vulgar. Pois bem, penso que tudo depende dos olhos de quem vê.

— Pois é, tudo — disse o professor, a pôr aqueles óculos estranhos e a olhar o tecto através deles.

— Comprou um belo pendente de ouro para oferecer a si própria, embora lhe chamasse um pêndulo. Uma coisa que não se esperaria que uma criança comprasse. Espero que não vá derreter todo o dinheiro do prémio.

— Um *pêndulo?!* — exclamou o professor Nockman, subitamente muito interessado no que o comerciante estava a dizer. Voltou-se para ele, ainda com os óculos esquisitos postos. — Quanto é que ela ganhou?

— Penso que foram 3 mil libras. Espantoso, não é? Parece tão vulgar. Bem, conhece o ditado: «Não julgue o livro pela capa.» E, falando de livros, quando lhe perguntei onde é que tinha aprendido a sua técnica de palco, respondeu-me: «Num livro muito especial, num livro antigo.» Que criança mais excêntrica!

— Que livro? — perguntou Nockman, com o nariz espetado como o de um cão que acabasse de farejar um odor agradável.

— Um livro que transporta com ela.

O professor Nockman tirou apressadamente os óculos antigos, para ver a rapariga que estava na rua. Estava a ler as notícias no quiosque dos jornais e, preso desajeitadamente por debaixo do seu braço, notava-se um objecto grande e rectangular, de cantos duros. Nockman foi tomado com tal violência pela sensação de ter atingido o seu objectivo que até se engasgou. Tinha passado todo o fim-de-semana a percorrer a cidade de Briersville, sempre à procura de alguém que tivesse o livro na sua posse, à espera de uma visão como aquela. Tinha-lhe saído a sorte grande. Tinha a certeza. Pensava em tudo o que Mr. Mould tinha estado a contar acerca da rapariga. Tinha comprado um pêndulo, ganhara uma grande soma de dinheiro, toda a gente a julgava fascinante, mas era vulgar, e todo o segredo do seu sucesso era devido a um livro especial, um livro antigo. Um livro que, como era óbvio, ela não queria que fosse visto, pois escondia-o dentro do anoraque. Os seus instintos despertaram para lhe assegurarem que o volume que a rapariga levava debaixo do anoraque era o livro que procurava tão desesperadamente, o *seu* manual de hipnotismo.

Molly, sempre acompanhada da cadela, estava agora a dobrar a esquina. O professor lançou-se para o puxador da porta, mas lembrou-se dos óculos.

— Levo os óculos — disse. — Quanto é que disse que custavam?

— São absolutamente únicos — disse o astuto Mr. Mould. — 450 libras.

Entregou os óculos com armação de prata ao professor.

Nockman estava a pensar depressa. Sabia que o lojista estava a pedir um preço demasiado alto e não lhe agradava a ideia de pagar tanto mas, se os óculos fossem realmente anti-hipnóticos, poderia vir a precisar deles e não tinha tempo para estar com regateios.

— Levo-os.

O professor Nockman pôs o dinheiro em cima do balcão.

— Não se incomode com o embrulho. E se lhe chegar às mãos *qualquer coisa* sobre hipnotismo, telefone-me, para os Estados Unidos. Vou dar-lhe o meu número.

— Com certeza — disse o comerciante, com ar feliz. Nunca tinha vendido tanto numa tarde. Afinal, fora uma boa ideia, aquela de abrir ao domingo. — Adeus.

O professor Nockman apressou-se a sair da loja, atirou fora a ponta do cigarro e olhou para esquerda e para a direita, a tentar adivinhar para onde a rapariga podia ter ido. Arrotou de excitação e correu pela rua na direcção que ela tomara.

Entretanto, a Molly e a *Petula* tinham regressado ao hotel, onde Miss Adderstone e a Edna continuavam fielmente à espera, sentadas no *minibus*.

Molly foi ao quarto, pegou na mochila e desceu para pagar a conta. A seguir, dirigiu-se ao *minibus* e entrou. A *Petula* saltou atrás dela.

— Vamos para onde, menina? — perguntou Miss Adderstone, com a voz entaramelada (continuava a não usar os dentes postiços).

— Para o aeroporto — respondeu a Molly, cheia de confiança. Recostou-se e deu uma palmadinha amigável à cadela.

O professor Nockman, que andara à procura da rapariga noutras lojas, chegou ao parque do hotel no preciso momento em que o *minibus* estava a arrancar. A condutora tinha ar de louca e parecia levar umas calcinhas de senhora enfiadas na cabeça. Quando o veículo ia a virar para entrar no trânsito, o professor Nockman avistou pela segunda vez a rapariga de ar normal que saíra vencedora do concurso de talentos. Ia sentada no banco de trás, como uma jovem estrela, com a cadela a seu lado, e levava um grande livro encadernado em pele arroxeada em cima dos joelhos. Através da janela aberta, conseguiu ver que levava o passaporte na mão.

O professor Nockman *soube* que a rapariga transportava com ela o livro do hipnotismo. Num esforço vão para se aproximar do livro, lançou-se para a traseira do veículo. Mas não conseguiu agarrar-se e, em vez disso, tropeçou no próprio pé. A engolir uma nuvem de gases do escape, começou e entrar em pânico. Nockman apercebeu-se de que o manual de hipnotismo, o *seu* livro, estava a fugir-lhe por entre as mãos. O manual era essencial para o seu plano, um plano secreto, brilhantemente concebido, que ia catapultá-lo para o lugar cimeiro da sua profissão. Sem ele, jamais conseguiria atingir os seus fins. E agora havia muitas hipóteses de a rapariga do passaporte estar a pensar levá-lo para longe, muito longe. Desesperado, a rilhar os dentes e a ofegar, Nockman correu para o hotel.

— Chame-me um táxi e prepare a minha conta — ordenou com voz rude à recepcionista. E correu escada cima, com a papada a saltitar.

— Que pena, ter de se ir embora tão depressa — disse a funcionária quando o viu aproximar-se com passos decididos e peças de roupa a saírem da tampa da mala. O professor Nockman soltou um grunhido e entregou-lhe o cartão de crédito. Estava irritado e muito nervoso; não podia perder o rasto daquela rapariga.

— E então, onde está o táxi? — perguntou com raiva, ao assinar o talão.

— Há uma praça de táxis logo à saída do portão do hotel — respondeu a recepcionista, a recear que o professor estivesse à beira de um ataque de coração. — O senhor sente-se bem?

Mas Nockman nem respondeu. Já ia pela porta fora.

— Para o aeroporto — gritou para um taxista ensonado que estava a ler o jornal. Era um tiro no escuro, mas estava convencido de que a rapariga tinha ido para o aeroporto.

O carro pôs-se em movimento e Nockman rezou para que os semáforos mantivessem a cor verde. Gotas de suor escorriam--lhe da testa. Entretanto, como o táxi conseguiu libertar-se com uma certa facilidade do trânsito da cidade, começou a ficar mais calmo, convencido de que ainda podia apanhar a rapariga.

Aquele livro era o seu destino. Não podia deixar de ir atrás dele.

Capítulo XIII

A viagem entre Briersville e o aeroporto levava hora e meia. Molly ia sentada no banco traseiro do *minibus*, a fazer festas à cadela e a olhar para os campos que iam atravessando. Estava a absorver toda a paisagem, que não sabia se voltaria a ver, agora que estava a caminho da América, onde ia procurar o seu amigo Rocky. A ideia de nunca regressar não a incomodava. Nem se preocupava muito por não saber ao certo para que parte da América é que ia viajar. Sentia-se ousada, forte, rica e desejosa de conhecer o mundo.

Graças a uma condução rápida e furiosa, Miss Adderstone chegou depressa ao aeroporto; ela e a Edna ajudaram a Molly a sair do *minibus*. Quase pareciam duas pessoas agradáveis, ambas submissas, a pedir consolo; Miss Adderstone com o seu fato feito em tiras e as calcinhas enfiadas na cabeça, e a Edna na sua gabardina de estilo italiano bem ajustada ao corpo. Ambas limpavam os olhos com os lenços. O da Edna tinha um bordado com a bandeira italiana.

— Ó, Molly, vamos sentir o raio da tua falta — dizia a Edna, com voz chorosa.

— Molly, desejo-te as maiores felicidades, minha querida — fungou Miss Adderstone.

— Manda-nos um postal.

— Manda notícias.

Molly aquiesceu. Então, decidiu dar um presente de despedida a cada uma delas. Bateu as palmas uma vez e ambas entraram em hipnose profunda.

— Agora, ouçam-me bem, as duas — começou a Molly. — Vou apontar-vos algumas coisas novas a que devem dedicar interesse... para que as vossas vidas se tornem... bem mais *interessantes*. Miss Adderstone, a partir de agora, a senhora terá uma nova e profunda paixão por...

A rapariga olhou à volta, como a procurar inspirar-se — por... por aeroplanos e pelo voo. Pois, é isso. Vai aprender a pilotar aviões. E Edna, bem, a senhora vai adorar ainda mais a culinária italiana e a Itália. Vai adorar a moda italiana e... os automóveis italianos, oh, e não deve esquecer a língua, que vai aprender a falar. E a partir deste momento, ambas serão *simpáticas* para *todas* as crianças.

Molly sentia-se satisfeita por ter sido generosa para todos os habitantes de Hardwick House. Bateu as palmas duas vezes; tanto Miss Adderstone como a Edna saíram do transe. Miss Adderstone recomeçou a fungar.

— Oh, Molly, tens tanta sorte, vais andar de avião — disse, sem conseguir abafar um soluço. — Sempre tive desejo de voar!

Molly ajudou a *Petula* a entrar no cesto de viagem. — Então, adeus — disse. Rodou sobre os calcanhares; as lamentações de Miss Adderstone e da Edna já se ouviam mal quando ela entrou no edifício do terminal.

— Caramba! — disse para si mesma.

— Queria um bilhete para o próximo avião com destino a Nova Iorque.

A empregada da companhia de aviação olhou por cima dos papéis para a menina insignificante cujo queixo mal chegava ao balcão. — Lamento, mas só podemos vender bilhetes a passageiros com 16 ou mais anos de idade.

Molly tirou os óculos escuros e lançou um olhar irresistível à mulher de uniforme. — Eu *tenho* 16 anos — disse, entregando-lhe o passaporte. De imediato, a funcionária viu uma rapariga que, obviamente, tinha *pelo menos* 16 anos e já estava a pôr o dinheiro em cima do balcão.

— Com certeza, minha senhora. Peço desculpa, não tinha reparado bem. Contudo, não posso vender-lhe o bilhete, tem de o comprar na bilheteira, ali mais à frente, além de que já está atrasada para a chamada para o próximo voo. O embarque está quase terminado. O avião levanta voo dentro de 20 minutos.

Molly aumentou a força magnética do olhar.

— Peço imensa desculpa — disse a assombrada mulher de uniforme azul —, não sei o que tenho hoje. Para uma pessoa importante como a senhora, deverei conseguir arranjar tudo. São 450 libras. Tem alguma bagagem?

— Não.

A funcionária pegou no dinheiro, escreveu umas coisas e entregou-lhe um bilhete escrito à mão e um cartão de embarque.

— Faça o favor de chegar o mais depressa possível à porta número 25. Desejo-lhe uma boa viagem.

A funcionária sorriu, feliz, ao ver a Molly a afastar-se. Só então se dirigiu à bilheteira para preencher o talão de recepção do dinheiro.

Molly correu para a porta de embarque e passou pelas máquinas de raios-X. Depois de um bom dardejar de olhos, o homem da segurança deixou-a passar sem examinar o cesto de transporte de cães; passou pelas lojas *duty-free* e caminhou por corredores alcatifados, até encontrar a porta 25.

Suado e a arfar com o esforço, o professor Nockman chegou junto da bilheteira.

— Podem informar-me acerca de uma miúda que acaba de comprar aqui uma passagem? — perguntou com modos agressivos. — Deve ter pago com dinheiro.

— Senhor, todos os dias temos aqui centenas de pessoas a comprar bilhetes — respondeu a funcionária da bilheteira com voz decidida.

— Pois, pois — continuou o professor Nockman com a sua rudeza habitual —, mas uma rapariga, uma miúda de 10 anos, mais ou menos... ela...

— Senhor, nós não vendemos bilhetes a crianças. E, além disso, não divulgamos esse tipo de informações.

O telefone tocou e a funcionária virou-se para o atender. O professor inclinou-se para diante e analisou a folha de papel que estava na frente dela, conseguindo lê-la ao contrário.

Parecia que a funcionária tinha emitido um talão de recebimento de dinheiro, referente ao custo de um bilhete em nome de uma M. Moon, com destino a Nova Iorque.

— Dê-me um bilhete para Nova Iorque. Quero apanhar o voo número 200 — pediu o professor.

A funcionária baixou os olhos para a sua lista e cobriu-a com a mão.

— Lamento mas é demasiado tarde para apanhar o voo 200, as portas de embarque já encerraram.

Era certo que tinham sido encerradas. Molly já estava no avião e fora o último passageiro a entrar.

Mostrou o bilhete de classe «turística» à hospedeira e olhou-a intensamente. — Primeira classe, penso — sugeriu, e foi conduzida para o compartimento da primeira classe na parte dianteira do avião. Quanto à *Petula*, escondida no cesto de viagem, foi colocada no assento vazio, ao lado da Molly.

Enquanto o professor Nockman andava de um lado para o outro, a dar largas à fúria, Molly estava a apertar o cinto. No momento em que um guarda de segurança colocou a mão no ombro do professor, Molly estava a receber um sumo de laranja das mãos da hospedeira. O professor Nockman teve de se contentar com um bilhete para o voo seguinte com destino a Nova Iorque, cinco horas mais tarde.

Quando o avião acelerou através da pista e descolou em direcção ao céu já a escurecer, Molly olhou pela janela. Era a primeira vez que entrava num avião e pensar que estava a voar dentro de um enorme pedaço de metal fazia-lhe medo. Sentiu que tinha as mãos pegajosas. Porém, reparando no ar calmo das hospedeiras, acabou por sentir-se bastante melhor. Ficou a olhar pela janela, a ver afastarem-se as luzes tremeluzentes do aeroporto à medida que o avião subia cada vez mais. Olhou para poente, na direcção de Hardwick House. O orfanato encontrava-se por ali, a muitos quilómetros de distância. Molly soltou um suspiro de alívio. Era bom sair daquele lugar. Hardwick House já não tinha nada para lhe oferecer e, mesmo sem saber como, tinha a certeza de que voltaria a encontrar o Rocky. Então, tudo voltaria a entrar nos eixos. Talvez conseguisse hipnotizar a família dele para que a adoptasse também. Ou talvez pudessem fugir juntos e passarem a andar sempre de um lado para o outro. Enchia-se de curiosidade quando pensava na América. Tinha-a visto tantas vezes em programas de televisão. Não tardaria a levar a vida feliz com que sempre sonhara. Nunca mais precisaria de ver os anúncios para se sentir lá.

Molly começou a analisar o pequeno ecrã de televisão inserido no descanso para os braços.

Da galeria do terraço do aeroporto, um professor Nockman enfurecido viu o avião levantar voo. — M. Moon — murmurou — descobri-te, M. Moon...

Afagou a medalha com um escorpião pendente do fio que trazia ao pescoço. — Com que então, tens o livro e aprendeste alguns truques. Pois bem, não deixas de ser esperta, mas não o suficiente para não teres deixado um rasto. É bom que estejas alerta, miúda. Vou a morder-te os calcanhares. E quando te puser as mãos em cima, oh!, vais mesmo desejar que nunca tivesses posto a vista em cima desse livro.

Capítulo XIV

A viagem para Nova Iorque durou oito horas mas Molly sentiu-se muito confortável na sua enorme cadeira reclinada. Viu dois filmes e sentia-se a cheirar bem por ter usado todos os cremes de limpeza de pele que recebeu dentro de um *nécessaire* especial. A *Petula* portou-se bem durante todo o caminho, entretida a chupar uma pedrinha que trouxera do parque de estacionamento do Briersville Hotel. Apenas deu sinal de vida uma vez — quando chegou a refeição de galinha estufada — mas a assistente de bordo pensou que era a Molly a fazer sinais de aprovação. Esta mandou vir uma segunda dose, que colocou no cesto da cadela.

Quando o avião, a voar por entre as nuvens pesadas, iniciou a descida para o aeroporto John F. Kennedy, nos arredores de Nova Iorque, Molly começou a pensar no que iria fazer de seguida. Do dinheiro do prémio só lhe restavam 1910 libras. Tinha gasto 5 libras na coleira para a *Petula*, 15 no cesto de viagem, 20 nos óculos escuros, 50 para pagar a tarde passada no hotel, 550 no fio com o medalhão, 450 na passagem aérea. Mais de um milhar de libras. Estava assombrada com a facilidade com que o dinheiro tinha voado. A primeira coisa a fazer era trocar o seu dinheiro por dólares. Depois teria de apanhar um comboio ou um táxi... para um destino, em Nova Iorque, que ainda estava por decidir. Sabia que instalar a sua base de operações num hotel seria uma boa ideia, para começar. A partir daí, com segurança e privacidade asseguradas, poderia planear o que tinha de fazer a seguir.

O avião chegou às quatro horas da manhã, pelo tempo da Molly.

— Senhoras e senhores, é favor atrasarem os vossos relógios cinco horas — anunciou o comandante. — Neste momento, são 23h00m em Nova Iorque. Espero que o voo lhes tenha agradado e que em breve voltem a viajar connosco.

Molly estava tão nervosa e excitada que nem sentia nenhum cansaço. Pôs os óculos escuros, agarrou na mochila e na cesta da

Petula e, vinte minutos mais tarde, estava na bicha para os táxis com dólares no bolso, 2998 dólares, mais precisamente. Ali, depois de a cadela ter feito chichi para a sarjeta, uma controladora da bicha de táxis com o sotaque arrastado de Brooklyn perguntou à Molly: — Para onde?

— Para Nova Iorque.

— Pois, menina, mas para que parte de Nova Iorque?

— Para o centro — arriscou Molly, com o ar mais desprendido que conseguiu arranjar.

— Então quer ir para a ilha de Manhattan.

A mulher escreveu *Manhattan* numa folha de papel, entregou-a ao motorista de um táxi velho e ferrugento e ajudou a Molly e a *Petula* a entrarem. A porta foi fechada e Molly deslizou para o grande banco forrado de pele. Ouviu-se uma voz aguda, vinda de gravador colocado por baixo do banco, a dizer: — Olá, sou o presidente da Câmara de Nova Iorque. Aperte o cinto... Não quero vê-lo numa cama de hospital!

Depois de a Molly ter apertado o cinto, ouviu-se outra voz grave a perguntar: — Ora bem, para que parte de Manhattan?

Molly olhou para cima, para a sólida divisória que a separava do motorista. Tinha uma rede metálica na parte de cima, com uma estreita porta de correr por onde se passava o dinheiro da corrida. Apenas conseguia ver a cabeça calva do motorista. Este olhou para ela através do espelho retrovisor e disse com voz rouca: — É muito pequena para andar a viajar a esta hora da noite. Olhe que tem de ter muito cuidado, esta é uma cidade hostil e estamos a ir para a parte menos recomendável.

— Sou mais velha do que pareço — replicou Molly. — E estou habituada a andar sozinha. E sabe uma coisa? Não pode existir um lugar mais hostil do que aquele de onde venho. Quero ir para... oh... não... oh, foi uma viagem tão cansativa que acabei por me esquecer do nome do hotel.

Molly fez uma imitação convincente da pessoa que procura um papel em todos os bolsos.

— Conheço todos os hotéis de Manhattan — gabou-se o motorista. — Que aspecto é que tem?

— É o maior, o mais antigo, certamente que o conhece... Tem estátuas por todo o lado e dourados, uma coisa mesmo fixe.

— Ah, está a falar do Bellingham?

— Esse... é esse mesmo — disse Molly, toda sorrisos. — O Bellingham.

— Muito bem, minha jovem senhora. Segure-se bem.

O táxi saltou para o meio da corrente de tráfego. Era o carro mais dançarino em que a Molly alguma vez entrara. Ela e a *Petula* subiam e desciam, enquanto o veículo velho e ferrugento curvava para entrar na auto-estrada e seguia para o centro de Nova Iorque, para a ilha de Manhattan.

Molly ia de olhos arregalados. Era tudo tão grande. Carros enormes estrondeavam pela estrada de seis vias, como monstros reluzentes com filas de faróis nas suas frentes maciças. As vivendas suburbanas estendiam-se a perder de vista, para a esquerda e para a direita. Estava uma noite escura, sem luar, mas a estrada era um rio caudaloso de faróis brancos dianteiros e de faróis vermelhos traseiros.

Depois de rodarem e saltarem durante meia hora, o condutor anunciou: — Estamos a chegar.

Viraram uma esquina e, de súbito, apareceu do lado de fora da janela do carro a visão da mais alta, mais brilhante e mais colossal cidade da era espacial que Molly alguma vez vira. Os edifícios eram gigantescos, como se pertencessem a outro planeta, e estavam todos encravados numa *ilha*. *Petula* pôs as patas da frente na janela para olhar melhor e as mãos de Molly começaram a transpirar quando viu que o caminho para a ilha de Manhattan se fazia através de uma ponte suspensa, enorme e brilhante de luzes. Ficou de boca aberta, pois, quando se aproximaram da ponte e iniciaram a travessia por cima da água, a Molly viu como aqueles prédios eram realmente grandes. Alguns tinham *centenas* de andares e *milhares* de janelas ainda iluminadas.

— Ainda há assim tantas pessoas acordadas? — exclamou a Molly.

— É, não sabia? — riu-se o motorista. — Esta é a cidade que nunca dorme.

O táxi virou à direita quando chegou ao fim da ponte e seguiu durante cinco minutos ao longo da margem do rio. Do lado direito via-se a água que reflectia as luzes da cidade, do lado esquerdo ficavam as ruas laterais que conduziam ao centro. As ruas eram muito direitas e ladeadas de prédios altos.

— As ruas de Manhattan têm uma disposição muito simples — explicava o motorista, ao mesmo tempo que apitava para o condutor de um camião. — Foram desenhadas em forma de grelha, percebe, como se vê no seu livro de matemática, por isso a condução é fácil. Todas têm números. Veja... Rua 70... Rua 71... Rua 72. Umas ruas ficam a leste do parque, outras a oeste. O parque fica no meio. Nós vamos a caminho da parte leste da ilha. À nossa volta fica a chamada «Cidade Alta», à roda das ruas 60, 70 e 80. A alta é a parte elegante, onde só vivem os ricos, embora, nos dias que correm, já haja ricos a viver na parte baixa. É verdade, Manhattan está a ficar cara como o diabo, mas as ruas continuam cheias de buracos.

O motorista desviou-se subitamente para evitar um grande buraco. Na rua East 75th, fez uma curva para a esquerda e, finalmente, parou junto a um imponente edifício antigo.

— Chegou ao seu destino, menina, e deve-me 35 dólares.

O porteiro fardado de verde, com galões dourados nos ombros e luvas brancas, avançou, abriu a porta e segurou-a para a passageira sair. Molly pagou ao motorista e o táxi amarelo avançou aos solavancos pela noite dentro. Acompanhada da *Petula*, ambas de passos ainda incertos, subiram um lanço de escadas de mármore, passaram por uma enorme porta dourada e entraram no vestíbulo do hotel, onde ficaram por momentos a admirar o local.

Acima das suas cabeças havia um pesado candelabro, suspenso de uma cúpula resplandecente de mosaicos. Os pés assentavam num chão de mármore com laivos dourados. No fundo do vestíbulo alinhavam-se cadeiras chinesas, lacadas de preto, e mesinhas de chá; um vaso gigantesco estava repleto de flores exóticas. Molly olhou a sua imagem reflectida num grande espelho de moldura debruada a ouro, vestida com as suas roupas velhas, e pensou quanto parecia insignificante. Este era o lugar mais luxuoso, mais perfumado, em que alguma vez tinha posto os pés.

— Hum, hum — tossiu um recepcionista arrogante, de narinas largas, a olhar a Molly com ares superiores. — Em que posso servi-la?

Molly virou-se e caminhou para o homem baixote, muito bem vestido, que estava de pé, para lá de um balcão de vidro.

— Sim, se faz favor. Quero um quarto.

— Parece-me demasiado jovem.

Molly estava cansada, pelo que precisou de mais tempo para pôr os olhos em «posição de ataque». Contudo, passados instantes, o recepcionista estava tão impressionável como um pedaço de massa mole. Verificou os registos.

— Lamento, Madame, mas os nossos quartos normais estão todos ocupados.

— Ocupados?

Molly nem queria acreditar. — Mas deve ter aqui carradas de quartos.

— Sim, e todos os 124 quartos normais estão ocupados.

— Pois bem, qual é o problema com os quartos que não são normais?

— Temos a *suite* nupcial, Madame, no andar superior.

— Fico com essa. Quanto é que custa?

— São 3 mil dólares por noite, Madame.

— Como... disse? E o pagamento é adiantado?

— Não, Madame. Paga a conta quando sair.

Molly já só tinha 2963 dólares. Uma noite na *suite* nupcial já não estava ao seu alcance, mas sentia-se demasiado cansada para sair à procura de outro hotel.

— Oh! Bem, fico com ela.

— Madame, o seu passaporte, se faz favor — pediu o recepcionista, mas Molly olhou-o no fundo dos olhos.

— Não vai ser necessário — respondeu. Não lhe agradava a ideia de deixar provas de quem era, ou da idade que tinha, nos registos do hotel.

O homem saiu de detrás do balcão. — Siga-me.

Tomaram o elevador para o 21.º andar e seguiram por um corredor com alcatifa amarela até ao número 125. O recepcionista abriu a porta e deu passagem à Molly e à *Petula*.

Molly sentia que estava a viver um sonho.

O quarto era espectacular. Na realidade, por ser uma *suite*, havia duas divisões enormes, um quarto com cortinas de seda de cor creme e uma cama gigante com dossel, e uma sala com sofás e uma mesa baixa.

— Ambas as divisões, e também a casa de banho, têm televisão e sistema de música — explicou o recepcionista, abrindo armários e revelando a presença de televisores e aparelhos de alta-

-fidelidade. — Tem aqui o minibar e também a lista de serviços que fornecemos, desde aluguer de limusinas a levar o cão a passear, sem esquecer o cabeleireiro. O *jacuzzi* é fácil de operar, há uma piscina e um centro de manutenção física no andar de cima. O serviço de quartos funciona sem interrupção e se precisar de qualquer coisa não hesite em chamar-nos. Muito obrigado, Madame.

O recepcionista fez uma vénia e saiu.

Molly pontapeou os sapatos para longe e atirou-se para cima da cama. — Iiiaaauuuu! — gritou, sentindo-se subitamente bem acordada. A cadela também saltou para a cama. — Não é formidável, *Petula?* Olha para nós. Consegues *acreditar* que isto seja a sério? Ontem, a Hardwick House, escura como uma gruta, hoje, o mais luxuoso quarto de hotel existente em Nova Iorque!

A cadela respondeu com latidos de alegria e a Molly saltou da cama e abriu o frigorífico do minibar. Depois de se servir de um sumo de laranja com pedaços de gelo, serviu à *Petula* uma tigela de água mineral fresca e abriu as portas para a varanda. O barulho exterior invadiu o quarto. Buzinas de táxis, buzinas de carrinhas de distribuição, o som tormentoso dos camiões do lixo, sereias de carros da polícia, gritos e assobios. Toda a cidade vibrava de barulho e de vida. Molly nunca tinha estado num lugar com tanto barulho e tão cheio de movimento. Com a cadela debaixo do braço, ficou na varanda a olhar a cidade.

Era meia-noite mas as ruas continuavam cheias de trânsito. A cidade erguia-se à sua volta, uma selva de arranha-céus e táxis amarelos a rastejar pelo solo da floresta. Molly tentava fazer uma ideia de quantas pessoas viveriam ali. E por momentos pensou que, num ponto qualquer da cidade, entre os milhões de nova-iorquinos, talvez houvesse alguém relacionado com ela. O Rocky estaria por ali, algures, mas onde? Apertou a cadela. — *Petula,* onde é que está a tua família? — A cadela lambeu a mão da Molly. — Pois é, *Petula,* penso que eu e tu somos uma família. De momento, somos tudo o que temos.

Baixou o olhar para a cidade cintilante. Supunha que os nova-iorquinos seriam tão fáceis de hipnotizar como as restantes pessoas. O truque dos olhos tinha funcionado com o recepcionista. Com este quarto a custar 3 mil dólares por noite, era fundamental que os seus dotes de hipnotizadora pudessem ser utilizados. Podia, é certo, mudar-se para um hotel mais barato, mas Molly gostava da riqueza daquele lugar e queria ficar ali. De qualquer modo, naquele momento estava demasiado excitada para se preocupar com esses pormenores.

Fechou as janelas da varanda e decidiu ir tomar um banho. Espremeu todas as pequenas embalagens de gel de banho para dentro da banheira, de forma a obter um concentrado de bolhas e, quando estas atingiram o máximo de altura, deixou-se cair dentro da água que tinha um cheiro delicioso. Com o controlo remoto, ligou o televisor montado na parede. Como estava longe da casa de banho miserável de Hardwick House, onde ainda recentemente fora punida porque a água do banho tinha ultrapassado uma profundidade superior a dez centímetros! Soltou uma sonora gargalhada.

Havia centenas de canais de televisão. Molly passeou por eles alegremente. Havia programas noticiosos, debates, programas musicais, programas de educação física, programas religiosos. E filmes.

E estavam sempre a passar anúncios. Notou que certos canais tinham publicidade em cada cinco minutos, quase sem haver outra programação entre eles. Alguns anúncios eram transmitidos repetidamente. «Compre isto... compre aquilo... Você precisa disto... Você está mesmo a precisar disto...»

Ao observar a publicidade, maravilhada com a regularidade dos intervalos reservados aos anúncios, compreendeu pela primeira vez que a publicidade era uma espécie de hipnotismo. Um hipnotismo que persuadia as pessoas a comprarem coisas. Uma espécie de lavagem do cérebro. Percebeu que se as pessoas virem um anúncio que lhes diz: «Você precisa disto» um número suficiente de vezes, podem acabar por se convencer de que necessitam daquilo, seja o que for. Foi então que achou o seu preferido, o da cerveja *Qube*, o que a fez sentir-se bem. Como estava agora perto de se transformar numa daquelas pessoas fascinantes que se viam na praia. Começou a cantar alto.

— *Qube* porque és belo... *Qube* porque és forte... Todos te adoram quando pegas numa *Qube*.

O homem de olhos azuis da TV pestanejou. — Sou meeesmo adorado, tenho sempre uma *Qube*.

— Não tão adorado como eu vou ser — gritou-lhe a Molly, atirando uma toalha contra o televisor e pressionando o botão do *jacuzzi* que estava no fundo da banheira. Menos de um segundo depois quase foi atirada para fora da banheira. Premiu o botão com toda a força e as bolhas de água pararam. Tinha as suas dúvidas quanto ao *jacuzzi*. Era como se houvesse dez monstros, todos a largarem gases na água ao mesmo tempo. No entanto, tirando o *jacuzzi*, sentiu que se poderia ajustar perfeitamente àquele estilo de vida. Restava a questão de saber como o poderia manter.

Depois do banho, meteu-se dentro dos lençóis de seda da sua cama de dossel, para pensar. Porém, em vez disso, imitou a *Petula* que estava deitada aos pés da cama: adormeceu de imediato.

★

Nockman estava a quatro horas da aterragem no aeroporto John F. Kennedy. Fazia conjecturas acerca da rapariga que tinha o livro. A rapariga que, de acordo com o relato do motorista de táxi em que deixou Briersville, tinha actuado perante centenas de habitantes da cidade, que a consideraram a criança mais talentosa e mais amorosa que alguma vez tinham visto. Por mais espantosa que fosse a ideia, Nockman percebeu que ela os tinha hipnotizado a todos. Parecia-lhe quase impossível que uma rapariga tão nova conseguisse aprender a arte do Dr. Logan. Tinha de ser excepcionalmente talentosa. Contudo, o fascínio que sentia por ela transformou-se bem depressa em fúria. Como é que aquela fedelha desprezível tinha ousado roubar o livro que era dele? Ia, sem demora, arrancar-lhe o sorriso daquela cara. Estava ansioso pelo momento em que ela lhe tivesse de pedir desculpa e esperava que nessa altura se desfizesse em lágrimas.

Os nervos em fúria obrigaram-no a rilhar os dentes. Não ia permitir que a miúda lhe escapasse. Estava a seguir-lhe a pista. Mesmo que não tivesse visto bem como ela era, estava certo de que, mantendo-se alerta, havia de encontrá-la em Nova Iorque. Tirou os seus novos óculos de lentes com desenhos em espiral e limpou-os. Tinha estudado o suficiente sobre hipnotismo para saber que, quando uma pessoa tem o dom da hipnose, as outras pessoas ficam indefesas perante o seu olhar. Mas aqueles óculos tinham qualquer pormenor de construção que deflectiam o efeitos dos olhos do hipnotizador. Nockman alimentava a esperança de que resultassem. Ainda precisava de um outro aparelho, uma máquina de alteração da voz, para ficar também protegido contra a voz de M. Moon.

Tocando ao de leve no bigode oleado, o professor recostou-se na cadeira e ficou a pensar a que nome se referiria o «M». Seria Margaret? Matilda? Mavis? Sorriu. O facto de a miúda ter encontrado o livro de hipnotismo antes dele ainda poderia vir a revelar-se proveitoso. Talvez ela fosse melhor nessa arte do que ele alguma vez conseguiria ser. Portanto, quando encontrasse a M. Moon, tudo o que precisava era de a controlar, o que não deveria ser difícil. Afinal, não passava de uma criança. Subitamente, aquele homem sem escrúpulos apercebeu-se de que, em vez de ser sua rival, esta M. Moon, quem quer que fosse, poderia revelar-se uma bênção. Era certamente a cúmplice perfeita para o ajudar a satisfazer as suas ambições. Podia ser ela a conduzi-lo ao objectivo principal.

Capítulo XV

Na manhã seguinte, quando a Molly acordou, o quarto de hotel quase a fez dar um salto. O luxo que a rodeava era quase chocante. A alcatifa de cor creme e as pesadas cortinas de seda faziam-na sentir-se actriz de um anúncio de chocolates. Levantou-se da cama em bicos de pés, abriu o frigorífico e tirou um *Heaven Bar* [*Chocolate do Céu*], entoando a canção da marca enquanto ia comendo.

«Eu estou no Céu, o Céu está comigo,
E sei que acabarei por ir para o Céu.»

Depois vestiu o robe de turco que estava pendurado na porta da casa de banho. Era demasiado grande para ela, mas era quente e muito macio, tal como as toalhas do anúncio *Cloud Nine*. Foi até à varanda, desta vez para apreciar Nova Iorque à luz do dia. A cidade zumbia, lá em baixo e mais longe. Os prédios pareciam ainda mais altos e Manhattan parecia ainda maior. Um cartaz enorme, de mais de cem metros de altura, estava colado à parede de um arranha-céus. Mostrava a imagem gigante de uma mulher de *jeans* e blusão de ganga. Por baixo da fotografia, lia-se: *«Caminhe como um gigante... Use Jeans Diva.»*

A mulher gigante fez que Molly se sentisse extremamente pequena. Sentiu um ardor no estômago, como se por lá andasse um enxame de borboletas. Desde Briersville que cavalgava uma onda de glória; com a cabeça a andar à roda, tinha tomado decisões arrojadas e conseguira sair do país. Porém, agora, à luz da manhã, sentia-se menos confiante do que no dia anterior. Compreendeu que não sabia nada acerca desta cidade e dos seus habitantes. Não tinha confiança em si para dar os próximos passos. Os habitantes das grandes cidades eram menos hospitaleiros e menos pacientes do que as pessoas do campo. Observou os nova-iorquinos que, lá em baixo, pisavam o passeio com o ar de quem persegue um objectivo sem parar. Havia poucas pessoas a passear, ou paradas. Molly decidiu que, antes de se integrar nesta vida movimentada, tinha de aprender algumas coisas sobre este lugar. Mas, antes de fazer fosse o que fosse, tinha de tomar o pequeno-almoço; assim, chamou o serviço de quartos.

Quinze minutos mais tarde, entrou um empregado idoso e muito magro, que empurrou um carrinho para dentro da *suite* da Molly. O carrinho estava equipado com uma toalha branca, talheres e pratos, chávenas e bules de porcelana delicada. Havia ainda duas caçarolas reluzentes e duas cúpulas prateadas que cobriam o pequeno-almoço da Molly.

— Faça-me o favor de assinar, Madame — disse o empregado, com voz trémula.

Molly olhou para o talão. O pequeno-almoço ia custar-lhe 45 dólares. Assinou. O empregado pairou junto à porta durante uns instantes, como se ela estivesse a esquecer-se de qualquer coisa. — Oh... muito obrigada... — disse a Molly. — Adeusinho.

O empregado saiu. De facto, tinha estado à espera da gorjeta.

Molly voltou a olhar para a factura do pequeno-almoço e sentiu um arrepio de medo. Sentiu também um segundo ataque de borboletas no estômago, borboletas da Amazónia, grandes e gordas. Nunca tivera de gastar dinheiro e, agora que tinha de o fazer, sentia-se a entrar em pânico. E a razão principal é que estava a ficar sem nenhum.

O dinheiro do prémio estava quase gasto e sabia que a conta do hotel lhe ia comer o resto, e não chegava. Reconhecia que ter hipnotizado o recepcionista para o levar a dar-lhe o melhor quarto do Bellingham não tinha sido uma manobra inteligente. E não sabia onde arranjar dinheiro para o pagar.

Para além disso, também precisava de dinheiro para as despesas normais. Para comprar pequenas coisas, como pastilhas elásticas, gelados, algodão-doce e revistas. Não poderia ir pelas ruas de Nova Iorque a hipnotizar pessoas para conseguir tudo o que queria, pois, mais tarde ou mais cedo, o truque seria descoberto e estaria metida em sarilhos.

Porém, a verdade é que não conhecia qualquer método para conseguir arranjar algum dinheiro. Nem sequer tinha pensado nisso. No dia anterior, 3 mil libras tinham-lhe parecido uma fortuna.

As borboletas do estômago deram lugar às cólicas na barriga. Decidida a tomar o pequeno-almoço e a pensar no assunto depois, levantou as tampas em forma de campânula. Um dos pratos tinha salsichas. Seria o pequeno-almoço da *Petula*. O outro continha quatro sandes com molho de tomate. O pequeno bule prateado continha concentrado de sumo de laranja, com que a Molly encheu um copo. O bule maior estava cheio de chocolate quente.

Não tardou que a Molly e a *Petula* estivessem deliciadas a comer.

Quanto ao problema do dinheiro, o pequeno-almoço não lhe trouxe qualquer inspiração. Molly ficou a morder o lábio sujo de molho de tomate. Devia abordar o problema em termos lógicos. Talvez a TV a pudesse ajudar. Assim, pondo os seus novos óculos escuros, ela e a Petula instalaram-se para uma sessão prolongada, dando especial atenção aos anúncios de publicidade.

Molly ficou a conhecer algumas coisas interessantes acerca da maneira de viver dos americanos. Havia um anúncio de manteiga de amendoim em que o boião da manteiga tinha uma parte que estava cheia de doce, ou «geleia», como a mãe que aparecia no anúncio lhe chamava. A senhora de cabelos louros espalhava grandes quantidades de manteiga e de geleia numa fatia da pão.

— Trata-se de uma tradição mantida por várias gerações da nossa família — dizia, passando o pão para a filha de olhos arregalados. — Fez-me muito bem quando eu era criança...

— E — dizia a rapariga, dando uma dentada — também vai fazer bem aos meus filhos! *Toda a gente* adora a manteiga e a geleia *Granny Sunshine!* [*Sorriso da Avozinha*].

— Porcaria — comentou a Molly —, eu não. Dá-me vontade de vomitar.

E, tomando outro gole de sumo de laranja, mudou de canal. Fixou-se num programa sobre a Natureza. O ecrã mostrava um ninho com três passarinhos bebés, todos a pedir comida. Um deles, o do meio, era muito maior e mais barulhento do que os outros. A voz do comentador explicava: — O bebé cuco nasceu no ninho dos piscos-de-peito-ruivo. E está a crescer mais depressa do que eles.

A mãe pisco-de-peito-ruivo regressou ao ninho trazendo uma lagarta. Mas o cuco abocanhou-a antes que os passarinhos mais pequenos lhe pudessem chegar.

— É espantoso — continuava o narrador — como a mãe dos piscos-de-peito-ruivo considera o cuco como seu. — Quando a mãe dos piscos se afastou, o jovem cuco começou aos saltos. E então, com um movimento firme, empurrou o primeiro bebé pisco, depois o outro, e atirou-os a ambos para fora do ninho.

Molly sentiu uma opressão no peito. Então era verdade que os cucos atiravam os outros pássaros para fora do ninho. Veio-lhe à mente a canção de embalar de Mrs. Trinklebury, o que a fez sentir-se mal. Seria ela como aqueles piscos? Sentia-se mais como o cuco, dada a maneira como tinha aberto caminho para vencer o concurso de Briersville. Sempre achara que a canção de embalar de Mrs. Trinklebury não fazia muito sentido. Agora ainda fazia menos. Com um ligeiro encolher de ombros, voltou a mudar de canal.

Chegada a hora do almoço, Molly sentia-se com olhos rectangulares. Tinha andado durante três horas a navegar pelos canais e agora sabia muito mais coisas sobre a América, mas continuava sem fazer a menor ideia de como conseguir ganhar dinheiro, enquanto, acerca do Rocky, a Molly não sabia onde é que devia começar a procurá-lo. Como um balão de hélio que tivesse um furo, a sua coragem estava a descer, mais e mais. Tinha a cabeça cheia de pensamentos negativos. Devia estar louca quando decidira vir para a América. Devia ter os miolos assados quando se aventurou a vir para Nova Iorque. Molly começava a sentir o exagero das suas aspirações, a achar que tivera mais olhos do que barriga.

Levantou-se e foi buscar uma bebida ao minibar. Havia-as de todos os géneros: garrafas pequeninas de uísque, gim e vodca, mais embalagens de sumos de fruta, água, para além de cerveja *Qube*. «*Refresque as ideias. Beba Qube*», dizia o anúncio de que se recordava. A *Qube* poderia ajudá-la. Precisava certamente de refrescar as ideias, necessitava da frescura da *Qube*. Assim, pegou numa lata de cerveja e abriu-a.

Sentiu bolhinhas, a saber a hortelã e a frutos, a subirem-lhe pelo nariz. Enquanto estava a beber, apareceu no ecrã o anúncio da *Qube*. Era um momento importante, aquele em que, finalmente, podia beber a sua primeira lata completa de *Qube*, ao mesmo tempo que via a malta da *Qube* na televisão. Molly sorriu.

— Eia! O mundo parece realmente melhor com uma *Qube* na mão — dizia o homem a sorrir e a mostrar os dentes brancos.

— Pois — concordou a Molly, bebendo o resto da cerveja num só gole e fazendo o sinal da vitória para o homem da televisão. De súbito, o mundo começou a parecer-lhe realmente melhor. Sentiu que tudo se iria resolver. Por um instante, sentiu-se mesmo como as pessoas que via no ecrã. Então arrotou e a sensação desvaneceu-se. O anúncio desapareceu, para dar lugar a outro sobre um verniz para madeira. Molly sentiu-se abandonada, com uma lata na mão e ondas de bolhas que lhe enchiam o estômago.

Sentia-se surpreendida. Na verdade, *tinha-se convencido* de que uma lata de *Qube* poderia ajudá-la a resolver os seus problemas. A *Qube* e a sua gente. Convencera-se de que, desde que tivesse a *Qube* do seu lado, seria mais confiante e capaz de encantar o mundo. Porém, em vez de adquirir confiança, sentiu-se febril, preocupada e vazia. Sentiu-se traída pelo seu anúncio preferido e, de repente, percebeu que o seu gosto pela atmosfera que rodeava o anúncio tinha sido uma perfeita loucura. Como pôde ter-se enganado, se tudo aquilo era irreal?

Ao ver um novo anúncio, sobre pensos e ligaduras, em que aparecia um miúdo com um joelho esfolado, Molly pensou na hipótese de trabalhar como actriz de publicidade. Afinal, aquelas pessoas dos anúncios estavam a representar, eram actores, e os anúncios deviam ser às centenas. Devia haver muito trabalho. Talvez até conseguisse participar no anúncio da *Qube*. Quando estava a divertir-se com a ideia, viu que tinha começado um novo programa.

Um homem de fato alaranjado estava sentado num sofá cor-de-rosa e tinha um enorme microfone na mão. Por detrás dele piscava um letreiro luminoso, onde se lia: «Charlie's Chat Show». O homem tinha uma voz tão grave que dava a ideia de gargarejar com areia todas as manhãs.

— Pois bem, senhoras e senhores, como vos prometi, temo-la hoje aqui connosco. Por favor, peço que a mais jovem estrela da Broadway seja recebida com uma grande ovação: Davina Nuttel!

Molly estava prestes a mudar de canal quando, para sua surpresa, viu que a Davina Nuttel, embora estivesse muito maquilhada, não conseguia esconder que era uma menina de oito ou nove anos. Quando entrou no palco, a assistência assobiou e bateu palmas. Depois de ela estar sentada, Charlie Chat, o apresentador de cabelo avermelhado saudou-a com entusiasmo: — Muito bem, olá, Davina! É sensacional, ter-te aqui no programa!

— Olá, Charlie, estar aqui é fantástico — disse Davina com voz melada.

— Pois bem, Davina, vamos direitos ao assunto. Tenho a certeza de que toda a gente deseja saber o que significa ser a vedeta de um espectáculo musical na Broadway.

— É fantástico — respondeu a Davina, mostrando um belo sorriso. — Adoro as canções, adoro as danças, adoro a história. Adoro os outros actores, adoro a assistência e adoro viver em Manhattan.

— Tens de ter um grande, um enorme coração, para poderes dispensar todo esse amor — afirmou Charlie, seguido pelas gargalhadas da assistência.

— Bem, é tudo fantástico e toda a gente devia ver o espectáculo.

Davina voltou-se para a assistência e presenteou-a com um sorriso enorme e persuasivo. A cara dela fez a Molly dar um salto. Era um pouco parecida com a Hazel.

— Vamos ver algumas cenas — disse Charlie. Foi apresentada uma sequência de cenas. Primeiro, apareceu a fachada de um grande teatro com o título do espectáculo, *Stars on Mars* [Estrelas em Marte], colocado na parte de cima, escrito em letras luminosas. Um grande carro preto encosta ao passeio, abre-se a porta e sai a Davina Nuttel, de casaco de peles. Depois a imagem muda para mostrar algumas cenas filmadas do espectáculo. O cenário, cheio de rochas vermelhas, pretende reproduzir a superfície do planeta Marte. A Davina Nuttel enverga um fato de astronauta, canta e dança um sapateado. É um espectáculo musical no espaço. Foram ainda mostradas outras partes do espectáculo, incluindo uma cena em que quatro grandes monstros marcianos tentam atacar a Davina Nuttel. A *Petula* deixou cair o seixo que estava a chupar e ladrou aos monstros.

As pessoas que enchiam o auditório do espectáculo televisivo aplaudiram e Molly sentiu parte daquele frémito que tinha sentido antes, no palco de Briersville, quando a assistência a aplaudiu.

— Meu Deus, uma exibição a não perder — disse Charlie.

— Obrigada. Fiquem a saber que devo tudo aos meus pais, que são uma maravilha, são carinhosos e estão sempre prontos a sacrificar-se por mim.

— Aahhhh — exclamou a assistência.

— E — acrescentou a Davina — ao meu agente, Barry Bragg.

— Ah, claro — disse o Charlie. — Ele aqui está!

Apareceu no ecrã um homem de cabelo penteado com risco ao meio e assente com gel. Tinha maçãs do rosto avermelhadas e vestia um fato às cores e óculos de armação vermelha.

— Olá, Davina e Charlie! — saudou.

— Olá, Barry! — gritou a Davina Nuttel.

— Viva, Barry! Olha, Barry, todos os que aqui estão gostariam de saber como é que descobriste a Davina.

— Pois bem, aconteceu que ela entrou pela porta dentro, no meu escritório de Manhattan — disse um Barry entusiasta, a levar a mão ao laço —, e deixou-me boquiaberto. Todos sabem como ela é boa a cantar e a dançar; pois bem, entrou pelo escritório dentro e cantou e dançou à minha frente, como uma pequena fada, que sabemos que é. Como vi logo que ela viria a ser uma estrela, apresentei-a ao encenador de *Stars on Mars* e, bem, já passou algum tempo e ainda cá estamos.

A Davina ria-se, a balançar alegremente os caracóis de um louro dourado.

— Barry, os meus astros favoráveis estavam muito activos no dia em que te conheci.

Voltou-se para Charlie Chat. — Quero dizer que o Barry conhece *todas as pessoas* importantes do mundo do espectáculo.

O programa continuou e Molly ficou a observar as pessoas que entravam e saíam, sempre de olhos brilhantes. Deu consigo a pensar que bem gostaria de fazer uns trabalhos como actriz, mas não na publicidade, em que as pessoas pareciam muito superficiais quando comparadas com as que cantam ao vivo, perante uma sala cheia de espectadores. Tinha apreciado toda a adulação de que tinha sido alvo, os aplausos, e gostaria de tentar de novo. Imaginava que actrizes como a Davina ganhariam rios de dinheiro. Talvez fosse uma boa ideia procurar aquele agente, o Barry Bragg. Actuar num palco seria um desafio, mas Molly sentia-se capaz de estar à altura da situação, especialmente com as novas aptidões de que dispunha. E Rocky tinha dito o quê? Que ela nunca estava disposta a experimentar coisas novas? Iria provar que o amigo estava redondamente enganado.

Saltou do sofá e espreguiçou-se. A cadela fez o mesmo. Molly achou que tinha encontrado a solução. Este Barry Bragg, com escritório em Derry Street, uma rua cujo nome não lhe dizia nada, podia ajudá-la a pôr a solução em prática.

Enquanto se vestia trauteou uma canção da peça *Stars on Mars*. Era um trecho musical que ficava no ouvido e Molly não conseguia deixar de pensar na maravilha de ser a estrela de um espectáculo da Broadway.

Vestiu a *T-shirt* e a camisola já puída. Enfiou a saia cinzenta, já com bastante uso, escovou o cabelo encaracolado e olhou para a sua cara engraçada no espelho, não sem deixar de torcer aquele seu nariz de batata para fazer uma careta à imagem que lhe era mostrada. Guardou o manual de hipnotismo no cofre, pegou no anoraque leve e assobiou à cadela.

— *Petula*, anda daí. Vamos, temos de fazer pela vida!

Com o seu próprio destino a constituir a preocupação principal, e pondo para trás das costas todos os seus pensamentos acerca do Rocky, Molly saiu do quarto do hotel.

Capítulo XVI

Sair daquele excelente hotel para as ruas barulhentas e sujas de Manhattan era uma decisão de meter medo. O ar estava cheio dos aromas de diversas comidas: cachorros, pão quente, amendoim torrado, café, bolos diversos, hambúrgueres e picles. E havia movimento em todos os sentidos, tanto de pessoas como de veículos. Molly nunca vira uma tal mistura de pessoas num mesmo local; havia-as de todas as cores e de todos os tipos. As pessoas mais altas e mais gordas que jamais vira, passando ao lado das mais magras. Os nova-iorquinos pareciam vestir-se como lhes dava na gana, sem se preocuparem com o que as outras pessoas pudessem pensar. Viu um homem vestido de *cowboy*, incluindo as calças de couro sem fundilhos que são usadas pelos vaqueiros, a passar todo pimpão por uma mulher enorme, vestida com uns calções muito curtos, cor-de-rosa. Molly imaginou Mrs. Toadley metida dentro de uns calções como aqueles e não pôde deixar de se rir; pensou também na figura que Miss Adderstone, com o seu fato às tiras e as calcinhas de senhora enfiadas na cabeça, faria numa rua de Manhattan, com toda a gente a pensar que se tratava do último grito da moda.

Por momentos, sentiu-se muito pequena e muito insegura, mas um dos porteiros do hotel, no seu uniforme verde e dourado, apareceu logo junto dela.

— Pretende um táxi, Madame?

— Sim, sim, se faz favor.

O porteiro abriu-lhe a porta de outro táxi amarelo, desta vez conduzido por um homem com tipo de mexicano, a que não faltava um espesso bigode preto.

— Para onde quer ir, senhora? — perguntou o motorista.

— Para Derry Street — disse Molly com a voz mais firme que conseguiu. Ambas, ela e a cadela, entraram, mas desta vez ouviram uma voz diferente, que dizia: «Miauuuuu, os gatos têm sete vidas mas você não tem; por isso, aperte o cinto.»

Molly nem teve necessidade que lhe lembrassem, pois este motorista conduzia como um louco. Arrancaram de junto do hotel com as rodas em derrapagem e viraram para uma das ruas principais que se dirigem para a parte sul de Manhattan. «Madison Avenue», lia-se numa tabuleta, e o condutor mexicano lançou-se por ali fora aos ziguezagues, como se estivesse a brincar com um jogo de computador, rindo como um louco de todas as vezes que mal conseguia evitar o choque com outro carro. Molly ia agarrada com ambas as mãos ao assento, enquanto a *Petula* viajava com os dentes cravados no couro do banco.

Acima deles, de ambos os lados, os enormes arranha-céus projectavam para o alto as suas enormes paredes de vidro e aço. Ao nível do solo, viam-se nuvens de vapor de água que saíam de umas grelhas existentes na rua.

Molly consultou o mapa colado nas costas do banco do condutor. Era uma planta de Manhattan e viu que, embora a maioria das ruas fosse designada por um número, na parte sul da ilha as ruas tinham nomes, como nas outras cidades. Na verdade, 10 minutos e 13 dólares depois, a Molly e a *Petula* tinham entrado no labirinto formado por essas ruas e sido deixadas na que se chamava Derry Street. Era uma rua cheia de prédios de alvenaria acastanhada, com dimensões mais aproximadas dos de Briersville. Acompanhada da cadela, Molly foi percorrendo a rua, sempre a ler os nomes inscritos nas campainhas das portas. Por fim, chegou junto de uma tabuleta de bronze, bem polida, onde se lia: «The Barry Bragg Agency». Molly sentiu um grande alívio ao verificar como fora tão fácil encontrar Mr. Bragg, embora estar ali significasse que tinha de arranjar maneira de ser recebida por ele. Ajeitou a saia, respirou fundo e premiu o botão da campainha.

— Bom dia — disse uma voz aguda de mulher através do sistema de segurança. — O que deseja?

— Venho falar com Barry Bragg.

— Suba ao quinto andar.

A porta abriu-se. Molly e a cadela entraram num vestíbulo escuro, com espelhos alinhados nas paredes, que cheirava a essências de laranja e baunilha. Atravessaram o lajeado brilhante e dirigiram-se para o elevador, que mais parecia uma pequena gaiola.

— Bom dia — saudou a recepcionista, que parecia uma *Barbie*. Virou os olhos bem maquilhados para a Molly, não deixando de reparar nas roupas puídas da rapariga. Só então reparou na cadela. — Ah, o seu número inclui um cão, não é?

— Não.

A recepcionista consultou a agenda de Mr. Bragg. — Não temos nada marcado para esta manhã — disse ela. — Tem entrevista marcada?

— Tenho — respondeu a Molly, a pensar como tinha decidido visitar Mr. Bragg depois de o ver na televisão. — Marquei a entrevista pessoalmente com Mr. Bragg, hoje de manhã.

— Ah, estou a perceber — continuou a recepcionista. Não lhe passou pela cabeça que a Molly pudesse estar a mentir. — Mr. Bragg vem já. Faça o favor de se sentar.

Molly sentou-se para esperar. Fascinadas, ela e *Petula* ficaram a olhar para a secretária, que pegou numa caixa de maquilhagem que mais parecia uma caixa de ferramentas e gastou dez minutos a pintar os lábios carnudos.

— Bom, obrigado pela visita.

Era a voz melada de Mr. Bragg, a estender o braço metido na manga do fato arroxeado para abrir a porta aos visitantes. Um miúdo com um brinquedo enorme, um pato, apareceu acompanhado dos pais. Todos sorriam.

— Bom, obrigada por nos ter recebido — disse a mãe. — Posso telefonar-lhe?

— Ele é fabuloso, fabuloso, fabuloso — dizia Barry Bragg. — Mas não me telefone, eu darei notícias... Preciso de uns dias.

— Obrigado, senhor — disse o miúdo, antes de o pato dizer: «*Obigado*, Mister.»

— Então, Jimmy... Nunca pára quieto — disse o pai, cheio de orgulho.

— Estou a ver, já percebi — disse Barry Bragg com uma gargalhada sonora. — Bom, adeus. Não deixes de praticar.

As visitas saíram. Barry Bragg aliviou um pouco o laço cor-de-rosa e soltou um suspiro de alívio. — Meus Deus, tanta conversa para um número estafado.

Só então reparou na Molly. — Queres falar comigo? — perguntou, a franzir a testa. Trocou um olhar interrogativo com a secretária.

— Ela disse-me que marcou uma entrevista consigo — explicou a recepcionista, a começar a aperceber-se de que tinha sido enganada.

Molly aquiesceu, endireitando-se para enfrentar a tarefa que tinha pela frente.

— Os pais... não vieram? — perguntou Barry.

— Não — respondeu Molly.

— Que bom! — exclamou Barry Bragg. — Deixa que te diga que a parte pior do meu trabalho são os pais. Os pais metediços. Dão-me cabo da vida. Meu Deus, uma miúda sozinha é bem-vinda. Entra!

Foi a primeira vez em que o facto de não ter pais constituiu uma vantagem para Molly. — Obrigada, Mr. Bragg — disse, ao entrar no gabinete dele, decorado de púrpura e dourado.

— Então — começou Barry Bragg, a observar as roupas puídas da Molly, enquanto passava ao lado dela para se sentar à secretária. — Que género de número é que fazes? Alguma coisa relacionada com a história da Cinderela? Essa roupa velha agrada-me, vê-se que é autêntica!

Abriu uma caixa de charutos. Ao abri-la, começou a cantar: «*Só terás de roubar uma ou duas carteiras*». Escolheu um charuto curto e grosso, cortou-lhe a ponta com os dentes e cuspiu-a por cima do ombro, para depois apanhar um isqueiro com a figura de Charlie Chaplin. Do chapéu do *Charlot* saiu uma chama e, depois de se deixar envolver numa nuvem de fumo do charuto, disse: — Muito bem, miúda, vamos lá ver aquilo de que és capaz.

Quando a nuvem de fumo se dissipou, voltou os olhos azuis na direcção da Molly. Esta estava a segurar um pêndulo, que fazia oscilar lentamente para trás e para diante, para trás e para diante, enquanto dizia com voz suave: — Concentre o olhar no pêndulo.

— Oh, trata-se de um número de hipno...

Barry Bragg ainda tentou acabar a frase, mas não conseguiu saber o que pretendia dizer. O pêndulo era realmente belo, apetecia ficar a olhar para ele. Tinha, no centro, uma espiral que girava de uma forma estranha e o obrigava a não desviar o olhar.

—É maravil...

Pareceu incapaz de pronunciar qualquer outra palavra, mas não se ralou nada com isso.

Molly foi diminuindo a frequência dos movimentos do pêndulo e sugeriu com toda a calma: — Olhe para os meus olhos.

Foi fácil. Bastaram uns segundos para ele ficar embriagado pelos olhos verdes da Molly. Quando o viu de olhos vidrados, a rapariga meteu mãos à obra.

— Barry, a partir de agora estás às minhas ordens e vais fazer tudo o que te mandar, compreendes? — Barry aquiesceu. Molly sorriu. — Primeira coisa, quero que apagues esse charuto...

Meia hora depois, Barry falava com entusiasmo ao telefone.

— Rixey, não estou a exagerar, ela é fabulosa. Tens mesmo de a conhecer.

Depois de uma rápida corrida de táxi a partir do seu apartamento, a produtora e encenadora de *Stars on Mars* chegou ao escritório de Derry Street. Chamava-se Rixey Bloomy e era uma das personalidades mais interessantes de Nova Iorque. Tinha 36 anos e era a mulher mais ricamente vestida que a Molly alguma vez vira. Trazia calças e casaco de couro preto, botas de cano curto de pele de zebra e mala de pele a condizer. O cabelo estava levantado, como se tivesse acabado de sair do anúncio de uma marca de champô, os lábios eram carnudos e deliciosos (tinham sido avolumados por um dos maiores especialistas de cirurgia plástica de Nova Iorque), os olhos azuis revelavam dureza. Encarou a Molly com ar de dúvida.

— Ora bem, Barry, sei que descobriste a Davina para mim — disse Rixey Bloomy —, mas, meu querido, esta rapariga não tem figura. Olha para aquelas pernas magrizelas. Meu amor, penso que estás a perder qualidades.

— Ela é fantástica, fantástica — insistiu Barry. — A própria Molly admite que não é uma rainha de beleza, mas não estás a ver, há qualquer coisa nela. É pura magia.

De tão excitado, Barry Bragg começava a transpirar.

Rixey Bloomy pareceu surpreendida.

— Posso mostrar-lhe aquilo que sei fazer? — perguntou a Molly.

No tempo que leva a afiar dois lápis, conseguiu que tanto a Rixey como o Barry ficassem a olhar para ela de olhos bem abertos e vidrados.

— Ora, o que eu quero — começou a Molly — é um papel num grande espectáculo musical, aqui, em Nova Iorque, e quero um musical que pague bem. O que é que têm para me oferecer?

— Nada — respondeu Rixey Bloomy, a abanar a cabeça. — Todas as... peças que... temos em cena... têm papéis... para adultos.

Molly sentiu um baque. Tinha de existir algures um grande papel que pudesse desempenhar. Queria um papel. Mais do que isso, precisava de um. Por uma razão muito simples: precisava de dinheiro.

Foi então que olhou para a parede onde estava uma fotografia da Davina Nuttel. Voltou a recordar-se da Hazel. Os olhos da Davina tinham o mesmo ar desdenhoso. Num instante passaram-lhe pela cabeça as torturas que a Hazel lhe tinha infligido.

— Nesse caso, fico com o papel da Davina Nuttel em *Stars on Mars* — concluiu a Molly. Houve um silêncio. — Deve ser possível.

— Se assim... o dizes — respondeu Rixey.

— Muito bem — disse Molly. — Vou decorar as cantigas dela, aprenderei as danças... oh, e quero que a minha cadela entre no espectáculo.

— Não... há... papéis... para cães... o espectáculo... passa-se... em Marte — disse Rixey Bloomy.

— Pois bem, *arranjem* um. E desenhem uma espécie de fato de astronauta para a *Petula*. — A cadela olhou para a Molly, como se a ideia lhe agradasse. — E — continuou Molly — preciso que sejam pagas todas as minhas contas do hotel. Quero ganhar *o dobro* do que ganha a Davina Nuttel. Ah, quanto é que isso será?

— Quarenta... mil... dólares... por mês.

Molly engoliu em seco. — Ah, sim, pois essa é a soma que vão pagar-me. E também quero montes de roupas novas porque, como vêem, as minhas estão um pouco gastas, e, quero um automóvel com motorista, sempre à minha disposição, e já que estamos a falar disso, escolham um *Rolls Royce*. Também exijo um fornecimento infindável de doces. De que género, decidiremos mais tarde. E há ainda uma coisa muito importante. Antes de começar a trabalhar, tenho de falar com todas as pessoas que actuam no espectáculo e com *todas* as pessoas que ficam nos bastidores. E quando digo todas, quero mesmo dizer *todas*... estamos entendidos?

Os dois nova-iorquinos acenaram que sim.

— Por último, não quero encontrar-me com a Davina Nuttel. Têm algum outro espectáculo para onde a possam mandar?

— Não.

— Oh, bem, não tem importância... E qual é a razão que me leva a querer tudo isto? — perguntou a Molly, recostando-se na cadeira para olhar com orgulho para as duas marionetas que tinha acabado de criar.

Barry soltou um suspiro. — Porque és a miúda mais talentosa que alguma vez trabalhou na Broadway.

— Porque és um verdadeiro génio — acrescentou Rixey Bloomy.

Molly estremeceu interiormente. Estava perante um desafio monumental. Só esperava ser capaz de o enfrentar.

Capítulo XVII

Foi tudo tão fácil!

Naquela mesma tarde, pelas quatro horas da tarde, a Molly andava pelo quarto do hotel a chupar um rebuçado e a cantar, acompanhada pela música gravada de *Stars on Mars*. As canções eram fáceis de decorar.

Havia caixas abertas por todo o quarto, com roupas novas a aparecerem por entre o papel de seda das embalagens. Tinham sido escolhidas pela Rixey Bloomy e mandadas entregar no hotel. Molly tinha passado a tarde a experimentar casacos, vestidos, calças e sapatos. A mesa do café era agora a mesa dos doces, onde se viam duas enormes tigelas cheias com todas as espécies de bombons, para além de uma outra, cheia de caramelos.

A *Petula* encarregou-se da guarda da varanda e ladrava a qualquer pombo que ousasse pousar por ali.

Depois da última canção, Molly desligou o gravador e deitou-se em cima da cama, vestida com os seus *jeans* novos e uma *T-shirt* que tinha estampada uma Lua sorridente. Só desejava ter alguém com quem falar. Se fosse o Rocky, tanto melhor. Talvez ele tivesse telefonado a Miss Adderstone para dar o novo endereço. A Inglaterra estava adiantada cinco horas em relação a Nova Iorque; eram agora 21 horas e Miss Adderstone ainda devia estar a pé. Levantou o auscultador e marcou o número. A chamada foi atendida ao sexto toque. — Boa noite, fala do orfanato de Hardwick — disse a voz familiar de Gerry.

— Oh, olá, Gerry — disse Molly.

— Molly! Molly, onde é que estás? A Adderstone disse que andaste de avião. Foi bom?

— Estou em Nova Iorque — respondeu Molly, a pensar na impressão que estaria a provocar. — E o avião foi *brilhante*. Mas, olha, posso falar com a Adderstone?

— A Adderstone foi-se embora.

— Foi às compras? Foi tratar dos joanetes? Quando é que volta?

— Nunca mais volta — disse o Gerry, que subitamente começara a falar baixinho. — Foi-se embora; e a Edna também. A Adderstone disse que a partir de agora queriam ser simpáticas para as crianças e que, por isso, nos deixavam livres para nos governarmos a nós mesmos e que podíamos fazer *tudo* o que quiséssemos.

Era a última informação que esperava ouvir.

— Gerry, porque é que estás a falar tão baixo?

— A Hazel anda por perto, está no corredor. Agora é ela quem manda e... tenho de... adeus!

A chamada foi desligada. Molly voltou a ligar, mas desta vez o telefone estava ocupado. O orfanato a ser dirigido pela Hazel era uma ideia de meter medo, mas ficou mais descansada quando pensou que Mrs. Trinklebury manteria toda a gente na ordem. Ficou a pensar nas razões que teriam levado Miss Adderstone e Edna a partir e sentiu-se responsável. Esperava que não andassem a meter-se em situações perigosas. A cabeça de Molly encheu-se de visões de Miss Adderstone a cortar as roupas de outras pessoas e de Edna a bater em quem não gostasse da Itália.

Mas, mais do que a ideia de Miss Adderstone e Edna poderem ter desaparecido, o que preocupava agora Molly era o facto de não vir a encontrar o Rocky, a menos que este telefonasse para o orfanato e perguntasse por ela. Decidiu ligar uma vez mais para o orfanato.

Gerry voltou a atender.

— Olá, é a Molly.

— Viva, Molly — saudou Gerry na sua voz sumida. — Olha, Molly, o problema é que não devo atender o telefone. A Hazel fica muito zangada. Não posso estar aqui muito tempo, vou ter de desligar.

— Gerry, espera, antes de desligares quero dar-te o meu número de telefone, em Nova Iorque. Só para o caso de o Rocky ligar para aí. É importante. Tens uma caneta?

— Deixa ver, sim, penso que tenho uma no bolso, com o rato. Não, não, *Squeak*, deixa-te estar aí... desculpa, Molly, o *Squeak* quase se escapava... Oh, sim, tenho uma caneta e papel.

— Toma nota — e começou a dar ao Gerry o número do Bellingham Hotel. Ouviram-se ruídos na linha. — E se o Rocky ligar, dá-lhe este número, ou dá-o à Hazel, para que ela, se falar com o Rocky, lhe possa...

— Molly, tenho de desligar. A Hazel não está bem-disposta e não quero que ela me apanhe. Adeus.

O telefone deu sinal de desligado.

— Adeus — murmurou Molly, nada confiante de que Gerry passasse a informação a qualquer outra pessoa.

Contudo, não ficou preocupada durante muito tempo. Olhou para uma caixa de roupas e maravilhou-se com a rapidez com que os seus sonhos se tinham realizado. Estava prestes a ser rica. Não tardaria que também fosse uma pessoa conhecida e, vista pelos olhos das outras pessoas, até seria considerada bonita.

★

Petula espreitou por uma fenda da varanda de pedra e ficou a ver as luzes da cidade a começarem a acender-se. Se possuísse olhos mágicos, com raios-X, teria visto que, a vinte e cinco blocos de distância, num quarto barato e sombrio, onde passava boa parte do seu tempo de trapaceiro, o professor Nockman estava deitado na cama, a ressonar, por debaixo de uma lâmpada nua que pendia do tecto. O prédio ficava junto da linha de caminho-de--ferro e a lâmpada oscilava à passagem dos comboios. O chão e a cama estavam cobertos de jornais. Mesmo sem saber exactamente quem era esta M. Moon, o professor Nockman calculava que, mais tarde ou mais cedo, logo que ela fizesse qualquer coisa invulgar, os jornais não deixariam de dar a notícia. E, como um cão de caça (embora não muito bonito), estava preparado para sentir o cheiro da presa. Passara o dia todo a ler jornais e a percorrer ruas, à procura de qualquer história acerca de uma rapariga espantosa, chegando a procurar em hotéis, mas de cada vez que o fez foi convidado a deixar de vadiar pelos vestíbulos e a pôr-se a mexer.

Em sonhos, voltava a ver a rapariga sentada no banco traseiro do *minibus*, com o manual de hipnotismo no colo e um cão *pug* sentado a seu lado. O professor Nockman rosnava durante o sono.

Regressando à varanda, a *Petula* ficou a farejar o ar. Lá fora, longe dali, alguém estava a pensar nela e a cadela sabia-o. Ladrou, estremeceu e correu para dentro do quarto. Saltou para a cama de Molly e meteu o focinho por entre os cobertores, à procura de um dos seus seixos.

Molly teve um pesadelo. Sonhou que era um grande cuco feio, que vivia na floresta e não tinha amigos. Como música de fundo, a canção de Mrs. Trinklebury ecoava através dos ramos das árvores.

> *«Perdoem, lindos passarinhos, ao cuco castanho*
> *Que vos empurrou para fora do ninho.*
> *Foi assim que a mãe-cuco os ensinou a viver,*
> *Ensinou-lhes que empurrar é o que têm de fazer.»*

Todas as outras aves ignoravam a Molly e escondiam-se dela. Algumas tinham os rostos das crianças mais pequenas do orfanato. Fugiram quando viram a Molly voar na direcção delas. No sonho, sentiu-se desesperadamente só. Andava à procura do Rocky e tentou gritar o nome do amigo, mas do seu bico apenas saiu um grasnido.

Contudo, chegada a manhã depressa se esqueceu da dor de alma sentida durante o sono. Tinha um trabalho a fazer e dinheiro a ganhar. Iam começar os ensaios de *Stars on Mars* e Molly não tinha tempo para chorar pelos amigos.

Capítulo XVIII

O Manhattan Theatre, onde *Stars on Mars* estava em cartaz, encerrou subitamente. Nenhum dos jornais conseguiu descobrir a razão. Fechadas as portas, a Davina Nuttel foi despedida e o resto do pessoal foi obrigado a jurar que guardava o segredo. Molly não se poupou a esforços para obter a certeza de que toda a gente ficaria calada, gastando toda a sua primeira manhã no teatro em entrevistas individuais. Conheceu, e hipnotizou, todas as pessoas que participavam no espectáculo: o maestro, os músicos, o pessoal da bilheteira, os vendedores de gelados, os técnicos de iluminação, os serventes do palco, os técnicos de maquilhagem, os outros actores e o rapaz que varria o palco. Todos pensaram que Molly era maravilhosa.

Os ensaios começaram.

Para sua surpresa, Molly descobriu que os ensaios eram divertidos. E estava decidida a fazer o possível para ser uma boa artista. Ficou claro que o pessoal a julgava fantástica em tudo o que fazia. Ninguém reparava quando ela cantava fora do compasso. Ninguém se preocupava quando ela não conseguia acertar os passos da dança. O seu sapateado não fazia sentido, mas toda a gente o considerava perfeito.

A *Petula* também estava a gostar da situação. Parecia mesmo adorável, num fato vermelho de astronauta, e tomava parte na dança. Porém, não gostava mesmo nada dos monstros marcianos da peça, o que não era de surpreender. Eram umas coisas maciças, uma espécie de malaguetas enormes com antenas, do tamanho de grandes árvores de Natal e moviam-se, pois tinham actores lá dentro. Eram um problema para a cadela, especialmente quando atacavam a Molly. Nunca deixava de lhes ladrar e até mordeu o tornozelo de um deles. Foi decidido manter a *Petula* afastada dos monstros marcianos, dentro e fora do palco.

Havia ensaios diários, que começavam às 10 horas, com um breve intervalo para o almoço, e continuavam durante toda a tarde. Molly teve de aprender como andar, como dançar, como cantar e como dizer o seu papel.

E então, no seu terceiro dia no teatro, deu-se um encontro totalmente inesperado.

Estava a Molly no camarim, quando se ouviu uma voz terrivelmente aguda a gritar: — ONDE É QUE ELA ESTÁ?

— Está lá dentro, Miss Davina — informou uma corista vestida de lantejoulas, com simpatia. — Mas, Davina, não te zangues assim... Quando a conheceres vais perceber porquê... Quer dizer, acabas por gostar dela.

— GOSTAR DELA??!!! — bradou a voz furiosa. — GOSTAR DELA...? ELA ACABA DE ARRUINAR A MINHA CARREIRA. Roubou o que me pertencia. O que é que se passa com toda a gente? Rixey, Barry, todos vocês... todos sabem que fui eu quem fez deste espectáculo aquilo que ele é.

A corista gaguejou. — Lamento, Davina, mas...

Quando Davina irrompeu pelo camarim, a Molly estava preparada.

— Então — disse Davina, fechando a porta por detrás de si e batendo com o salto alto da bota. — Quem é que pensas que és? Como te *atreves?*

Nesta altura, ficou de boca aberta e perguntou com ar incrédulo: — Tu és a Molly Moon?

Molly olhou para a Davina, o prodígio do canto e da dança. A estrelinha que todo o público adorava ver actuar. E ficou fascinada. Pois que, vista assim de perto, a Davina não parecia nada especial. Sem a maquilhagem do palco, o rosto era pálido e tinha um certo ar doentio. O cabelo era louro mas com pouco volume, além de oleoso. Os olhos eram salientes e mostravam manchas acinzentadas na parte inferior. Mas dava nas vistas pela forma como estava vestida. Vinha de veludo púrpura, com botas altas de pele da mesma cor e um colar de pedras verdes ao pescoço. A Molly envergava um fato de astronauta, cujo tamanho estivera a experimentar.

— Mas, tu és tão vulgar — disse uma Davina espantada.

— E tu também — respondeu a Molly, igualmente admirada.

— Disseram que eras muito, muitíssimo especial — disse Davina, demasiado aparvalhada para perceber a observação da Molly. — Como é que uma miúda tão ordinária e com um nariz desses conseguiu ficar com o meu papel?

Por momentos, Davina Nuttel ficou sem palavras. Depois, a ranger os dentes, deu um passo na direcção da Molly e, numa voz calma e amável, disse-lhe: — Esse fato é meu, acho melhor que mo devolvas.

Fixou a Molly, bem nos olhos.

Esta voltou-se calmamente para a olhar e subitamente verificou que as pupilas da Davina Nuttel eram enormes. E havia mais: de facto, eram escuras e pareciam formar espirais, como se fossem redemoinhos negros. Molly sentiu-se tonta, como se o chão estivesse a fugir-lhe debaixo dos pés. Teve de se concentrar rapidamente, de forma a atingir a Davina com a estocada dos seus olhos hipnóticos. Porém, à medida que foi intensificando a carga magnética do olhar até atingir o máximo de força, teve o desgosto de verificar que os olhos da Davina tinham um forte poder de repulsão. Apelando para todas as suas reservas de energia, Molly manteve-se firme, até que voltou a sentir o chão estável por debaixo dos pés.

Fora uma grande surpresa. Davina Nuttel tinha o dom. Era, talvez, uma boa cantora e dançarina mas, *acima de tudo*, possuía o dom. E possuía-o sem que, na realidade, se apercebesse do que isso representava. Não era tão apurado como o da Molly, mas era óbvio que utilizava aquele poder para dominar outras pessoas, para as influenciar e para as cativar. Molly quase sentiu vontade de se fazer amiga da Davina. Podia treiná-la, podiam tornar-se sócias. Juntas, seriam invencíveis! Mas desistiu destas ideias logo que percebeu o que a Davina lhe estava dizer.

— És tão vulgar, até és *feia*... não és uma rapariga que alguém goste de ver no palco, vai tudo correr mal e, por isso, seria bem melhor que desistisses. Não foste feita para seres uma estrela, és demasiado maçadora, não tens carisma nenhum e o teu cão mete nojo.

A *Petula* mostrou os dentes e Molly fez tudo para aumentar a força magnética do seu olhar. Mas a Davina ripostou com uma expressão indignada. Tratava-se de um combate entre pupilas azuis e pupilas verdes. Molly sentiu as mãos húmidas de suor. Estava de tal maneira concentrada em manter a força do olhar que nem poderia pensar em usar a voz. Molly começou a ter receio de não conseguir vencer. E como este pensamento negativo lhe nublou a mente, sentiu-se enfraquecer. Nem queria imaginar o que lhe sucederia, se Davina conseguisse hipnotizá-la. Era provável que lhe roubasse todos os poderes e a deixasse sem força para ripostar. Molly imaginou-se uma sem-abrigo, a vaguear, perdida e confusa, pelas ruas de Nova Iorque, com uma mente totalmente esvaziada pela Davina. Era um futuro demasiado horrível para ser encarado e tão medonho que provocou na Molly um novo impulso de energia. Com um golpe demolidor do olhar, que fez que os cabelos se lhe eriçassem, Molly provocou o colapso de Davina e venceu.

Davina teve de desviar o olhar. Com voz trémula, disse:

— Não sei como conseguiste fazer isso. Talvez tenhas conseguido pôr toda a gente do teu lado, mas nunca me vencerás. Não passas de uma miúda do campo, suja e feia.

Presa de violentos soluços, sabendo que tinha sido vencida, a Davina afastou-se aos tropeções.

Além de chocada, Molly ficou exausta com a confrontação. Nunca esperara encontrar uma pessoa possuidora do dom e ficou descontente consigo própria por não estar preparada para essa eventualidade. Deveria ter pensado na existência de pessoas assim. Tentou imaginar quantas pessoas haveria em Nova Iorque que, como a Davina e sem terem consciência disso, usassem os seus poderes hipnóticos para singrar na vida. E, de seguida, não pôde deixar de pensar naquelas que tinham estes poderes e sabiam exactamente como os usar. Pôs-se a magicar quantos exemplares do livro do Dr. Logan existiriam. Talvez existissem pessoas ainda melhores do que ela na arte do hipnotismo. Uns pensamentos muito perturbadores, todos eles. Sentiu-se aliviada quando ouviu que batiam à porta e Rixey Bloomy enfiou o seu rosto parecido com uma máscara de plástico pela porta do camarim. Fez o mais amável dos sorrisos.

— Molly, minha querida, estás pronta para o ensaio?

★

Nessa noite, o *New York Tribune* ostentava um título sensacional:

RIXA NA BROADWAY
Davina Nuttel dá lugar à nova coqueluche

139

O professor Nockman comprou este exemplar do jornal e leu-o à pressa, à esquina de uma rua. Chamava-se Molly Moon, e era a atracção principal de um musical da Broadway. Fantástico! Nockman sentiu que a luz verde lhe estava a dar passagem, a autorizá-lo a seguir em frente. Pelo menos, tinha-se acabado aquela caçada às cegas. Com esta Molly Moon iluminada pelas luzes da ribalta, não voltaria certamente a perdê-la de vista. Um desfecho brilhante! O professor Nockman ansiava pelo dia em que poderia conhecê-la.

Não lhe foi preciso grande esforço para descobrir que Miss Moon estava hospedada no Bellingham Hotel. Arrumou o carro do outro lado da rua onde estava situado o hotel e esperou, tenso, a morder nervosamente as unhas compridas, pela hora de avistar a sua presa.

Na altura em que Molly apareceu, Nockman tinha roído as unhas até ao sabugo. Passara toda a noite dentro da carrinha pouco espaçosa, enrolado no casaco de pele de carneiro, a tentar aquecer-se com um pequeno calorífero ligado ao isqueiro do carro. Com a obsessão de vigiar a entrada no hotel, só conseguiu dormir durante períodos curtos.

Quando estava na hora de começar o dia de trabalho, viu um *Rolls Royce* parar em frente do hotel. Esfregou os olhos para afugentar o sono e limpou o pára-brisas para ter melhor visão. O porteiro estava a segurar a porta para dar passagem a alguém. Nockman esforçou-se ao máximo e acabou por ver que era a Molly Moon.

Vinha a descer a escadaria, em direcção ao automóvel. Vestia um casaco macio, branco, de pele de marta, com um gorro a condizer, e calçava botas altas de pele, com saltos baixos. Trazia um cão de focinho chato debaixo do braço. Parecia uma pequena estrela, sem nada de parecido com a miúda magricela que o professor tinha visto em Briersville.

Nockman começava a encarar aquela miúda do campo com respeito. Ficara espantado e impressionado com a rapidez com que ela tinha alcançado o sucesso. Era dotada de talentos excepcionais e ele tinha a certeza de ser a única pessoa de Nova Iorque que lhe conhecia o segredo.

Depois daquela manhã, o professor Nockman passou a seguir de perto todos os movimentos de Molly pela cidade. Seguia-a quando ia às compras, sempre acompanhada de guarda-costas, sempre a observar os sacos bonitos e as inúmeras caixas que eram carregadas na bagageira do *Rolls Royce*. Ficava à espera quando ela se dirigia às salas de jogos, onde gastava fortunas. Ficava sentado no exterior dos restaurantes fabulosos, onde a Molly, na companhia de Rixey ou de Barry, provava especialidades culinárias de várias regiões do mundo. E quanto mais a observava, mais se convencia de que tinha razão acerca do poder do hipnotismo. Era evidente que esta rapariga, a Molly Moon, dominava toda a gente.

Havia muitos anos, desde que ouvira uma idosa senhora rica, que conheceu num café, a falar de um velho livro de hipnotismo, que Nockman ansiava por aprender tudo o que pudesse sobre essa antiga ciência. Descobrira que a senhora nonagenária era aparentada com o Dr. Logan, o grande hipnotizador e, mais importante ainda, que herdara a fortuna do médico. No seu belo apartamento, tinha mostrado a Nockman uma carta intrigante escrita pela bibliotecária de Briersville, onde era descrito o livro.

— O problema — dizia a senhora idosa — é imaginar o que poderá suceder ao mundo, se o livro for parar às mãos erradas.

A partir daquele momento, Nockman não mais deixou de desejar que as mãos erradas fossem as suas. Convenceu-se de que, se pudesse pôr as mãos no livro, seria capaz de cometer o crime que andava a planear há muito tempo, o mais ambicioso crime da sua carreira. Nockman não era um intelectual interessado em estudos sobre hipnotismo. Nem sequer era professor — era um vigarista profissional. Embora fosse um vigarista muito experiente.

Nockman passou horas na carrinha branca a imaginar imposturas; horas em que se mostrava satisfeito consigo próprio pelo facto de os seus esforços terem sido coroados de êxito. Que a Molly Moon tivesse encontrado o livro antes dele, fora, de certa forma, um golpe de sorte. Porque, desde que conseguisse apanhar a rapariga, poderia projectar-se rapidamente para a Primeira Liga do Crime. Lambeu os lábios com deleite. Agora tinha a certeza de que iria tornar-se o maior criminoso de todos os tempos.

Enquanto dormitava dentro da carrinha, fazia estimativas sobre o dinheiro que Molly Moon estaria a ganhar e murmurava para si próprio que estava tudo bem. Ora a dormir, ora acordado, imaginava-se também dotado de poderes hipnóticos, sonhava até que ponto conseguiria tornar-se poderoso. Via-se a si mesmo em traje de jogador de golfe, no campo adjacente a uma mansão enorme, com uma empregada doméstica a trazer--lhe o chá. Imaginava-se num grande iate, com uma tripulação de dez homens uniformizados, a passear ao largo de Nova Iorque. Imaginava-se a dormir em cima de uma pilha de notas, sempre a segurar o manual de hipnotismo.

Um dia, ao amanhecer, acordou quando estavam a instalar um enorme cartaz luminoso na parede do arranha-céus próximo do Bellingham Hotel. O cartaz mostrava uma Molly Moon de mais de 30 metros de altura, metida num fato de astronauta e a segurar a cadela, também ela vestida de astronauta. Nockman riu-se à socapa. Esta rapariga era um génio! E quanto melhor ela fosse no hipnotismo, mais ele, Nockman, teria a ganhar.

Capítulo XIX

Depois do encontro com a Davina Nuttel, Molly deu instruções estritas para que nenhum estranho fosse autorizado a entrar no teatro durante os ensaios. Como era de esperar, as suas ordens foram seguidas à risca.

Agora, sempre que Molly deixava o teatro, ou quando chegava ao Bellingham Hotel, tinha de enfrentar uma multidão de jornalistas e fotógrafos com câmaras a faiscar. Protegida pelos óculos escuros, sorria de maneira enigmática quando entrava ou saía do *Rolls Royce*, mas nunca dirigiu uma palavra a qualquer deles.

As pessoas, por toda a cidade, mexericavam acerca da misteriosa Molly Moon. O mistério que a rodeava tornava-a cada vez mais interessante e toda a gente queria ver a fotografia dela nos jornais. Um jornal pôs-lhe a alcunha de «Cuco», por ter roubado o papel à Davina Nuttel, e as estações de TV enviaram repórteres e fotógrafos para tentarem entrevistá-la. Tudo em vão.

A Davina Nuttel foi à televisão queixar-se da maneira como tinha sido tratada.

Charlie Chat ligou repetidas vezes para a agência Barry Bragg, a pedir uma entrevista em exclusivo com Molly Moon, para o seu programa da TV. Barry Bragg disse que podia pôr-se a hipótese, que era tudo uma questão de dinheiro.

Enquanto Nockman estava sentado na carrinha, a deixar o pensamento vaguear, a cicatriz vermelha voltou a notar-se-lhe no pescoço e na cara. Não podia esperar mais, tinha de deitar a mão à Molly.

Mas a tarefa de se aproximar dela estava a revelar-se muito difícil.

Tinha sempre gente à volta dela, para qualquer lado que fosse. Era um verdadeiro desespero. Tudo o que podia fazer era observar, manter-se à espera da sua oportunidade. Talvez que depois da noite de estreia a Molly começasse a dar entrevistas e ele pudesse apresentar-se como jornalista. Tentava acalmar-se, mas Nockman era um homem impaciente por natureza e a situação estava a pô-lo maluco. Receava que mais alguém viesse a descobrir o segredo da miúda. Ficava sentado na sua carrinha branca, a fumar, a comer bolachas gordurentas e a lançar olhares desconfiados aos carros que paravam nas proximidades. A carrinha estava cheia de tralha e das embalagens vazias de todas as péssimas refeições que tinha andado a comer, cheirava mal. Ele próprio se sentia mais malcheiroso do que nunca. É que, agora, para além da gordura do peixe com batatas fritas e do tabaco, notava-se o cheiro forte e desagradável da loção de barba, que aplicava para disfarçar o cheiro do suor já antigo. Uma vez por outra, regressava ao quarto junto do caminho-de-ferro para se lavar, mas não o fazia com frequência por recear perder o rasto da Molly Moon, mesmo por pouco tempo. Com a passagem dos dias, a rapariga estava a tornar-se uma obsessão.

Tinha sentimentos contraditórios acerca da Molly. Sentia ciúmes, não só por ela ter encontrado o manual de hipnotismo antes dele e por ter aprendido os truques da hipnose, mas também por a rapariga estar nas suas sete quintas, enquanto ele tinha de se contentar com aquela miserável carrinha. Ao mesmo tempo, estava espantado com ela e com os seus talentos, e como a considerava sua propriedade pessoal, também se sentia satisfeito com a fama que ela tinha conseguido. Para tentar manter-se são de espírito, afagava o escorpião de ouro que pendia do fio do pescoço e recitava para si próprio um refrão, que dizia:

«Quanto melhor para ela, melhor para mim,
Quanto melhor para ela, melhor para mim,
Quanto melhor para ela, melhor para mim,
Quanto melhor para ela, melhor para mim.»

Quanto à cadela, bem, odiava-a. Uma cadela mimada; mimada e feia, sempre a trotar atrás da Molly. Em pensamento, Nockman via a cama luxuosa em que a cadela dormia, os jantares excelentes com que se regalava. E porquê? Porque era a parceira da Molly Moon na peça, por ser a sua melhor amiga. Era provável que fizesse *tudo* por aquele animal... E então, enquanto Nockman reflectia sobre a cadela, começou a engendrar uma ideia brilhante. Retorcido por natureza, começou a ter prazer na ideia, a alimentá-la, a ajudá-la a consolidar-se. Por que razão não se tinha ainda apercebido da importância da cadela? Porquê, se a cadela era a chave para abrir o coração da Molly? Nockman sorriu e afagou a papada. Levou os dedos à crosta da ferida do pescoço, largando um bocado dela em cima do painel de bordo da carrinha. Depois, sempre a pensar na Molly, esfregou o pedaço de crosta em cima do plástico do *tablier* e concebeu um plano sórdido. Finalmente, começava a ver a luz no fundo do túnel.

Capítulo XX

Novembro deu lugar a Dezembro e as temperaturas em Nova Iorque foram baixando à medida que o Inverno ia envolvendo a cidade. Molly não tinha tempo para pensar no Rocky, pois o trabalho no espectáculo era absorvente e ela estava muito ocupada a desfrutar da fama e da sorte que a bafejavam. Tinha andado muito pela cidade, sempre com um secretário e um guarda-costas, que mantinham os jornalistas à distância. Tinha passado horas nas compras, em idas ao cinema e a visitar diversos lugares. Fora a um salão de cabeleireiro muito especial e fizera um corte de cabelo apropriado, de modo a não parecer mais uma miúda de orfanato e fizera dez visitas a esteticistas, onde foi sujeita a tratamentos de vapor e massajada, até ficar com a pele a brilhar. As mãos passaram a ter um aspecto muito melhor, embora continuassem húmidas de suor. As unhas eram crescentes perfeitos, cuidadosamente pintadas.

Adorava o seu novo estilo de vida. Adorava ser alvo de atenções e a reverência com que as pessoas a tratavam. Já nem conseguia conceber que alguém conseguisse viver de outra forma. Tudo se torna muito mais fácil quando somos adorados por todos. E quanto mais tempo passava naquela vida, mais pensava que a merecia. E, ainda mais, começou a ter a sensação de que a admiração das pessoas não resultava apenas do facto de as ter hipnotizado. Na verdade, começava a suspeitar que tinha «estilo de vedeta». Só que, em Hardwick House, jamais houvera alguém com cultura suficiente para poder reparar nas suas qualidades.

Depois de duas semanas de ensaios intensivos e de horas de treino, chegou o dia da estreia do novo espectáculo *Stars on Mars*. O anúncio luminoso com letras cor-de-rosa tinha sido modificado:

STARS ON MARS
COM
MOLLY MOON
E
A PUG *PETULA*

Por detrás do palco, Molly estava sentada no seu camarim em desordem, com a *Petula* no regaço, a sentir-se muito nervosa. Ambas vestiam fatos espaciais prateados. O rosto da Molly tinha uma camada espessa de maquilhagem destinada a evitar que as faces brilhassem quando a luz forte dos projectores do teatro incidisse sobre elas. Os olhos estavam rodeados de um traço preto, para se destacarem, as faces tinham pontinhos brilhantes. A *Petula* tinha sido penteada e tanto ela como a Molly tinham pó brilhante espalhado no cabelo. Os outros trajes que utilizavam no espectáculo, fatos de mergulho e fatos espaciais com placas metálicas usadas nas danças, pendiam de cabides suspensos de uma calha metálica. Todas as superfícies disponíveis tinham sido cobertas com jarras de flores, enviadas por todas as pessoas que adoravam a Molly. Rixey bateu à porta e enfiou a ponta do nariz pela abertura.

— Molly, subida do pano dentro de vinte minutos. Como é que te sentes?

— Muito bem, óptima — mentiu.

— Tudo bem, então. Boa sorte, embora não precises dela, és uma estrela, Molly, uma estrela radiante, e esta noite toda a gente vai ter ocasião de verificar isso. Vais ter Nova Iorque a teus pés.

— Obrigada — respondeu Molly, sentindo-se agoniada.

Rixey desapareceu.

— Oh, caramba! *Petula*, em que é que eu me meti? — gemeu Molly. Naquele momento, a ideia de ganhar a vida numa comédia musical da Broadway não estava a ter graça nenhuma. Quanto a nervos, sentia-se num estado mil vezes pior do que antes do início do concurso de talentos de Briersville. Naquela noite, só de pensar na assistência ficava verdadeiramente aterrorizada. Uma assistência composta de nova-iorquinos cosmopolitas, difíceis de contentar e sempre prontos a zombar de tudo. Sabia que ia actuar perante um público céptico, com espírito crítico, agressivo e muito, muito difícil de entusiasmar... mas, pior do que isso, difícil de hipnotizar. Molly não esquecia as dificuldades que sentira para vencer a Davina. Talvez houvesse hipnotizadores bem preparados entre a assistência. Como aqueles terapeutas que utilizam a hipnose para levarem as pessoas a deixar de fumar. Procurou controlar-se. Em que é que estava a pensar? Seria, com certeza, melhor do que todos eles. Só esperava que a nova cena que tinha escrito para o princípio do espectáculo, pelas suas características, viesse a facilitar as coisas.

— Subida do pano dentro de 15 minutos — anunciou o altifalante.

Molly tirou o pêndulo da algibeira e começou a olhar para a espiral negra. — Vou conseguir, vou conseguir — repetiu para si mesma, vezes sem conta; depois beijou o pêndulo e voltou a pô-lo na algibeira do fato-macaco de astronauta.

Acompanhada da cadela, percorreu todo o corredor, até ficar de um dos lados dos bastidores. Ouvia-se o murmúrio abafado do público numeroso. Sentiu que tinha as mãos húmidas de transpiração e o coração a bater mais depressa. Ouviu várias pessoas a desejarem-lhe boa sorte. Tomou posição na cabina de comando de uma nave espacial, que estava no centro do palco, pronta a descolar. Alguém lhe soprou ao ouvido: — Dez minutos para a partida.

Molly sentiu o estômago contrair-se. Tinha dificuldade em concentrar-se.

A orquestra começou a tocar a peça de abertura; pequenos trechos de música retirados de diversas canções do espectáculo musical. O público calou-se para ouvir. Molly baixou a cabeça, que lhe pareceu sem utilidade e cheia de algodão em rama. — Vá lá, Molly, tu és capaz — murmurou para si própria.

A abertura foi concluída e, por muito que a Molly pretendesse ficar quieta durante mais algum tempo, o espectáculo começou. O pano de cena começou a subir, um movimento acompanhado pelo rufar de tambores.

O público conteve a respiração e regalou os olhos em Molly Moon, *o Cuco*. Ali estava, finalmente, a nova vedeta do espectáculo, na cabina de comando de uma enorme nave espacial, com a cadela *Petula* sentada na cadeira a seu lado.

Ouviu-se uma voz profunda vinda dos altifalantes.

— Controlo de terra para major Wilbur, está a ouvir-me? Estamos prontos para a descolagem. Terminado.

De olhos fechados, a major Wilbur respondeu: — Pronta.

Então, lentamente, uma grande janela de vidro começou a descer na frente do foguetão.

Esta era a parte nova do espectáculo, a que Molly tinha acrescentado. Porque esta janela não era de vidro comum, era uma lupa enorme, de grande capacidade de aumento, que o teatro tinha comprado por encomenda especial, e por um preço elevado, à NASA, a agência espacial americana. À medida que descia lentamente em frente da Molly, a figura dela aumentava diversas vezes, até parecer um gigante. O centro da lupa era a parte onde o aumento era maior e, quando a Molly se movia nessa direcção, os seus olhos cerrados eram aumentados 80 vezes.

A ideia parecia boa, pois foi recebida por murmúrios de aprovação do público. O público de Nova Iorque gostou do espectáculo e descontraiu-se quando todo o palco ficou às escuras, com excepção de um pequeno foco de luz que iluminava os olhos cerrados da Molly.

— Dez — troou a voz do controlador através dos altifalantes.

— Nove... oito...

— Motores ligados — informou a major Wilbur.

— Sete... seis... cinco — continuou o controlo de terra.

— Ignição ligada — disse a major Wilbur.

— Quatro... três... dois... um... Descolámos.

O roncar dos motores fez estremecer o teatro. A cabina era atingida por feixes de luzes alaranjadas, que simulavam chamas saídas dos escapes dos motores e, só nessa altura, é que Molly descerrou as pálpebras, mostrando dois olhos maiores do que ecrãs de televisores. Molly tinha acabado por conseguir controlar-se e os seus olhos muito aumentados varreram a assistência como se fossem dois feixes de raios laser. Desde as da primeira até às da última fila, as pessoas eram percorridas pelo olhar estranho e extremamente poderoso da rapariga, acabando atraídas para o redemoinho hipnótico daqueles olhos.

Molly sentiu o ar percorrido por uma vaga de qualquer força semelhante à corrente eléctrica, que a fez estremecer da cabeça aos pés. Era o sentimento de união, mas numa escala enorme. Molly rodou os olhos lentamente, da esquerda para a direita, para os fundos do teatro, até os fazer incidir sobre o espaço mesmo à frente dos seus pés. E, à medida que o sentimento de união se foi tornando mais forte, cada vez mais forte, o nervosismo desvaneceu-se. Sentiu-se extremamente poderosa, com a certeza de que toda a gente tinha sido «atingida» e sabia que o porteiro do teatro tinha instruções para não deixar entrar mais ninguém.

— Olhem bem para mim — exclamou, para o caso de haver alguém que ainda não tivesse levantado os olhos para ela. — Ooolheem... para... mim — repetiu lentamente, com uma voz que mais parecia um magnete vocal.

Molly tinha incluído todas as instruções hipnóticas numa canção de sua autoria. Cantou-a sem qualquer acompanhamento musical, num tom monocórdico e assombrado.

> «*Todos ficarão perplexos... com este... espectáculo*
> *Vão sentir-se tão bem... que não quererão... ir-se embora*
> *Vão vibrar de gozo... com a minha dança e o meu canto*
> *Quase sufocarão de riso... com as minhas piadas*
> *Este espectáculo fantástico... estava destinado... a ser meu*
> *A estrela... do século vinte e um... sou... EU.*»

Acabada a canção, Molly deu um estalido com os dedos e o barulho dos motores do foguetão atroou o ar.

— Sim — disse a Molly, agora com a totalidade do rosto no centro da lupa de grande aumento —, DESCOLÁMOS.

A lupa foi levantada e retirada, dando-se, assim, início ao espectáculo propriamente dito.

Durante duas horas, o público atingiu êxtases de prazer, maravilhado com o canto e a dança da Molly. Executou *ballet*, sapateado, *jazz* e *break*. Elevava-se sem esforço pelo ar. Deslizava! E quando cantou provocou arrepios de prazer nas pessoas que assistiam, as quais sentiram os cabelos do pescoço a pôr-se em pé. Molly foi fascinante.

Porém, a verdade é que a sua dança foi desajeitada e de movimentos descoordenados. O sapateado foi uma trapalhada e a dança de *jazz* foi executada por pés de chumbo e fora do compasso. Mas a Molly divertiu-se imenso e deixou-se envolver a sério na cena do combate dos marcianos. Cantou com voz monocórdica e fora de tempo, mas ninguém se preocupou com isso. Os outros actores foram fantásticos e ajudaram-na sempre que se esqueceu das suas deixas, embora não interessasse se ela sabia ou não o papel; o público adorava tudo o que ela fazia. E a *Petula* também foi considerada uma maravilha, mesmo que se limitasse a estar deitada à boca de cena, a chupar um seixo e a mostrar-se alheada de tudo.

Os gelados derretiam-se e pingavam para a roupa das pessoas que se esqueciam de os comer.

Quando o espectáculo terminou, o teatro quase veio abaixo com os aplausos e quando a Molly avançou para agradecer, o público levantou-se para aplaudir, assobiar e bater palmas. Foram-lhe atiradas flores. As pessoas lançaram-lhe aos pés todas as coisas boas que traziam consigo: dinheiro, relógios, jóias, lenços bonitos... Foi uma demonstração de afecto de que não havia memória em Nova Iorque. O pano de boca de cena foi descido e subido quarenta vezes. O público continuou a bater palmas até as pessoas ficarem com as mãos vermelhas. Só então o pano de boca de cena foi descido pela última vez.

Molly sentia-se no topo do mundo, com a certeza de que toda a gente tinha visto aquilo que ela desejara que vissem.

Só houve uma pessoa que conseguiu escapar pelas malhas da rede que ela montara. Um menino que estava na assistência não foi hipnotizado, apenas por não estar a ver nem a ouvir. Tinha-se entretido a ler um livro de banda desenhada, usando uma lanterna de bolso como fonte de luz, e estava demasiado absorvido pelas aventuras do Super-Homem para se preocupar com os olhos da Molly. Por isso, quando acabou e pousou o livro, foi o único capaz de avaliar o verdadeiro talento da artista principal.

— Mamã, ela não é assim *tão* boa — afirmou, quando estavam a sair do teatro. — Quero dizer, *lá na escola* há miúdos muito melhores do que ela.

Mas a mãe fora conquistada. — Bobby, como é que podes dizer uma coisa dessas? Ela foi *fabulosa*. Linda. E tu, Bobby, vais recordar esta noite durante o resto da tua vida. Hoje, assististe ao nascimento de uma nova *estrela*.

Bobby e a mãe discutiram sobre o espectáculo durante todo o caminho até casa, até que, finalmente, a mãe chegou à triste conclusão de que o filho precisava de uma prótese auditiva, de óculos ou de consultar um psicanalista.

Nockman tinha evitado o espectáculo. Não quisera correr o risco de ser visto no teatro, caso fosse obrigado a tirar os óculos anti-hipnose. De qualquer maneira, para que o seu plano pudesse resultar, tinha de estar junto da porta dos artistas quando o espectáculo terminasse.

Tinha começado a chover. Abrigado pelo casaco de pele de carneiro, Nockman ficou a poucos metros da porta por onde os artistas saíam, escondido pela sombra de uma parede. O alto da cabeça já careca e a juba gordurosa que lhe restava eram regados pela chuva. Sentia os pingos que lhe corriam pelo pescoço e os que se soltavam da ponta do nariz.

Pouco depois das 22h30m, começaram a juntar-se hordas de pessoas que se colocaram à volta da porta dos artistas, esperando conseguir autógrafos. Vinte minutos mais tarde, as portas abriram-se e a Molly apareceu, a sorrir e a acenar, ladeada por dois robustos guarda-costas.

Os gritos e os aplausos dos fãs não lhe permitiam concentrar-se. Molly deixou de pensar na *Petula*.

Embora chovesse, a cadela deu umas passadas para se afastar da multidão e conseguir respirar ar fresco. Farejou um candeeiro e fez um chichi de há muito necessário, antes de o seu faro ter detectado um cheiro interessante a pele de carneiro. O instinto de investigar levou-a a trotar em direcção à sombra projectada por uma parede. Logo que deixou de ser iluminada pelo candeeiro da rua, uma mão forte e enluvada pegou-lhe e cobriu-a com um pedaço de pano, enquanto outra mão lhe apertava o focinho, impedindo-a de ladrar. A *Petula* achou-se debaixo do braço de um homem baixo, gordo e malcheiroso, que seguiu a toda a pressa por uma rua larga. Contorceu-se e lutou mas não conseguiu libertar-se do aperto. A pobre cadela estava aterrorizada e ouvia, sentia e farejava que se afastava cada vez mais da Molly.

Nockman abriu a porta traseira da carrinha branca e meteu a cadela dentro de uma jaula, já preparada para o efeito. Antes que a *Petula* conseguisse reagir, fechou a jaula e também a porta da carrinha. Depois saltou para o banco do condutor, ligou o motor e arrancou.

Capítulo XXI

Depois de ter assinado o que lhe pareceu mais de um milhar de autógrafos, Molly assobiou para chamar a *Petula*. Quando viu que a cadela não aparecia, partiu do princípio de que se refugiara no interior do teatro para fugir da multidão. Voltou a entrar, mas a *Petula* não estava lá. Molly procurou em todos os lugares preferidos do animal: a almofada por debaixo da mesa do camarim onde guardava os seixos; a pilha de trapos por debaixo da mesa dos adereços; o espaço entre as pernas da cadeira forrada de veludo. Depois procurou nos lavabos, no palco e até nos camarins dos marcianos. Não havia sinais da *Petula*. Procuraram dentro de armários, por detrás de cortinas e nos roupeiros. Não estava no vestíbulo, nem nas cabinas das bilheteiras, nem no bar. A verdade é que a cadela se tinha perdido. Molly imaginou o pior e sentiu um baque no coração. O porteiro de serviço na porta dos artistas procurou nas valetas de todas as ruas à volta do teatro, para ver se a cadela teria sido atropelada por algum carro. Depois de todas estas buscas, só havia uma conclusão a tirar: a *Petula* tinha sido roubada.

Molly ficou perturbada. Quem poderia tê-la roubado? Estremeceu ao pensar na pobre da *Petula*, sozinha e assustada, numa casa estranha.

Barry Bragg tentou tranquilizá-la. — Na minha opinião, a pessoa que a roubou, roubou-a por gostar dela e, por isso mesmo, se gosta dela não a vai tratar mal.

Em espírito, já estava a imaginar a publicidade de que o espectáculo ia beneficiar pelo facto de a cadela ter sido roubada. — Sabem o que devemos fazer? Devíamos marcar uma entrevista na TV para lançarmos um apelo. Alguém terá de a ver. Quero dizer, as pessoas acabam por notar, sempre que os vizinhos têm novos animais de estimação. Alguém há-de dar qualquer informação.

Chegou a polícia. Molly falou em particular com o sargento e, fazendo uso dos seus poderes, persuadiu o homem de que encontrar a *Petula* era a missão mais importante da vida dele.

O agente contactou o superintendente pelo telefone e foram destacados vinte guardas, homens e mulheres, para procurarem a cadela desaparecida.

Às primeiras horas da manhã, Molly chegou aos estúdios da Sunshine TV, onde foi maquilhada e colocada em frente dos holofotes e das câmaras para uma entrevista com Charlie Chat, que se sentou à sua frente, ainda com a roupa que tinha levado a uma festa, pois o produtor do espectáculo tinha-lhe ligado para a discoteca onde se encontrava.

Molly sentiu alguma dificuldade para se concentrar e conseguir o seu olhar hipnótico, pois estava preocupada com o desaparecimento da *Petula* mas, apercebendo-se de que tudo o que fazia era para bem da cadela, tentou tudo o que lhe era possível para se mostrar encantadora.

Ao pequeno-almoço do dia seguinte, domingo, enquanto os nova-iorquinos comiam os seus cereais e as suas panquecas, a televisão transmitiu a entrevista da Molly com Charlie Chat.

— É tão *triste* — disse o sempre enfatuado Charlie para a Molly — que um momento glorioso como o da noite passada tenha sido perturbado por esta catástrofe. Que a sua cadela que, pelo que sei, se portou *maravilhosamente* no espectáculo, desaparecesse assim, sem mais nem menos.

A voz séria de Charlie desceu para um tom super-simpático. — E a Molly acredita que a cadela tenha sido roubada, ou raptada?

Em toda a costa leste dos Estados Unidos os telespectadores viram a nova estrela e ouviram o seu pedido de ajuda.

— Se alguma das pessoas que estão connosco pensa ter visto uma cadela como esta... — começou Molly, mostrando uma fotografia da *Petula* vestida com o fato espacial. — Se consegue imaginá-la sem o fato espacial... é que... esta é a única fotografia que tenho... foi tirada no teatro... Gosta de chupar seixos... Se alguém pensa saber onde se encontra, por favor, entre em contacto com o Manhattan Theatre. Há uma recompensa de 20 mil dólares para qualquer informação que nos leve até junto da cadela. Peço que me compreendam, conheço a *Petula* desde muito pequena. Foi abandonada pela mãe quando não passava de uma cachorrinha; não posso abandoná-la num momento destes. É demasiado, ser-se abandonado duas vezes durante uma vida. Em resumo, é uma companheira muito especial para mim. Na realidade, é a minha melhor amiga, embora...

— Chegada àquele ponto, recordou-se de que o Rocky estava em Nova Iorque e ficou a magicar se ele teria o hábito de ver televisão à hora do pequeno-almoço... — embora também tenha um bom amigo entre os seres humanos e, se ele está a ver-nos, gostaria de cumprimentar o Rocky e de lhe dizer que adorava vê-lo muito em breve. Mas esta mensagem é, antes de mais, dedicada à *Petula*, porque o animal está perdido e talvez esteja em perigo. Por favor, se puder, ajude-me.

As pessoas que viram a entrevista sentiram imensa pena da Molly. A rapariga conseguiu enviar-lhes um certo charme hipnótico através dos ares e os telespectadores sentiram-se atraídos por ela. Não tinha um aspecto maravilhoso, longe disso, mas havia qualquer coisa nela. Milhões de americanos foram trabalhar a pensar na Molly, alertados por qualquer latido e de olhos atentos para todos os cães da raça *pug*.

O apelo da Molly foi retransmitido durante todo o dia, a intervalos regulares, e nenhum *pug* da cidade podia considerar-se a salvo da curiosidade bem-intencionada e dos caçadores de prémios, pois os libertadores da *Petula* arrancavam os cães das mãos dos donos e levavam-nos para as esquadras de polícia. O ladrar dos cães e as discussões entre as pessoas provocaram o caos nas esquadras. A Polícia de Nova Iorque investigou todos os cães e todas as informações, mas nenhum dos *pug* era a *Petula*.

Feita a entrevista, Molly nada mais podia fazer do que voltar ao hotel. Como era domingo, não havia espectáculo nocturno e, sem a *Petula*, a *suite* do hotel era um lugar muito solitário. Ao olhar a fotografia da cadela vestida com o fato que usava no espectáculo, Molly pensou em todas as aventuras em que tinham estado juntas. Não sabia o que fazer sem a companheira. Sentiu uma infelicidade irremediável ao pensar nas orelhas macias e aveludadas que tanto gostava de afagar. Pela centésima vez lamentou ter perdido a *Petula* de vista, por ter sido vaidosa e se ter preocupado só com os autógrafos. Foi então que o telefone tocou.

— Bom dia — disse uma Molly cheia de esperança.

— Tenho a sua cadela — disse uma voz arrastada.

155

— O quê...? Onde...? Oh, muito obrigada! Ela está bem? Molly suspirou de alívio.

— Ouça o que lhe digo — interrompeu a voz fria de Nockman. — Se a quer de volta, vai fazer tudo o que lhe vou dizer. Primeiro, não diz mais nada ao telefone. Se abrir o bico, desligo.

Pensou que Molly poderia tentar hipnotizá-lo com a voz e não queria arriscar-se. — Só vai dizer que sim... Estamos entendidos?

— Sim — murmurou a Molly. Estava assustada, chocada. Aquele homem era louco. Não queria desagradar-lhe.

A voz continuou: — Se não fizer exactamente como lhe vou dizer, mato a cadela, compreendeu?

Molly sentiu-se gelar. — Sim — voltou a dizer. A palavra «mato» ficou e retinir-lhe na cabeça e começou a tremer, de tal maneira que não conseguia segurar o telefone sem que o aparelho lhe batesse de encontro à orelha.

— Muito bem — continuou o homem —, encontro-me consigo às 18h30m no Coreto dos Escuteiros, em Central Park. Vou sozinho. Venha sozinha. Não levo a cadela comigo, mas levo a coleira para lhe provar que estou a falar a sério. Se vier alguém consigo, ou se envolver os polícias nisto, garanto-lhe que mato a cadela. Percebeu?

— Sim — disse Molly, a olhar a parede sem a ver, mal conseguindo acreditar que estava a viver este pesadelo. — Sim.

— Farei as minhas exigências, na altura. Se as aceitar, a cadela é devolvida sã e salva... Estamos de acordo?

— Sim — repetiu a Molly, embora se sentisse tão tonta que não percebia muito bem aquilo com que estava a concordar. A chamada foi desligada. No seu desespero, a Molly ficou a morder o auscultador, a tentar perceber o que acabava de ouvir. De todas as pessoas cruéis que tinha conhecido ao longo da vida, nenhuma fora tão sinistra nem tão ameaçadora como aquela voz desconhecida. Sentiu-se parva. Devia ter sido mais inteligente e ter-se preparado para qualquer coisa deste género. Afinal, estava em Nova Iorque, a cidade que albergava todos os tipos de criaturas perigosas e repugnantes. Saber que ia conhecer uma dessas criaturas, provocou-lhe um calafrio. Mas recompôs-se. O que é que tinha a recear? Era uma hipnotizadora. Ou tinha-se esquecido disso? Estaria em segurança, não estaria? Ao lembrar-se da resistência oferecida pela Davina, foi assaltada pela dúvida. Porém, pensando melhor, aquele homem era um malfeitor. Tivesse ele o encanto da Davina, não andaria a raptar cadelas.

Olhou para o relógio da mesa-de-cabeceira. Já eram 17h45m. Estava perto de Central Park mas não sabia como se ia para lá. Apressada, abriu a janela para a varanda, debruçou-se da borda e viu que lá em baixo, na rua, estavam quatro fotógrafos à sua espera. Teve de raciocinar rapidamente.

Procurou no fundo de um dos guarda-roupas e encontrou os *jeans*, uma camisola cinzenta e o seu velho anoraque puído que, felizmente, não tinha deitado fora. Com aquelas roupas dava muito menos nas vistas. A seguir, com um maço de notas num dos bolsos e o pêndulo no outro, saiu do quarto e seguiu até ao fim do corredor, até à arrecadação do material de limpeza. Tinha visto as empregadas entrarem ali com montes de roupa, que enfiavam na conduta da lavandaria. Tinha de correr o risco...

Fez uma viagem, rápida, escura, precipitada até à cave do hotel, onde aterrou sobre um monte de roupa suja. Retirou uma peúga malcheirosa da cabeça e olhou à volta. Sem ninguém à vista, não lhe foi difícil chegar à porta destinada aos fornecedores. Da parte de fora, estava a bicicleta de um distribuidor e montou-se nela, mas, como tinha os nervos num feixe e a bicicleta era demasiado grande, antes de conseguir equilibrar-se caiu duas vezes e feriu um tornozelo na corrente. Não tardou que seguisse a pedalar na direcção do ocidente, afastando-se das traseiras do Bellingham Hotel, com os caracóis castanhos soltos ao vento e uma expressão de decisão e ansiedade. Enquanto a bicicleta ia rolando em cima do asfalto, Molly tentava persuadir-se de que não tinha nada a recear, de que aquele homem seria mais uma das suas vítimas. Ao cruzar a Madison Avenue, disse a si própria que tinha de ser forte e que, não tardaria muito, veria de novo a *Petula*. Enquanto pedalava pela Quinta Avenida, ao longo de Central Park, tentou manter-se excitada. Porém, logo que passou a entrada do parque voltou a sentir a apreensão anterior. Com um dedo que tremia, seguiu o caminho que tinha de percorrer no mapa do parque, descobrindo que não estava longe do Coreto dos Escuteiros. Retesou-se. Sabia que à noite o Central Park era percorrido por tipos esquisitos, como o homem que tinha de encontrar. Desde que conseguisse olhar qualquer pessoa nos olhos, estaria em segurança. Portanto, respirando fundo, avançou.

O parque estava lindo. A Lua tinha emergido das nuvens, inundando de luar as árvores gigantescas, agora sem folhas. Do chão elevava-se uma névoa húmida e pegajosa, que chegava aos tornozelos da Molly. Voltou a montar na bicicleta, tendo o cuidado de olhar à volta com frequência, não fosse alguém estar escondido atrás de uma das moitas e agarrá-la pelas costas, e seguiu numa pedalada cadenciada através do parque. Por mais corajosa que quisesse ser, qualquer galho a abanar, qualquer movimento das moitas, lhe provocava um baque no coração. Ocasionalmente, passavam por ela corredores ou pessoas com *skates* mas, a maior parte do tempo, a Molly seguia sozinha pela escuridão. Não viu ninguém quando chegou ao coreto. Encostou a bicicleta, subiu ao coreto e esperou em cima da plataforma. Um relógio quebrou o silêncio, anunciando mais um quarto de hora; eram então 18h30m. Começou a chover, Molly ficou à espera, à espera, tentando manter-se calma. O coração batia-lhe com tanta força que parecia querer sair pelas costelas. De súbito, apareceu um vulto baixo, redondo, que mal reconheceu como uma pessoa, a esconder-se numa moita e depois noutra. Então, olhando para cima, correu pelo carreiro, na direcção dela.

Capítulo XXII

O homem começou a subir a escada do coreto. A expectativa e o medo eram demasiados para a Molly, fazendo-a tremer e bater os dentes. Fechando a boca com toda a força, procurou que o bater dos dentes não denunciasse o medo que sentia, mas o esforço provocou-lhe dor de cabeça. A aragem fria de Dezembro fez-lhe chegar o cheiro do homem ao nariz. Era um cheiro enjoativo a gorduras de má qualidade, suor e tabaco velho. Molly sentiu-se mal. Com o homem ainda a subir a escada de madeira, reparou que ele trazia auscultadores nos ouvidos e uns estranhos óculos escuros com um desenho em espiral no meio de cada lente. Numa das mãos trazia um mala e, na outra, um microfone. Este estava ligado a um aparelho qualquer que lhe pendia do cinto. Vestia um casaco de pele de carneiro e era, decidiu a Molly, manifestamente muito, muito *esquisito*. Contudo, por mais nervosa que aquele homem a pusesse, Molly concentrou-se para que os olhos transmitissem o máximo de poder hipnótico. Quando ele ficou por debaixo da luz fraca do coreto, olhou-o com os olhos abertos ao máximo.

— Seja... bem... vindo — disse com lentidão, a tentar pôr esta ratazana torpe num profundo sono hipnótico. Porém, em vez de se imobilizar, o homem deu mais um passo na direcção da Molly e apontou-lhe o microfone.

— Lamento, Miss Moon, os seus poderes hipnóticos não funcionam comigo, pois estou a usar uns óculos criados pelo próprio Dr. Mesmer. Quanto à sua voz hipnótica, não estou a ouvi-la. Com este aparelho ouço tudo o que me está a dizer, mas em tom normal.... Através dele, parece que estou a ouvir a voz de um extraterrestre.

Molly ficou perplexa. Foi então que viu o escorpião dourado que pendia do pescoço do homem. O olho de diamante do escorpião faiscou ao luar e, para seu espanto, reconheceu a cara feia do professor que ouvira aos gritos na biblioteca de Briersville.

O estranho é que, a partir daquele momento, a Molly perdeu o medo. Na realidade, sentiu-se aliviada por ver o professor, pois estava à espera de encontrar um raptor maníaco. Além disso, deu-lhe um certo conforto estar perante alguém que conhecia Briersville. Era quase o mesmo que encontrar um velho amigo. Molly tentou pensar de forma rápida e lógica. O professor não era certamente um raptor; portanto, o raptor seria uma outra pessoa. Era conveniente avisá-lo. Ou saberia ele quem era o raptor? Molly sentiu-se confusa por breves instantes. Mas então regressou, em pensamento, à biblioteca de Briersville. Viu com clareza a maneira horrível como o professor gritava agressivamente com a bibliotecária. Exigia um livro que a pobre senhora teria perdido. Um livro da autoria do Dr. Logan. O livro que Molly tinha furtado. Olhou para os equipamentos de que o professor se fazia acompanhar. Num abrir e fechar de olhos, percebeu que estava metida num grande sarilho.

— Vamos direitos ao assunto — começou o professor. — Conheço os seus truques, Molly Moon. Ou devo dizer «Miss Cuco». Conheço *exactamente* o seu modo de operar. Sei onde o aprendeu e tudo o que fez. Esse manual de hipnotismo de que se apoderou era meu. Paguei-o. Era minha propriedade. Ainda você usava fraldas, já eu sabia da existência do livro do Dr. Logan.

Ao olhar para a Molly por detrás daqueles óculos esquisitos, Nockman sentia-se cada vez mais excitado porque, na verdade, estava deslumbrado com a rapariga. Todas as outras pessoas se tinham sentido deslumbradas por terem sido hipnotizadas, mas Nockman sentia que ela lhe era superior. Aos seus olhos, a Molly tinha talentos deslumbrantes. Tinha-a visto em acção e respeitava-a. Na sua opinião, a rapariga tinha estofo para se tornar uma criminosa de categoria, sentia um enorme prazer por a ter conhecido. Assim, por pensar que eram muito semelhantes, falou-lhe num tom mais amável.

— Como sabe, Miss Moon, tenho sido muito castigado por si. Andar atrás de si tem sido um trabalho cansativo, embora interessante, por vezes. A minha paciência foi desafiada até ao limite. Penso que não deixará de se mostrar simpática quando eu digo que espero uma certa recompensa pelos meus... incómodos.

O coração da Molly batia apressado. Encontrava-se numa situação muito enervante. Gostaria que aparecesse alguém, olhou à sua volta, à procura de auxílio. Nockman prosseguiu, falando apressadamente: — *Se* quer tornar a ver a cadela, não deve meter mais nenhuma pessoa nisto. Quer voltar a ver a sua cadela, não quer?

— Quero — respondeu Molly com ar infeliz.

Nockman sentou-se no banco do coreto e levou a mão ao bolso. — Aqui tem — disse, ao mesmo tempo que lançava uma tira de couro para o regaço da rapariga —, a coleira da sua cadela.

Molly mordeu o lábio.

— Ora bem — continuou Nockman —, prometo não fazer nada que a possa magoar. Efectivamente, pode até acabar por estar de acordo com o que lhe vou pedir, Molly Moon. Contudo, devo avisá-la, uma vez mais, de que tem de fazer tudo o que eu mandar. Porque, se não o fizer, asseguro-lhe de que não voltará a ver a cadela e que o seu pequeno *segredo* passará a ser conhecido por um número muito maior de nova-iorquinos. Deixe-me pôr as coisas nestes termos... Tenho a certeza que inúmeras pessoas ficarão muito aborrecidas se souberem que a Molly abriu caminho até ao topo à custa de mentiras. De facto, se fosse levada a tribunal seria processada por fraude. Um crime que, sendo reconhecida culpada, a levaria à prisão. É certo que uma pessoa da sua idade não iria para a prisão; iria, antes, para uma reformatório destinado a criminosos juvenis, mas também ouvi dizer que tais instituições não são nada confortáveis; muito piores do que os maus orfanatos.

Nockman sorriu, sem esconder um brilho sinistro no olhar.

— Mas a *Petula* está bem? — gaguejou a Molly.

— Falaremos dela mais adiante.

— Mas pretende o quê? — gritou Molly. — Dinheiro? Tenho montes de dinheiro. Basta dizer-me quanto quer.

Procurava desesperadamente saber como é que aquele homem sórdido, manipulador, a tinha encontrado. Odiava-o.

O professor Nockman fez um trejeito de desdém. — Dinheiro? Sim, de certa maneira, é mesmo isso que quero, dinheiro. Há um assunto — acrescentou, abrindo a mala, — que exige a sua cooperação.

Tirou um grande sobrescrito da mala e, com a mão enluvada, entregou-o à Molly. — Este sobrescrito contém tudo aquilo que precisa de saber para me ajudar. Quero alugar as suas capacidades... só por um dia... É um pequeno favor, em paga da boa sorte que o meu livro de hipnotismo lhe proporcionou.

— O que quer que eu faça? — perguntou Molly, recebendo o sobrescrito com relutância, como se esperasse que ele explodisse a qualquer momento.

— Pretendo — disse Nockman num suspiro, — bem, a primeira coisa que quero é, como deve calcular, o manual de hipnotismo. Em segundo lugar, há este problema do favor, este, como dizer... Quero que me ajude a assaltar um banco.

Capítulo XXIII

—Assaltar um banco?!

Molly mal conseguiu gaguejar as palavras e Nockman sorriu, condescendente.

— Nunca lhe tinha passado pela cabeça, Miss Moon, que poderia usar as suas capacidades para assaltar um banco? Em vez de estar para ali a cansar os seus pezinhos com as danças para ganhar a massa, podia ganhar milhões de vezes o que lhe pagam, com um só assalto a um banco.

— Não, nunca me ocorreu — respondeu a Molly, completamente baralhada.

— Deixe-se disso — disse Nockman, a mostrar-se incrédulo.

— Escusa de se mostrar tímida. Mostra todos os sinais de ser uma vedeta do crime. Devia sentir orgulho em si própria.

— Mas eu nunca roubaria um banco — insistiu Molly.

— É claro que roubaria. E vai roubar. E penso que depois de regressar ao Bellingham e de abrir esse sobrescrito, vai ficar muito impressionada.

Molly notou que Nockman parecia muito satisfeito consigo próprio.

— Aí dentro estão os planos que vão pôr essa sua cabecinha a andar à roda. Verá, miúda, como é que se pratica um crime importante.

Respirou com esforço. — Quero que assalte o Shorings Bank. Talvez já tenha ouvido falar dele. Tem a sede em Nova Iorque, no bairro dos joalheiros, na Rua 46. É lá que todos os comerciantes de joalharia e os maiores proprietários de jóias guardam as suas pedras preciosas. Aquele lugar está cheio até às costuras, com rubis, safiras, diamantes. Qualquer que seja a pedra preciosa em que esteja a pensar, eu digo-lhe que ela existe naquele banco, aos montes. Não é um banco para guardar barras de ouro, nem há lá grandes quantidades de dinheiro. Não, o que ali se guarda são *jóias*. E qual é a razão que leva as pessoas a guardarem ali o *material*? Uma razão simples: o Shorings é o banco mais bem guardado do mundo. Assaltá-lo é tão difícil como ir ao centro da

Terra e regressar, se é que entende o que quero dizer. Todo o criminoso sonha com um assalto ao Shorings. Pelo meu lado, sonho com esse assalto desde criança.

— Mas o senhor é um professor! — exclamou a Molly, o que soou a ostentação, mesmo sendo dito por ela.

— Deixe-se disso, minha pequena Molly — zombou Nockman. — Acorde e veja onde tem os pés. Não sou professor... Bom, professor do crime, talvez — disse ele, a rir-se da sua própria piada. — Há muito tempo que ando a *estudar* este trabalho. Será o Shorings inexpugnável? É. Mas não para um génio do crime como eu. Decidi que havia de o derrotar. Por conseguinte, resolvi trabalhar lá, como auxiliar de limpeza. E limpava *muito bem*, para não lhes dar motivos para me despedirem. Dei brilho aos soalhos, limpei latrinas, mas sem nunca deixar de estudar o lugar, de ver como é que o sistema funcionava. Contudo, mesmo depois de lá ter trabalhado, continuei a não saber *exactamente* como é que podia assaltá-lo. Mais tarde, soube da existência do manual de hipnotismo e, depois disso, soube da sua existência.

Molly estava de boca aberta, embasbacada.

— Tencionava ser eu próprio a assaltar o banco — prosseguiu. — Mas como roubou o livro e me tem causado tantos transtornos, pensei em deixá-la fazer o trabalho em vez de mim.

Molly sentia-se sem força. — Obrigada — respondeu.

— Portanto, deixo todo esse material em muito boas mãos — disse Nockman, a agasalhar-se melhor no casaco de pele de carneiro. — Deve considerar isto um privilégio. Esta é a sua oportunidade de ficar ligada ao maior assalto a um banco, em qualquer época. Vai ver. Vai ter o seu lugar na História.

Dizendo isto, rodou nos calcanhares e foi-se embora. Sentia-se bem. Nunca falara a ninguém das suas ambições, ou da sua profissão. Tinha tido uma grande ideia. — Depois, ligo-lhe — acrescentou. — E não pense em fazer nenhuma asneira, como falar com os chuis... Não se esqueça, a cadela está em meu poder.

Dito isto, desapareceu.

A reunião terminara. Molly ficou no mesmo sítio, horrorizada, a segurar o sobrescrito pesado. Tirando um ou outro rebuçado, nunca na sua vida roubara nada. A ideia de assaltar o Shorings para roubar milhões de dólares em jóias punha-a doente, terrivelmente assustada. Mas, se não o fizesse, a *Petula* morria. De súbito, deixara de exercer qualquer domínio sobre a situação.

Deixou o coreto e empurrou a bicicleta pela vereda. Agora sentia remorsos por ter trazido a bicicleta. Sentia-se uma ladra. Depois pensou no que Nockman lhe tinha dito, que ela era uma fraude. Era uma *fraude*. Pensou no dinheiro que ganhara no concurso de talentos de Briersville e da maneira como tinha afastado a Davina Nuttel do espectáculo *Stars on Mars*. Estava espantada consigo própria. Podia dizer que a Davina era uma arrivista, maçadora e estragada com mimos, mas pelo menos tinha trabalhado para conseguir chegar ao topo, ao passo que ela, Molly, *tinha mentido* para vencer. Como poderia criticar o Nockman por querer assaltar um banco, se ela própria, à sua maneira, tinha andado a fazer o mesmo?

Pôs-se a imaginar o que aconteceria se, na realidade, assaltasse o Shorings Bank. Seria apanhada, de certeza. Ao contrário dos teatros, os bancos tinham meios para se defenderem dos ladrões. Dispunham de todos os tipos de aparelhos de alta-tecnologia: alarmes, câmaras de vigilância. Seria presa, julgada em tribunal e mandada para uma prisão para jovens. Podia imaginar a forma como os jornais iriam aproveitar-se do assunto. A sua fotografia estampada na primeira página, a fazer que o público a odiasse. Talvez as notícias acabassem por chegar a Briersville, fazendo que todas as pessoas da terra soubessem o que a Molly tinha feito. Imaginava a vergonha que Mrs. Trinklebury sentiria, como choraria enquanto amassava os seus bolos. Molly viu-se numa cela de cimento, sentada num catre, sozinha e sem visitas. Mrs. Trinklebury estaria demasiado longe para poder vir, a *Petula* não seria autorizada. E o Rocky? Iria visitá-la?

Molly sentia os olhos a arder. Ansiava por um amigo a quem pudesse fazer confidências. Precisava do Rocky. Viu-lhe o rosto, em pensamento e, pela primeira vez em muitas semanas, sentiu os olhos cheios de lágrimas. Achou que, se não tivesse estado tão preocupada consigo mesma, nesta altura já poderia tê-lo encontrado. Sentiu-se mal por se ter esquecido do amigo e por, em vez disso, ter procurado fama e riqueza. Agora, comparadas com a amizade do Rocky, tais coisas pareciam não ter qualquer valor. Amava-o como a um irmão e naquela altura precisava desesperadamente dele.

Quando passou pelo «poço dos desejos» do parque, tinha as faces molhadas de lágrimas. Parou. Recordou-se dos versos de uma velha canção: «*Nunca sentirás a falta da água, até o teu poço secar.*»

Levou a mão ao bolso e tirou de lá o pêndulo. Brilhava, mesmo no escuro. Molly pensou que o pêndulo não era melhor do que todas as coisas que tinha andado a procurar em Nova Iorque. Era caro, belo e brilhante, mas, feitas as contas, não servia para nada. Neste momento, bem preferiria o seu velho pêndulo feito com um fio e um bocado de sabão.

Ficou uns momentos a apreciar o pesado objecto de ouro e então, num impulso súbito, atirou-o para dentro do poço. Ao fazê-lo, desejou, de todo o coração, voltar a ver a *Petula* e o Rocky. Ficou a ouvir o pêndulo a bater na água e a afundar-se.

Sempre à chuva, Molly pedalou até ao Bellingham Hotel, sem conseguir deixar de pensar na situação em que se encontrava. Se recusasse colaborar no assalto ao banco, seria denunciada pelo Nockman e iria parar à prisão. Mas, pior do que isso, Nockman faria desaparecer a cadela. Tinha a cabeça cheia de visões horríveis: *Petula* a morrer de fome numa cave, *Petula* a ser atirada a um rio, *Petula* a ser atirada do alto de um arranha-céus. Molly desprezava Nockman e sentia uma grande animosidade em relação ao bandido. Sentia-se capaz de *o* atirar do alto de um arranha-céus. Sentia-se capaz de o trespassar com uma espada enorme. Na sua cabeça, a preocupação com a *Petula* e o ódio ao Nockman misturavam-se com o desejo de rever o Rocky e com a mais completa desorientação. Conseguiu deslizar para o elevador destinado aos fornecedores e encontrar o caminho para a sua *suite*, ensopada e suja, num estado verdadeiramente lastimável.

De regresso ao quarto, completamente desmoralizada, sentou-se na cama e abriu o sobrescrito. A primeira coisa que viu foi um mapa. Era uma planta do interior do Shorings Bank. Uma parte mostrava as instalações do rés-do-chão, outra referia-se às instalações da cave. Era na cave que estavam todos os cofres e cacifos de depósitos. Molly gemeu ao ler o que Nockman tinha escrito: «*Não deixar nada nestas salas.*»

Um dos cofres-fortes era designado por «Sala dos Cofres de Pequenos Depositantes». Molly pensou nas velhinhas ingénuas que guardavam os preciosos objectos de família no banco. Sofreriam ataques cardíacos, ao saberem que as suas jóias tinham sido roubadas. Roubadas pela Molly. Leu uma nota no fundo da página:

«É um trabalho simples. Quero todas as pedras preciosas, jóias, qualquer peça de joalharia que esteja nos cofres. Despreze o ouro e o dinheiro. Tenho uma lista dos depósitos e servir-me-ei dela.»

Tirou outros documentos do sobrescrito. Havia uma lista de todas as pessoas que trabalhavam no banco e do respectivo local de trabalho. Na última página, com o título «Operação Hipno-banco», lia-se:

1. *Hipnotizar todo o pessoal do banco: escriturários, secretárias, gerente, guardas.*
2. *Hipnotizar os clientes que se encontrem no banco.*
3. *Ordenar ao director que feche o banco e que desligue todos os alarmes e câmaras de vigilância do interior do edifício.*
4. *Conseguir meios de entrar nos cofres-fortes da cave.*
5. *Roubar.*
6. *Carregar o veículo na garagem do banco.*
7. *Ordenar a todos os empregados do banco que se esqueçam do que sucedeu.*
8. *Hipnotizar o motorista e obrigá-lo a seguir para o armazém (endereço a comunicar mais tarde).*

E onde estaria o Nockman durante toda a operação? A quilómetros de distância, pois claro, num sítio que o pusesse ao abrigo de suspeitas. Molly continuou a leitura. Pretendia-se que ela acompanhasse o veículo até um armazém, onde encontraria um furgão castanho. O motorista hipnotizado devia transferir o produto do roubo do furgão do banco para o veículo castanho, sendo mandado embora depois de instruído para contar uma história, inventada pela Molly, sobre os sítios por onde tinha andado. E só depois de feito tudo isto é que Nockman chegaria, para levar o furgão e o tesouro roubado. Uma vez chegado a outra terra, situada a uma distância razoável, depois de ter conferido a carga do veículo e de ter a certeza de que continha tudo o que fora roubado no banco, então, e só então, telefonaria à Molly, para o armazém, para lhe dizer onde poderia encontrar a *Petula*.

«Quando tiver a certeza de que está lá tudo, telefono-lhe e dou-lhe o endereço da casa onde poderá encontrar a sua cadela, bem instalada e de boa saúde.»

Molly gemeu. E se Nockman não devolvesse a *Petula*? E se ele conservasse a cadela em seu poder, para obrigar a Molly a roubar *outro* banco? Ou se ele fugisse com o produto do roubo sem lhe dizer onde é que a *Petula* estava? Pôs-se a imaginar a hipótese de chamar a polícia. Mas as palavras de Nockman continuavam a martelar-lhe os ouvidos: *«Se meter os polícias nisto, pode ter a certeza de que a cadela morre.»*

Foi à casa de banho chapinhar a cara com água, a tentar acalmar-se um pouco. Ficou a olhar para o espelho da casa de banho, a olhar, a olhar. Queria hipnotizar-se a si própria para sentir que dominava a situação.

Contudo, em vez de mudar, a sua cara manteve-se sem alteração. Não sentiu o sentimento de união a subir-lhe pelas pernas. A sua cara, triste e manchada de lágrimas, devolvia-lhe o olhar e, por mais esforços que fizesse, não conseguiu criar a imagem de uma Molly confiante. Percebeu que estava completamente à deriva. Tão desamparada que estava a perder os seus poderes. Que situação horrível!

Obrigou-se a afastar-se do espelho e regressou ao quarto. Havia uma luz a piscar no telefone. Alguém tinha deixado uma mensagem. Sentiu um baque no coração ao pensar que seria o Nockman a indicar-lhe o endereço do armazém. Carregou no botão para ouvir a mensagem.

— Viva, Molly!

Era a voz de Barry Bragg. — É só para te dizer que estiveste fabulosa, absolutamente fantástica no espectáculo da noite passada... Telefona-me, é o Barry.

Biiiiiip.

— Molly, fala o superintendente Osman. Agradeço que nos telefone, gostaríamos de falar de outros métodos que possam levar-nos a encontrar a pista da sua cadela. O telefone é o 7137889.

Biiiiiip.

— Molly, o meu nome é Mrs. Philpot. Consegui o seu número através do Barry Bragg. Ele disse-me que poderia estar interessada nuns cachorros de raça *pug* que tenho... Ligue-me para o número 6782356.

Biiiiiip.

— Olá, Molly. Sabes quem fala? — Molly sentou-se... era a voz do Rocky! — Estou em Nova Iorque, no vestíbulo do teu hotel, mas não estás no quarto. Vou esperar por ti até às 19h45m; depois volto para o meu hotel... O número de lá é o 9753366.

Molly olhou para o relógio. Eram 19h40m. Correu para fora do quarto, chamou o elevador e passado pouco tempo deslizava para o rés-do-chão. Logo que a porta se abriu procurou ansiosamente por entre as pessoas que se encontravam no vestíbulo. Foi então que viu a cabeça com caracóis negros a aparecer por cima de uma cadeira envernizada de preto.

A Molly nem queria acreditar. — Rocky! Descobriste-me!

Surpreendido, aquele rosto fantástico, acastanhado, do Rocky voltou-se para olhar para ela. Em toda a sua vida, Molly nunca tinha tido uma visão que a deixasse mais feliz.

— Olá, Molly!

Os dois amigos correram um para o outro e abraçaram-se, como irmão e irmã. Por momentos, a Molly esqueceu-se de todas as preocupações: estava tão feliz por ver o Rocky. Era como se lhe tivesse sido devolvida uma parte de si mesma. Olhava embevecida para o rosto do Rocky, que lhe parecia mais bonito do que nunca. Tinha o cabelo cortado e vestia um blusão novo, de ganga. No resto, era exactamente o mesmo.

Deixaram-se estar, de boca aberta, a sorrir um para o outro, felizes por estarem um em frente do outro, até que a Molly tomou uma decisão. — Anda daí, depressa, vamos lá para cima, para longe desta gente toda.

Ao pressionar o botão de chamada do elevador, murmurou-lhe ao ouvido: — Nem sabes como estou feliz por te ver. Não sabes, Rocky, de certeza que nem calculas...

— Passa-se o mesmo comigo — disse o Rocky.

— Oh, Rocky, de verdade? Tenho tantas coisas para te contar. Como é que me encontraste? Tenho tido tantas saudades de ti!... Estou tão feliz por estares aqui, ao pé de mim. Como soubeste que eu estava aqui? Foi o Gerry quem te disse?

— O Gerry? Não. Vi-te na *televisão*, hoje pela manhã, quando contaste a toda a gente que a *Petula* se tinha perdido — explicou Rocky —, naquela altura em que me mandaste um cumprimento. Nem parecia a sério! Nem conseguia *convencer-me* de que estavas aqui, em Nova Iorque. Mas fiquei verdadeiramente satisfeito, pois não fazia ideia do sítio onde estavas. De todas as vezes que falei para Hardwick House, foi a Hazel quem atendeu o telefone e ela não fazia ideia de onde tu estavas. Eu não sabia como contactar Miss Adderstone. A propósito, a Hazel disse-me que ganhaste o concurso de talentos de Briersville. Tens de me contar toda essa história...

— Conto-te mais tarde — atalhou Molly, com a esperança de que ele não viesse a reprovar *a forma* como ela tinha ganho. Entraram no elevador de braço dado.

— Estava a tomar o pequeno-almoço... a beber chá e a comer um semi-frio quando te vi na TV. Engasguei-me e sujei a mesa toda... Fiquei tão, tão espantado...

— Desculpa — disse a Molly, desatando a rir.

O elevador deteve-se no 22.º andar. — Nem queria acreditar que eras *tu*, minha velha Molly Moon, no programa da manhã da televisão americana!

— Eia... que quarto *fabuloso!* — exclamou Rocky ao entrar na *suite* supersónica da Molly. — Isto é espantoso! Molly, tens de me contar tudo o que te aconteceu. Quero dizer, isto é tão fixe. É tudo para ti.

— Bom, era para mim e para a *Petula*.

Rocky pegou no fato espacial da cadela e suspirou. — Tenho a certeza de que vai ser encontrada... foste muito persuasiva naquele teu programa... Os meus pais acharam-te amorosa... Disseram coisas como: «Oh, mas a Molly Moon é mesmo um amor... Parece a Shirley Temple... é adorável.»

De repente, Molly teve uma ideia terrível. Teria o Rocky sido hipnotizado por ela através do programa de TV? Seria uma ideia insuportável se o seu único amigo verdadeiro tivesse sido levado a gostar dela por estar hipnotizado, como acontecera com as outras pessoas todas. — Rocky — disse, interrompendo-o subitamente —, antes de pensares seja o que for a meu respeito, vou contar-te *como* é que consegui obter isto

170

tudo, *como* é que consegui entrar no espectáculo *Stars on Mars* e tudo o resto; por isso, não tires conclusões antes de eu te contar a história toda. E deixa que te avise: podes não gostar de mim depois de saberes tudo o que fiz, mas tenho de te contar a verdade, pois, de outra forma, não ficarias a saber quem eu sou.

— Acalma-te, Molly — disse o Rocky, enrugando a testa e sentando-se no sofá. Serviu-se de um caramelo que tirou da grande tigela que estava sobre a mesa.

— Vou acalmar-me — respondeu a Molly, inspirando profundamente. — Antes de mais, tenho uma coisa para te mostrar.

Foi até junto de um armário e abriu-o. — É a coisa que mudou a minha vida... Foi isto que me ajudou a chegar aqui.

Digitou um código numérico de segurança e abriu a pesada porta de aço do cofre. Tirou de lá o manual de hipnotismo embrulhado em seda branca, e entregou-o ao Rocky. — Esse embrulho contém um livro verdadeiramente incrível. Não é nenhuma piada, Rocky, é um livro mesmo especial. Foi este livro que me trouxe até Nova Iorque. Trouxe-me todos estes êxitos... mas acabou tudo numa desgraça.

Enquanto a amiga despejava uma *Qube* para dois copos, Rocky abriu o embrulho. E, durante a hora seguinte, a Molly contou-lhe toda a história. Desde a hora em que tinham discutido na pista de corta-mato de Briersville até ao momento em que ouvira a voz de Rocky ao telefone, havia minutos. Mostrou--lhe o sobrescrito com as instruções de Nockman e a coleira da *Petula*. Quando acabou, ainda arranjou coragem para olhar o Rocky nos olhos.

— Portanto, agora sabes tudo o que tenho andado a fazer. O pior é que, preocupada apenas comigo, entusiasmada com a fama, com o dinheiro e com todas estas coisas brilhantes, quase me esqueci de ti. Então, quando também perdi a *Petula*, percebi como é horrível viver sem amigos. É provável que agora queiras ir-te embora, mas não podia deixar de te contar toda a verdade.

Rocky estava com uma expressão pensativa. Enrolou o papel dourado de um chocolate à volta da mão, até conseguir fazer uma pequena bola. — Não te censures — disse ele. — Não tenciono *ir-me* embora. Acabo de te reencontrar. Por que razão havia de querer deixar a minha *melhor* amiga, que foi quase *impossível* de encontrar e que me fez uma falta maluca? — Rocky segurou a bola dourada e fê-la oscilar de um lado para o outro, de forma a que brilhasse quando a luz incidia sobre ela. — Quer dizer, ela pode ser meio-maluca e ter andado a fazer coisas que não devia ter feito, e depois? Mesmo assim, continua a ser a melhor pessoa que conheço. Pois bem, olha para esta bola. Se fosse a única coisa preciosa que possuísses e sempre tivesse sido tua, não ias deitá-la fora logo que lhe notasses alguma pequena mancha de ferrugem, pois não?

Molly negou com movimentos de cabeça e continuou a olhar para a bola dourada.

— Descontrai-te, Molly. Não vou para lado nenhum. Vou ficar aqui, a teu lado, concordas? Então, podes descansar, sentir-te bem.

Efectivamente, a Molly sentia-se bem. Melhor do que vinha a sentir-se desde havia muito tempo. Era maravilhoso ter o Rocky de volta. Estava a falar, mas ela não conseguia perceber o que ele lhe dizia. Limitava-se a ouvir-lhe a voz quente e amável, a aperceber-se da falta que ele lhe fizera. Sentiu-se como se estivesse de regresso a casa. Mas havia ainda uma preocupação.

— Rocky, o que é que vou fazer acerca da *Petula?* Não vejo como é que posso escapar desta armadilha. O Nockman está a fazer chantagem comigo. *Petula* está por aí, algures, sozinha e cheia de medo, tudo por minha causa. Melhor fora que continuasse doente por causa das bolachas de chocolate de Miss Adderstone. Porque agora pode morrer, é muito provável que morra... Quer dizer, este tipo é realmente louco... e tudo por minha culpa... devia ter ficado em Hardwick House e suportado a vida que tinha lá. Podia ser má em tudo e detestada por todos, mas pelo menos a *Petula* não estaria em perigo e ninguém estaria a fazer chantagem comigo para me obrigar a assaltar um banco... De facto, preferia estar lá... Preferia nunca ter encontrado este estúpido deste livro de hipnotismo... Preferia fazer o relógio andar para trás e que nada disto tivesse acontecido.

De súbito, o Rocky bateu as palmas e num abrir e fechar de olhos o quarto de hotel desapareceu. Foi substituído por uma mata. A mata que havia ao lado da pista de corta-mato, à entrada de Briersville. O Rocky e a Molly encontravam-se sentados num banco, como estavam naquela tarde da discussão entre eles. Tanto ele como a Molly vestiam os equipamentos de desporto, com sapatilhas de ténis. Chovia muito e estavam molhados.

Capítulo XXIV

Molly quase caiu. Ficou em pânico, a beliscar-se para se convencer de que era ela. Na realidade, estavam sentados, à chuva, na pista de corta-mato da escola de Briersville.

— Aaaah, o que é que está a acontecer? Para onde foi Nova Iorque? — gritou.

Rocky sorriu. Ouviu-se um trovão ribombar no céu, por cima das cabeças deles.

— Nunca estiveste em Nova Iorque — disse calmamente. — Foi tudo um produto da tua imaginação e também da minha.

Ainda em estado de choque, Molly só conseguiu gaguejar:
— Mas... como?

— Hipnotizei-te — disse o Rocky.

— *Tu* hipnotizaste-me, *a mim?* — atalhou Molly, agastada.

— Pois.

— Tu hipnotizaste-me?! — repetiu a Molly. — Mas... mas… quando?

Sentia-se desorientada e confusa. A chuva tornou-se ainda mais forte.

Rocky suspirou, com cara de caso. — Desculpa, mas há momentos, aqui em Briersville, tu disseste: «Odeio este lugar; na verdade, não consigo pensar que possa existir um lugar *pior* em qualquer parte do mundo. A minha vida é um verdadeiro *horror.*»

Molly continuava confusa. — Eu disse isso? Não consigo lembrar-me de nada.

— Foi o que disseste, no final da nossa discussão — disse o Rocky.

— Qual discussão? — perguntou a Molly, que cada vez percebia menos.

— Desculpa — disse o Rocky —, mas tenho de esclarecer bem isto. Desde manhã que andas chateada porque a Mrs. Toadley te tratou mal depois do teste e Miss Adderstone tem vindo a dar-te castigos durante toda a semana, recordas-te, como limpar as sanitas com a tua escova de dentes.

— Mas... — disse Molly —, mas... não acredito... é incrível...
Não conseguia encontrar outras palavras, pois mal começava a perceber onde estava e em que tempo.

— Disseste — repetiu o Rocky — que não conseguias pensar num lugar *pior* para se estar e que a tua vida em Briersville era um *horror*. Por isso, hipnotizei-te para te mostrar um lugar ainda pior, que foi uma situação imaginária numa Nova Iorque também imaginária.

— Nesse caso, a *Petula* está bem? — perguntou a Molly, ainda chocada.

— Está — respondeu o Rocky. — Neste preciso momento, o mais certo é estar enroscada no regaço de Miss Adderstone.

— Então, o Nockman não existe.

— Pois não.

— E a Adderstone continua em Hardwick House?

— Pois.

— E não utiliza a dentadura postiça como se fossem castanholas?

— Não.

— E tu não foste adoptado?

— Não.

— E eu continuo a mesma Molly Moon, de quem ninguém gosta?

— És tu quem o diz.

Molly suspirou de alívio. A preocupação com o destino de *Petula* e a ideia de que tinha de roubar um banco eram dois grandes pesos que lhe saíam de cima dos ombros. Sentiu o estômago a descontrair-se e mil vezes mais descansada.

— Eia! — exclamou, ainda tonta devido ao choque e não totalmente convencida de que tinha regressado ao seu velho mundo. — Viva, Rocky! Mas onde é que aprendeste a hipnotizar? Bravo! Que história mais fantástica! Foi tudo inventado por ti?

— Pois foi.

— Mas, Rocky, a hipnotizar *realmente* as pessoas podias chegar onde quisesses. Estou a dizer-te que és *realmente* bom. Parecia tudo *completamente* verdadeiro. Durante várias semanas senti que estava, de facto, a viver em Nova Iorque.

Molly ficou a ver os pingos de chuva que lhe iam ensopando as sapatilhas de ginástica. — Não posso crer que pensei ser *eu* uma hipnotizadora a sério, quando, durante todo este tempo, o hipnotizador eras *tu*.

— Pois era — aquiesceu Rocky.

— Mas foi *espantoso* — disse Molly, a recordar-se de tudo —, senti que estava *mesmo* naquele espectáculo.

Arrepiou-se toda. — E o Nockman era tão convincente. Que homem horrível, fez-me sentir mesmo mal, quando raptou a *Petula*. Rocky, tu tens uma imaginação *turbulenta*. Nem posso acreditar que tenhas inventado aquilo tudo. E desde quando é que consegues fazer isso? Onde é que aprendeste? O livro existe realmente? Por que é que não me disseste? — encarou o Rocky com um ar de desconfiança. — Por que razão nunca me tinhas hipnotizado? Ou tinhas?

— É melhor regressarmos — disse o Rocky. — Gostaria de saber o que vamos ter para jantar.

— É provável que seja aquele peixe da Edna, com molho de queijo e nozes — respondeu a Molly, a pensar na comida do Bellingham, que na sua imaginação achara tão deliciosa. — Olha, Rocky, tenho de dizer que algumas partes da história que me contaste eram verdadeiramente bonitas — foi dizendo, a lamber os lábios. — A comida do hotel era um espanto, o quarto de dormir era tão giro. Serviço de quartos... Gostei do serviço de quartos e gostei da vista da varanda do hotel e, mesmo pensando que não devia ter roubado o papel à Davina, gostei de actuar no espectáculo *Stars on Mars*, e gostei de Nova Iorque, oh, e gostei mesmo muito de ter dinheiro.

Molly soltou uma gargalhada. — Seria maravilhoso se tudo aquilo fosse verdadeiro, desde que o Nockman fosse riscado da história. Quer dizer, estava ali só para estragar tudo. Embora eu suponha que estivesse a começar a sentir-me culpada de ser uma mentirosa. No entanto, no conjunto... foi muito agradável.

Mais uma risadinha da Molly e, de repente, viu-se um relâmpago e o Rocky tornou a bater as palmas.

Capítulo XXV

O clarão do relâmpago iluminou o horizonte de Nova Iorque e a Molly encontrou-se de novo no quarto do Bellingham Hotel, na companhia do Rocky.

— O que é...? Porquê...? Rocky! O que é que está a acontecer? Oh, Rocky, o que é que estás a fazer? Voltámos aqui, porquê?

Molly sentia-se baralhada. Já não distinguia entre o que era verdadeiro e o que era produto da fantasia, não estava a gostar nada do que sentia.

— Rocky — disse lentamente —, não estou a perceber... O que é verdadeiro, isto ou os bosques de Briersville? Ou foi tudo imaginação minha?

— Nova Iorque é real. Briersville foi imaginação tua.

— De certeza absoluta? — perguntou Molly.

— Sim. Nova Iorque é real e tudo o que tens estado a fazer aqui é verdadeiro — respondeu Rocky.

Molly continuava na dúvida. — Tens a certeza?

— Claro que tenho a certeza — respondeu Rocky. — Hipnotizei-te usando a voz e esta bola de papel dourado.

Mostrou-lhe o papel de embalagem de chocolates. — Levei-te a pensar que ainda estávamos na pista de corta-mato. Quis que pensasses que tudo isto — apontou para a paisagem de Nova Iorque que se via através da janela — nunca tinha acontecido. Peço-te desculpa.

— Mas eu senti-me *encharcada*... com a chuva. Era tudo tão real — disse a Molly.

— Bom, o hipnotismo tem esse poder — respondeu o Rocky.

— Mas porquê... por que razão fizeste isso?

— Desculpa — repetiu o Rocky. — É que, bem, estavas a dizer que preferias nunca ter encontrado aquele manual de hipnotismo... por isso quis mostrar-te a sorte que tiveste ao achá-lo, além de querer mostrar-te que também posso hipnotizar-te.

— Então, também és hipnotizador! Nem posso acreditar — disse a Molly, ainda a recuperar da viagem que Rocky a fizera empreender e completamente rendida ao talento do amigo. — E isto é o que se sente quando se é hipnotizado... Bastante agradável! Mas, como é que aprendeste?

Rocky sorriu. — Adivinha.

— Não sei, os teus novos pais são hipnotizadores? — sugeriu Molly.

— Não.

— Desisto.

— Então, eu digo.

Rocky levou a mão ao bolso do blusão de ganga e usou de todo o cuidado com dois pequenos embrulhos em papel de seda.

— Reconheces isto? — perguntou, entregando à Molly o embrulho de feitio menos regular. Aberto o embrulho, Molly encontrou um pedaço de pele, gasto e duro, cor de vinho. Virou o pedaço de pele e viu que na outra face havia uma grande letra maiúscula, gravada a ouro, um

H

— O H que falta! — disse, espantada, e pegando no manual de hipnotismo, colocou o H no espaço vazio da lombada do livro. Encaixou-se perfeitamente e a palavra estranha, IPNOTISMO, voltou a ser HIPNOTISMO.

Rocky deu-lhe o outro embrulho. Este continha folhas de papel antigo, amarelado pelo tempo. Molly abriu as folhas. — Nem posso acreditar! Então, foste tu quem tirou estas páginas!

— Não consegui resistir — disse o Rocky. — Capítulo Sete, «Hipnotizar Apenas Com a Voz», e Capítulo Oito, «Hipnotizar à Distância». São as minhas especialidades.

— E eu a pensar que era a má da fita — disse a Molly.

— Bom, eu vi o livro primeiro que tu — explicou o Rocky. — Achei-o no sector da biblioteca que contém os livros que não podem ser emprestados para casa. Portanto, li-o lá. Precisei de imenso tempo para o ler. Escapava-me para a biblioteca sempre que tinha uma hora livre. Penso que achaste que eu já não gostava de ti, porque eu estava sempre a desaparecer da tua vista. Na verdade, estava a tentar aprender a arte de hipnotizar porque tinha um plano. Queria arranjar maneira de sairmos os dois de Hardwick House e pensei hipnotizar uns americanos que por lá aparecessem. Queria hipnotizá-los para eles verem que tu eras especial. Queria levá-los a dizerem-te o quanto gostavam de ti, porque todas as outras pessoas estavam sempre a ser más para ti. Queria que eles reforçassem o teu sentimento de auto-estima. Foi por isso que nunca te falei do livro. De qualquer das formas, enquanto eu ia lendo o livro página a página, caiu-lhe esse bocadinho da capa e eu guardei-o. E decidi... como dizer... trazer essas páginas, por empréstimo. Mas sabes uma coisa? Acho que chegou a altura de as devolver à origem.

Pegou nas folhas, alisou-as e, abrindo o manual de hipnotismo, colocou-as no sítio devido. — É bom regressar ao lar — disse ele. E entregou o manual, agora completo, à Molly.

— Vou colar o H no sítio devido — disse ela, embrulhando e pedaço de pele juntamente com o livro.

Voltando a colocar o embrulho no cofre, imaginou o Rocky a praticar as lições do Dr. Logan, tal como ela tinha feito. — Hipnotizaste algum animal? — perguntou, muito curiosa.

— Sim, um rato, na biblioteca.

— Estás a brincar!

— Nunca tinha visto um rato a rebolar-se como aquele a quem eu falei — respondeu o Rocky com um sorriso maroto.

Molly riu-se. — E quanto a pessoas? Quem é que hipnotizaste?

— Ora bem, com as pessoas não foi fácil — recordou Rocky. — Ficavam *meio* hipnotizadas, nunca consegui hipnotizá-las totalmente. Recordas-te da Edna, quando ela lavou a louça que tinhas de lavar por castigo?

— Recordo.

— Pois bem, consegui hipnotizá-la para fazer isso, mas os meus poderes não eram suficientemente fortes e foi tudo o que consegui que fizesse. E recordas-te da nossa discussão, na pista de corta-mato, quando te fiz aquela cara inchada de xarroco?

— Lembro-me, disse a sorridente Molly.

— E que me disseste que eu parecia verdadeiramente estúpido?

— Sim — respondeu a Molly, a rir-se.

— Bom — explicou Rocky —, estava a tentar hipnotizar-te para te acalmar, porque estavas de muito mau humor.

Molly sorriu perante a recordação. — Então, quando é que te tornaste bom nesta arte?

— Bem, no dia em que a família Alabaster foi a Hardwick House deu-se uma espécie de clique, suficiente, pelo menos, para os fazer cair sob o meu domínio. Fiquei espantado quando eles decidiram que me queriam levar para casa. Voltaram na manhã de sábado e quiseram que eu os acompanhasse imediatamente e Miss Adderstone, como era de esperar, ficou mais do que satisfeita por se ver livre de mim, mas não consegui estar com eles o tempo suficiente para fazer que também te adoptassem.

— Mas, Rocky, é possível que tenham gostado de ti *genuinamente* — interrompeu a Molly.

— Bem, é possível — admitiu o Rocky. — Talvez. De qualquer dos modos, o problema foi que estavas no andar de cima e eu queria dizer-te adeus e explicar-te que tencionava voltar para te trazer comigo e também, se pudesse ser, todos os outros miúdos mais pequenos. Caramba! Tinha cá um plano... Mas Miss Adderstone não me deixou ver-te. Disse que tinhas uma doença altamente contagiosa, que estavas a dormir, e eu sabia que não tinha poder para hipnotizar a Miss Adderstone, e os Alabaster disseram que, como íamos viajar, eu não devia apanhar a tua doença e foi horrível porque eu não queria fazer uma cena, com medo de que eles se aborrecessem comigo, mas sabia que ias ficar realmente chateada e escrevi-te um bilhete, mas acho que a Adderstone nunca to deu e, oh, Molly, peço muita desculpa.

Rocky parou, sem fôlego, e tomou um gole de *Qube*.

— Não tem importância — respondeu a Molly —, calculei que tivesse acontecido qualquer coisa desse género.

— Agora, porém, tenho mais prática de hipnotismo — continuou o Rocky, com um sorriso travesso. — Hipnotizar apenas com a voz é a parte em que sou mais forte. E funciona, *na maioria* dos casos.

— Mmmmmm — murmurou a Molly, muito impressionada e imitando as maneiras de um especialista. — Quanto a mim, nunca consegui a hipnose só com a voz. *O problema foi nunca ter visto as lições que faltavam.* A minha especialidade é a hipnose só

180

com o olhar, a que acrescento um pouco de voz. Quando me viste na televisão, percebeste que eu tinha encontrado o livro?

— É claro que percebi — respondeu o Rocky.

Molly voltou a sentar-se e sorriu. Era fantástico ter o Rocky de volta e poder confiar em alguém. — Os verdadeiros amigos são o melhor da vida — disse. — Valem mais do que a popularidade, a fama e o dinheiro. Rocky, estou tão contente por me teres encontrado. Mas, quanto à *Petula*, o que é que vamos fazer? E o que é que vamos fazer com o Nockman e com o roubo?

— Bom — Rocky acenou a cabeça lentamente, — as coisas são agora um pouco diferentes, pois o Nockman não sabe da minha existência.

— Espero que não — respondeu a Molly com calma.

— Quando é que pensas que te vai pedir para assaltares o banco?

— Quem poderá saber? É tão ganancioso... amanhã?

— Tem assim tanta pressa? Nesse caso, não temos tempo a perder, temos de nos preparar. Julgo saber como podemos agir. Tive uma ideia. É uma hipótese difícil, mas pode acontecer que resulte.

Capítulo XXVI

O clarão de um relâmpago iluminou a cela da *Petula*. A cadela odiava trovoadas e agora, sozinha e abandonada, ainda sentia mais medo delas. Tremia no canto da cave húmida em que Nockman a mantinha presa.

Depois do rapto, a *Petula* tinha sido afastada da zona do teatro e passara a noite na carrinha branca, com Nockman estendido a dormir na parte de trás. A cadela ficou a observar o rosto do homem, que lembrava o focinho de uma morsa, mais o pendente com o escorpião gravado e, enquanto ele ressonava, tentava perceber as razões que teriam levado aquela estranha pessoa malcheirosa a raptá-la. Conseguiu ferrar os dentes numa sanduíche meio comida, que puxou para dentro da jaula. Então, de estômago cheio, tinha-se deixado adormecer. No dia seguinte, o homem levou a carrinha para o edifício industrial, vazio e gélido, onde se encontrava agora. Arrumara a carrinha dentro do edifício, ao lado de um veículo pesado e depois, protegendo as mãos com luvas, tinha transportado a jaula da *Petula* para a cave. Abrira o fecho da jaula, arrancara-lhe a coleira com gestos bruscos, deixara-a ficar ali e partira. Por sorte, preso ao tecto havia um tubo que vertia, permitindo que a *Petula* tivesse algum líquido para matar a sede, mas não tinha nada para comer.

Ficou a dar voltas sem fim em cima de um sofá velho e quebrado, que cheirava a mofo, sempre à procura de uma posição confortável. Bem gostaria de ter ali um seixo para chupar. Bem gostaria que a trovoada se afastasse.

O mesmo relâmpago iluminou o pavimento da rua que Nockman ia a percorrer apressadamente, por entre a chuva. Apressava-se através das ruas menos concorridas da baixa, sempre a afastar-se de Central Park, em cujo coreto acabava de se encontrar com a Molly Moon. Tinha os pés encharcados por estar sempre a mergulhá-los em poças de água, mas sentia-se bem contente. A Molly Moon tinha sido envolvida numa bela chantagem, numa chantagem *perfeita*. A rapariga não tinha meios de

182

escapar às suas exigências. Dentro de dias seria um homem rico, mais rico do que qualquer outro malfeitor com lugar na história do crime. Como adorava aquela cadela!

Corria aos repelões, constantemente a esconder-se nos portais para ter a certeza de que a Molly não trouxera os polícias consigo. Em todas as ocasiões, tudo o que conseguia ouvir era o cair incessante da chuva. E assim prosseguiu, a encharcar-se por becos e ruas secundárias, de regresso ao armazém. Chegou lá 15 minutos depois, com a mãos a tremer enquanto enfiava a chave na fechadura. Uma vez lá dentro, deixou-se cair numa cadeira, a sentir o coração acelerado devido à ansiedade e à corrida. Conseguiu levantar-se, minutos depois, e serviu-se de uma grande dose de uísque. Cinco minutos mais tarde, estava a dormir.

Nockman teve um sono agitado na cadeira e acordou às seis horas da manhã do dia seguinte, com a boca seca e uma terrível dor de cabeça provocada pelo uísque. Ao procurar uma garrafa de água fez uma ligeira inspecção visual ao armazém escuro, concluindo que não estivera ali ninguém depois de ele ter saído, o que o fez sentir-se bastante melhor. Às oito horas da manhã já estava ao telefone, a ligar para a Molly. Por questões de segurança, usava uma geringonça junto ao ouvido e mantinha o auscultador junto do telefone.

Molly sentou-se na cama para atender o telefone.

— Bom dia, Molly — começou Nockman. — E parabéns por não ter feito asneira nenhuma. A cadela continua óptima.

A Molly fez sinais desesperados na direcção do Rocky, que tinha dormido no sofá, para lhe indicar que Nockman estava ao telefone. Rocky sentou-se rapidamente.

— Parto do princípio de que estamos de acordo e vai fazer o trabalho, não vai? — perguntou.

— Sim — respondeu a Molly, sem reconhecer a própria voz por causa da máquina do Nockman.

— Óptimo. Tem uma caneta?

— Tenho.

— Então vou dar-lhe o endereço do armazém para onde vai levar o furgão do banco, logo que esteja *cheio*. Encontrará a porta aberta.

Molly tomou nota do endereço do armazém. Era na parte ocidental de Manhattan, na Rua 52, junto das docas, onde havia muitos prédios em ruínas.

— Portanto, levo o furgão do banco, que será conduzido por um guarda hipnotizado, para o armazém — disse Molly —, e então...

— Caramba, Molly! — exclamou Nockman com impaciência. — Está tudo nas instruções que lhe dei. Espero bem que esteja à altura do trabalho.

— Sim, sim — apressou-se Molly a responder. — Desculpe, é que estou um pouco nervosa.

— Molly, é melhor dominar esses nervos para não deitar tudo a perder. No caso de me estragar o plano, é possível que deixe de ser tão simpático para a sua cadela como tenho sido até agora.

— Isso não, desculpe — pediu Molly. — Lembro-me de tudo. O guarda transfere as jóias do furgão do banco para o *seu* furgão. Mando o guarda regressar ao banco, mas antes faço que se esqueça de tudo; o senhor vem buscar o furgão e depois de o ter levado para outro local, bastante longe, telefona-me e diz-me onde é que posso ir buscar a *Petula*.

— Está tudo certo. E, Molly, pode ter a certeza de que não lhe telefono até estar totalmente satisfeito consigo, depois de ter entregado toda a mercadoria. Até à mais pequena das esmeraldas.

— E quando é que quer que faça isso? — perguntou a Molly.

— Hoje. Esta manhã.

— Esta manhã?!

— Sim — respondeu Nockman. Tinha decidido que o melhor era pressionar a Molly antes que ela pudesse mudar de ideias. Se lhe desse mais tempo, a rapariga poderia localizá-lo ou magicar alguma maneira de o derrotar. Além disso, sentia-se demasiado impaciente, queria sentir aqueles rubis entre os dedos.

— Estas são as instruções finais. Quero que todas as pessoas que se encontram no banco fiquem em hipnose até às 14h30m. Retirarei o meu furgão do armazém da Rua 52 ainda antes de eles participarem que o banco foi assaltado. Vou buscar a mercadoria quando forem 13h45m.

— 13h45m? Mas... está bem — concordou Molly.

Nockman pousou o telefone e o aparelho com que se defendera da possibilidade de ser hipnotizado. Deixou a cabina telefónica e regressou ao seu armazém gelado. Atirou com o casaco para a parte de trás da carrinha, deu uma palmada no furgão pintado de castanho, que não tardaria a ficar cheio de pedras preciosas, e desceu as escadas para ir buscar a cadela.

A prisão da *Petula* exalava um cheiro horrível. Contra todas as normas que lhe tinham sido ensinadas, a pobre cadela tinha urinado para o chão. Quando Nockman entrou, o animal tentou lutar com o homem, mas este usava luvas e as dentadas não o afectaram. Além disso, a cadela sentia-se fraca. Nockman agarrou-a pela pele do pescoço e atirou-a para dentro da jaula. A *Petula* sentiu-se humilhada e muito, muito esfomeada.

Com a jaula na carrinha, Nockman atravessou a ilha de Manhattan e, passando por uma das pontes, chegou a Brooklyn, a uma zona industrial ricamente arborizada, onde tinha outro armazém, ainda maior que o primeiro. Os negócios escuros que Nockman fora fazendo através dos anos tinham-lhe proporcionado uma certa riqueza, o que lhe permitira comprar as duas instalações de armazenagem. Eram úteis para os negócios. Era neste segundo armazém que Nockman guardava todo o produto dos roubos. Estava cheio até ao tecto com caixas e sacos de artigos roubados, desde cristais a cutelarias, passando por aparelhos de cortar relva e pequenas estátuas de gnomos de jardim; tudo o que Nockman conseguisse roubar, para depois vender.

Entrou no armazém e arrumou a carrinha, desceu e, por se sentir feliz, deu um pontapé num dos gnomos sorridentes. A «Operação Hipnobanco» estava a desenrolar-se de acordo com o plano. Nockman estava prestes a catapultar-se para a Liga dos Campeões do Crime. Já faltava pouco! A partir de agora, acabavam-se os pequenos delitos. Não tardava a nadar em dinheiro. O passo seguinte era pôr a estúpida da cadela num sítio qualquer e estar preparado para regressar a Manhattan para recolher o tesouro. Estava tenso com a excitação. Tomou uma bebida curta, só para acalmar os nervos.

★

A mesa rolante do serviço de quartos estava na *suite* da Molly com os restos de dois pequenos-almoços. Molly olhou para o Rocky e arrepelou o cabelo.

— Hoje! Não quero crer que ele pretenda que façamos isto hoje. São agora 8h15m e ele quer as jóias levadas para o primeiro

185

armazém, e depois transferidas para o furgão dele, tudo pronto a *às 13h45m*. Isso deixa-nos...

— Cinco horas e meia — calculou Rocky — para assaltar o banco, embalar o produto do roubo, levá-lo para o armazém e transferi-lo para o furgão do Nockman.

— Mas ainda não sabemos os planos de cor.

— Levamo-los connosco.

— Mas, será possível?

— Teremos de tentar.

— Mais do que tentar — disse a Molly. — Temos de fazer tudo cem por cento certo.

— Pois temos — concluiu o Rocky.

Ficaram ambos quietos por momentos, sentados a avaliar a monstruosidade da tarefa. Depois, Molly levantou-se e disse: — De que é que estamos à espera? Vamos acabar com isto.

Chegara a altura de entrarem em acção.

Capítulo XXVII

Às 8h45m, a Molly e o Rocky, vestidos de *jeans* e anoraques, encontravam-se no exterior do Shorings Bank. Tinham diante deles uma fortaleza enorme e austera, com muros inclinados e sólidos como as encostas de um pequeno monte. Nas duas varandas havia vasos cheios de azevinho com bagas vermelhas. Escondidas pelos ramos de azevinho, havia câmaras que filmavam a entrada do banco. A abertura era às nove horas.

Molly e Rocky ficaram sentados do outro lado da rua, num banco encoberto por um arbusto. Escondendo os planos do Nockman dentro de revistas de banda desenhada, estavam a rever a disposição das instalações do banco, a tentar visualizar onde ficavam os diversos departamentos e onde estariam todos os funcionários do banco. Por entre as moitas viam os nova-iorquinos a passar, cheios de pressa, a caminho dos empregos. A duzentos metros de distância estavam os guardas que patrulhavam a entrada do banco para tentarem descobrir possíveis ladrões. Molly e Rocky atiravam pedrinhas para a valeta, a contar os minutos que faltavam.

— Só espero que todos eles sejam fáceis de hipnotizar — disse Molly. — Rocky, tu podes fazer isso, não podes? Não quero ser malcriada, mas disseste que contigo o sistema funciona na *maioria* dos casos. Só pergunto se falha muitas vezes. O problema é simples: se não fizeres isto bem feito e eles forem alertados para o facto de estarmos a tentar hipnotizá-los, estaremos metidos num grande sarilho...

— Hipnotizei-te, não foi? — perguntou Rocky.

— É verdade que sim — admitiu Molly. — Mas tens a certeza de que podes continuar a fazê-lo, mesmo quando estás nervoso?

— Sim. Bem, acho que sim.

— E, neste momento, estás nervoso?

— Estou.

— Também eu.

Molly não confiava inteiramente no Rocky, embora não tivesse dúvidas de que ele faria o melhor que pudesse, mas precisava de um cúmplice e, por isso, decidiu não pensar no que poderia correr mal. — Rocky, quando estivermos lá dentro não te vais pôr com truques, pois não? Não vais desaparecer no momento exacto em que devemos fugir ou coisa parecida.

— Mantém-te calma, Molly — disse ele. — Só estás nervosa por estarmos prestes a entrar em acção. Vamos conseguir fazer isto. Só tens de te lembrar de tudo o que decidimos na noite passada.

— Está bem — disse a Molly, a tentar descontrair-se.

Um relógio instalado de um dos lados do banco bateu as nove horas, fazendo-os dar um salto. As pesadas portas, em ferro fundido, foram abertas.

— Achas que já entraram todas as pessoas que aqui trabalham? — perguntou uma Molly cheia de nervos.

Rocky encolheu os ombros. — Suponho que sim.

Meteu as plantas do banco na mochila da Molly, juntamente com o manual de hipnotismo, já devidamente embrulhado para ser entregue ao Nockman.

Os dois amigos afastaram-se da parede e caminharam lentamente para o banco. Quanto mais se aproximavam, maior o banco parecia e maior era o nó que sentiam no estômago.

— Sinto borboletas aqui dentro — disse o Rocky.

— Tens sorte — respondeu a Molly, a secar as mãos nas pernas das calças. — Eu sinto alforrecas.

Lentamente, subiram a escadaria de pedra. Ao percorrerem o imenso vestíbulo, a Molly não deixou de reparar nas trancas enormes que mantinham as portas fechadas durante a noite e viu também dois guardas, peludos como gorilas, que pareciam atravessá-la com os olhares.

O interior do banco estava fresco e calmo. Do tecto muito alto pendiam ventiladores com pás de cobre e candeeiros verdes, o chão era de mármore preto, polido. Molly olhou para as altas janelas gradeadas e notou as câmaras, como moscas negras ameaçadoras, que estavam instaladas nas paredes. Os empregados estavam sentados em secretárias de boa qualidade, com tampos forrados de pele e balanças. Em vários pontos havia mesas, com pedaços de tecido branco, onde os clientes podiam espalhar os seus rubis e gemas para serem analisados por funcionários munidos de lupas. Ao longo da parede do fundo havia cubículos com frentes de vidro onde trabalhavam outros funcionários e, formando corredores pela sala, viam-se pesadas cordas vermelhas, suspensas de postes de latão. Já se tinha formado uma bicha com alguns clientes. Ouviam-se telefones a tocar e as chamadas a serem atendidas. O lugar fervilhava de actividade.

— Meu Deus — murmurou a Molly, a sentir-se desencorajada. — Olha para as câmaras. Isto vai ser complicado.

— Não é, desde que cumpras o nosso plano — respondeu Rocky, em tom encorajador. — Vais ver, vai correr tudo bem... e... boa sorte, Molly.

Molly engoliu em seco e aquiesceu. — Para ti também.

Rocky foi sentar-se numa cadeira, junto à parede.

A rapariga dirigiu-se para a secretária que estava colocada num dos cantos da sala. Sentou-se em frente de um jovem funcionário de rosto sardento. — Bom dia — começou —, gostaria de depositar alguns rubis.

— Certamente, Madame — respondeu o funcionário, olhando inocentemente para cima. O pobre rapaz foi um alvo fácil. Caiu na teia da Molly como se fosse uma lagarta sem olhos.

Molly não demorou muito a dar-lhe todas as instruções.

— A partir deste momento, vai fazer exactamente tudo o que eu disser, ou o que o meu amigo lhe mandar. Até às *dez* horas vai atender os clientes com toda a normalidade. Depois, *às dez*, vai para a entrada do banco e aguarda instruções.

O empregado acenou que sim. — E quando é que gostaria de trazer as suas jóias? — perguntou, a denotar um comportamento normal.

— Muito bem — disse a Molly. — Agora faça o favor de me levar à presença da gerente do banco.

O funcionário conduziu-a através de uma porta de segurança. A agir da forma mais inocente, Molly olhava bem em frente, ignorando qualquer pessoa que estivesse a observá-la e seguindo o funcionário sardento ao longo de um corredor comprido, até chegarem junto de uma porta com uma placa dourada, onde se lia: «Mrs. V. Brisco. Gerente».

O funcionário bateu e entrou, o que deixou a secretária espantada, a ponto de a obrigar a interromper a dactilografia e olhar muito irritada para os visitantes não anunciados. Porém, bastaram uns segundos do olhar da Molly para também ela ficar cativa, acabando por se dirigir a Mrs. Brisco pelo telefone interno. — Desculpe incomodar, Mrs. Brisco, está aqui uma pessoa que lhe quer falar...

— Miss... hã...

A Molly olhou a sala, desesperada, a procurar inspiração.

— Miss Yucca — disse ao ver o vaso com uma planta com picos, que estava no peitoril da janela, rindo para dentro ao ouvir aquele nome estúpido a sair-lhe da boca.

— Miss Yucca — repetiu a secretária. — Penso que deve recebê-la.

— Mande-a entrar — foi a resposta seca da gerente.

A directora era uma mulher baixa e magra, de cerca de 50 anos, de mãos nervosas e rosto débil. Cumprimentou a Molly com um ar de impaciência, examinando a rapariga através dos óculos de aros de tartaruga, a imaginar o que uma criança daquela idade poderia ter a tratar com a gerente de um banco.

— Lamento, mas no Shorings não oferecemos visitas guiadas às crianças das escolas. Mas pode dirigir-se ao balcão de informações, onde lhe darão literatura sobre o banco para o seu trabalho escolar. Estou certa de que será o material mais adequado para as suas necessidades. Adeus.

— Não — disse a Molly, — gostaria da sua ajuda *pessoal* para o meu projecto, se puder fazer-me esse favor.

Como gerente de um banco, Mrs. Brisco tinha aprendido a não confiar muito nas pessoas, o que a tornava difícil de hipnotizar. Molly achou-a extremamente forte. Era como um cão, a puxar pela trela, a recusar-se a vir para junto do dono; a sua cedência era, todavia, inevitável, pois estava a ser dominada pela Molly. Contorceu-se repetidamente, tentou defender-se, mas foi incapaz de resistir à força dos olhos da rapariga. Em meio minuto, Molly tinha conseguido desorientá-la.

Mrs. Brisco não tardou a concordar com tudo o que a Molly lhe pediu.

Como não havia tempo a perder, mandou que os empregados do banco se apresentassem no gabinete, um por um, onde a Molly os sujeitava à sua magia. Deu as mesmas instruções a cada um deles: continuar o trabalho normal até às dez horas, depois, reunião no vestíbulo do banco e aguardar novas instruções. Molly pretendia manter o banco a funcionar normalmente durante o maior espaço de tempo que fosse possível. Já eram 9h30m.

Entretanto, Rocky estava à entrada do banco, a vigiar as pessoas que chegavam. Assistiu à chegada e à partida de alguns clientes e reparou que os funcionários que trabalhavam por detrás das divisórias de vidro regressavam de olhar vidrado.

A partir do gabinete da gerente, e depois de se ter assegurado da colaboração de todos os guardas, incluindo os dois gorilas da porta principal, e dos restantes trabalhadores do banco, chegara a altura de se encarregar das câmaras de vigilância, cujos olhos espiavam todos os recantos. Algumas, segundo descobriu, estavam dissimuladas dos lados dos cestos de papéis. Por aquela altura, o Rocky e a Molly já deviam ter sido filmados por vinte ou mais das câmaras. A tarefa prioritária era agora destruir todas aquelas provas, para poder dar início ao trabalho. Mrs. Brisco conduziu-a à secção de vídeo e todas as câmaras foram desligadas.

— Agora — disse Molly, soltando um suspiro de alívio —, quero todas estas fitas rebobinadas para apagarmos todos os filmes feitos durante esta manhã.

— Im...possível — respondeu a gerente. — São enviadas... por via electrónica... directamente... para o arquivo.

— O quê?! — exclamou Molly. Nem queria acreditar no que estava a ouvir. O Rocky e ela nos filmes guardados no arquivo central! Uma situação terrível. A Molly seria reconhecida! Até o mais obtuso dos polícias teria suspeitas, se a visse andar pelas zonas do banco a que os clientes normalmente não têm acesso. As notas do Nockman não diziam nada sobre um arquivo de imagens. Molly ficou furiosa, ao mesmo tempo que começou a entrar em pânico.

— Espere aqui — ordenou.

A sentir o estômago contraído pelos nervos, correu para o sítio onde o Rocky se encontrava.

— Rocky — resmungou —, temos um problema. Fomos filmados e as fitas não podem ser apagadas porque as imagens são enviadas automaticamente para o arquivo... Não podemos ir mais longe, seremos apanhados de imediato, mas, Rocky, se não avançarmos o que é que vai suceder à *Petula?*

Rocky pareceu preocupado. — Leva-me à sala de vídeo. Não prometo nada, mas talvez consigamos safar-nos.

Depois de Mrs. Brisco ter fornecido o número de telefone do director do arquivo de imagens, Rocky sentou-se junto de um telefone e tentou concentrar-se. Só tinha conseguido umas quantas hipnoses através do telefone, pelo que estava extremamente ansioso por saber se agora seria capaz de repetir a proeza. Com a Molly junto dele, a suspirar e a morder os lábios, era difícil descontrair-se. Após ter respirado profundamente, meteu mãos à obra.

Concentrado, como se a sua vida dependesse do gesto, marcou o número. A chamada foi atendida por um operador com voz de estúpido e, por se tratar de uma pessoa muito pouco desconfiada, provocar-lhe a hipnose à distância foi bastante mais fácil do que o Rocky esperava. O operador não tardou a cumprir a ordem de apagar todas as imagens recolhidas durante a manhã. A sentir-se agora muito mais confiante, Rocky telefonou à empresa que fazia a vigilância do banco e convenceu o responsável a desligar o alarme do Shorings Bank.

— Rocky, que jogada brilhante! — murmurou a Molly junto ao ouvido do amigo.

— Por sorte, funcionou — respondeu Rocky, agora a respirar com mais facilidade. — Por momentos, pensei que não funcionaria. Isto só mostra — acentuou — que o plano do Nockman está desactualizado. Só espero que não tenhamos mais surpresas desagradáveis.

Molly concordou, a sentir-se agoniada. Mas prosseguiram.

Ambos os guardas da porta da frente foram chamados ao gabinete de Mrs. Brisco. Ali, de pé, ao lado um do outro, com a língua de fora, Molly não pôde deixar de pensar que se pareciam com dois homens da Idade da Pedra.

— Qual deles é que escolhemos para motorista? — perguntou ao Rocky. — Qual é o que tem um aspecto mais inteligente?

— Eu diria que nenhum deles tem o cérebro maior do que um torrão de açúcar — respondeu o Rocky —, mas acho que o da esquerda é o mais esperto dos dois.

— Como é que sabes?

— Porque não está a tentar comer o colarinho.

O guarda que escolheram era o mais forte e o mais peludo dos dois. Rocky levou o esfomeado de regresso à entrada do banco, enquanto a Molly era conduzida à garagem pelo outro guarda. A garagem era nas traseiras do edifício, descia-se por uma escada estreita, no fim da qual havia uma porta negra, à prova de fogo e com um puxador de ferro. Por detrás desta porta havia um patamar de aço e um lanço de escadas que levava ao chão de cimento da garagem, do tamanho de um campo de ténis, onde estacionava um furgão. Um veículo cinzento, do tamanho de um elefante pequeno. Molly calculava que daria à justa para ela se poder pôr de pé no compartimento de carga.

— Este é o único furgão que têm? — perguntou, preocupada com a ideia de não caber ali toda a carga do Nockman.

— É — grunhiu o guarda.

— Pensa que pode meter aí tudo o que estás nos cofres-fortes do banco?

— Posso.

— Como é que pode ter a certeza? — perguntou a Molly, a ver se aquele cérebro do tamanho de um torrão de açúcar estava a funcionar.

— Porque as pedras não são pesadas, são muito caras mas não são pesadas.

— Está bem — disse a Molly a olhar para as janelas laterais, simples fendas escuras, e para as portas à prova de bala. Esperava que o homem tivesse razão.

Voltou ao vestíbulo e, sem fazer alarde, hipnotizou os cerca de trinta clientes que lá estavam. Não tardaram a parecer soldados de brinquedo, perfilados em sentido. Quando soaram as dez horas, as portas do banco foram fechadas. Foi colocada uma nota informativa na parte exterior da porta principal.

«Fechado durante quatro horas e meia para formação do pessoal. Pedimos desculpa pelo incómodo.»

Não tardaram as reclamações de clientes que queriam entrar e tinham de se contentar em não passar da escadaria. Fechadas as portas, os funcionários do banco, todos hipnotizados, depressa encheram o vestíbulo, também eles a formarem uma linha de soldados perfilados.

— Isto parece um sonho — murmurou o Rocky.

Por momentos, ele e a Molly ficaram quietos. Era uma situação irreal estarem ali, todos de pé, com o dia de trabalho interrompido.

Lá no fundo ouviu-se a campainha de um telefone, o que fez a Molly dar um salto, mas a chamada foi logo atendida por uma recepcionista que, como lhe tinham mandado, disse: — Lamento, mas de momento não está disponível. Ele fala-lhe mais tarde. Bom dia.

— Tudo bem — disse o Rocky —, vamos para a cave.

Mrs. Brisco levou-os por um corredor cinzento até ao elevador. Ali, digitou um código de dez dígitos numa pequena caixa prateada. As portas abriram-se com um ligeiro silvo; a Molly e o Rocky seguiram-na e entraram também no elevador. Enquanto o elevador descia para a cave, a Molly começou a sentir claustrofobia. Tanto ela como o Rocky estavam agora totalmente apanhados. Tinham hipnotizado umas 35 pessoas que, logo que saíssem do transe, iriam direitas aos telefones para chamarem os polícias. E todas aquelas pessoas estavam no andar *de cima*, enquanto ela e o Rocky tinham de fazer o seu trabalho no piso *inferior*. Se alguém conseguisse acordar, ela e o amigo ficariam encurralados. Tentou tirar aquela ideia da cabeça e concentrar--se no que tinha a fazer. Sentia os joelhos um pouco trémulos e os arrepios provocados pelos nervos e, acima de tudo, o medo fazia-a desejar ir à casa de banho, mesmo que, *no fundo*, não precisasse. Reparou que o rosto acastanhado do Rocky estava visivelmente pálido. Molly não esquecia que ele sempre a ajudara a livrar-se dos sarilhos de Hardwick House. Agora, estava a sentir--se culpada por ter envolvido o amigo nesta aventura.

— Desculpa por te ter metido nisto — murmurou, quando as portas do elevador se abriram.

— Deixa-te disso — respondeu o Rocky, mostrando um sorriso nervoso.

Tinham chegado à cave. Mais à frente, e recordando a planta do banco fornecida pelo Nockman, Molly reconheceu a entrada para as salas de avaliação dos particulares. Mrs. Brisco abria a marcha através da passagem estreita, de tecto baixo, para os cofres-fortes onde as jóias eram guardadas, a Molly ia um pouco mais atrás. Ia a imaginar como seriam as salas de avaliação e também queria verificar se não haveria guardas, ocultos e por hipnotizar, em qualquer delas. Portanto, afastando-se um pouco de Rocky e de Mrs. Brisco, entrou numa das salas. Foi uma decisão feliz.

Um homem de cara de pau, metido dentro de um fato de riscas, levantou os olhos para ela. Tinha um cofre de segurança aberto à sua frente, em cima da mesa, e estava a tomar o peso a um grande diamante. — Que diabo anda uma miúda a fazer num sítio destes? — perguntou, de olhos semicerrados e a apontar-lhe o nariz num arreganho agressivo. Molly não perdeu tempo a hipnotizá-lo e a tirar-lhe o diamante da mão. Era uma pedra pesada, dura e enorme. Molly ficou a rodá-la em cima da mão e a ver-se reflectida nela.

— Caramba, isto deve valer uma fortuna.

— Podes crer — rosnou o homem com aspecto de bandido. — Roubei-o hoje.

— Aonde? — quis saber a Molly, surpreendida e fascinada por aquele homem do mundo marginal.

— A outro... vigarista.

Molly estremeceu, pôs o diamante no bolso do anoraque e correu a juntar-se ao Rocky, que seguia três portas mais à frente, juntamente com Mrs. Brisco, já junto aos cofres-fortes.

Rocky tinha o aspecto de quem acabava de saber que a *Petula* tinha sido transformada em comida para ratos.

— Qual é o problema?

— As fechaduras — sussurrou o Rocky com voz rouca. — Esse idiota do Nockman não sabe nada sobre este lugar. Foi tudo modificado desde que ele trabalhou cá. Não há nenhuma maneira de entrarmos nesses cofres-fortes e de abrirmos as portas dos cofres particulares dos depositantes.

— Porquê?

— Porque Mrs. Brisco acaba de me dizer que não os pode abrir sozinha. Para abrir qualquer daqueles cofres particulares é necessária a presença dela *e* do cliente que o alugou. Há cinco cofres-fortes e cada um tem oitenta cofres particulares. São quatrocentos cofres e *quatrocentos clientes* que têm de estar aqui.

— Mas porquê? — perguntou Molly.

— Porque — explicou Mrs. Brisco — instalámos... um novo... aparelho... que só abre os cofres... com instruções... dadas por mim... e por um cliente autorizado.

— Que género de instruções?

— Leitura... da íris.

De súbito, Molly sentiu que as pernas lhe tremiam. Qual seria a ideia de Mrs. Brisco?

— Mostre-me o aparelho — exigiu.

Mrs. Brisco levou-a até junto de uma caixa preta instalada na parede. Tinha um painel com botões marcados de 0 a 9 e um mostrador electrónico verde, onde os números apareciam. De momento, o mostrador só marcava zeros. À direita dos zeros via--se uma luz amarela do tamanho de uma bola de bilhar.

— Explique-me como funciona — pediu a Molly.

— Primeiro... digito... o número... do cofre particular... que tem de ser aberto. Então... o aparelho compara a minha íris... com o registo da minha íris... que tem em memória. A seguir, lê a íris do cliente... e confere-a... com a que tem memorizada. Se todas as informações das íris... estiverem certas, o computador... instalado na máquina... sabe que estou presente... e que o cliente também está. Só então é que o aparelho autoriza... a abertura do cofre particular. Isto é assim para evitar... que os cofres particulares sejam abertos... por pessoas que pretendam roubar... o que neles está depositado.

Molly franziu os lábios. Enfrentavam uma situação imprevista. Olhou para o Rocky, que parecia prestes a vomitar.

— E uma íris, o que é, exactamente? É uma espécie de impressão digital?

— De... certo modo é... uma impressão digital... pois não existem duas íris humanas iguais. É essa... a utilidade... do aparelho.

— Pois, já percebi *quanto* é útil — disse a Molly, sabendo que tinham sido derrotados, — só pretendo saber *o que é uma íris.*

Mrs. Brisco respondeu em voz monocórdica, como se estivesse a ler um livro maçador. — A íris... é a parte colorida...do olho. A parte que confere a cada pessoa... a cor dos seus olhos. A íris inclui os músculos que... contraem e dilatam... a pupila negra... que está no centro do olho... Cada pessoa tem uma íris... diferente. A sua é um encanto... uma bela mancha de verde.

Molly sentiu que talvez houvesse uma possibilidade. Acenou para o Rocky. — Vale a pena tentarmos.

Um minuto mais tarde, Rocky tinha já marcado o número um no aparelho de leitura da íris, para que se abrisse o cofre particular número um, e Mrs. Brisco tinha-se inclinado para que fosse feita a leitura da sua íris.

Agora era a vez da Molly. Inclinou-se para diante e colou um olho à luz amarela. Olhou lá para dentro, para o equipamento de leitura da íris, e a máquina, por sua vez, fixou o olho da Molly.

O olho da Molly parecia um grande pneu com pontos verdes, com raios da cor de esmeraldas. O aparelho começou a ler os ramos formados por músculos e veias minúsculas, desenhando um modelo para guardar na memória digital. Ouviu-se uma espécie de pipilar enquanto a máquina ia armazenando as informações.

Depois, num movimento súbito, o olho que tinha pela frente transformou-se. O aparelho recomeçou. Sempre a pipilar enquanto lia as novas informações. Quando o olho mudou uma vez mais, a máquina recomeçou o processo desde o início. A cada transformação operada no olho correspondia uma mudança no interior do aparelho. Quando a pupila daquele olho se alargava, a máquina adaptava-se à nova dimensão. A pupila diminuía de diâmetro, a máquina adaptava os dados recolhidos. O olho que mais parecia um pneu começou a rodar. A máquina ficou confusa. Não fora programada para interpretar olhos que rodassem. E, agora, os pontos verdes daquele olho tinham começado a tremeluzir. A temperatura da máquina começou a subir porque estava a vasculhar o interior da sua memória de silício, tentando encontrar instruções sobre o que tinha a fazer de seguida. O olho começou a pulsar, o computador pipilou mais depressa; quando o olho começou a contorcer-se e a pulsar ao mesmo tempo, o computador começou a entrar em pânico. A temperatura interna estava a subir, o chip começou a dobrar-se, a cabeça de leitura rodou... rodou... de repente o computador deixou de saber o que era a cabeça de leitura ou o que era o dispositivo de leitura. Subitamente, tudo o que o computador conseguia analisar era a perfeição daquele olho que tinha na sua frente. O seu chip de silício sentia-se tão quente e tão confortável como no dia em que foi construído. O computador estava a gostar daquele olho. A gostar daquela íris. Era melhor do que qualquer outra íris que alguma vez fora obrigado a analisar. O computador descontraiu-se e ordenou a si mesmo a abertura total do sistema.

PINGUE CLANCHE, PINGUE CLANCHE, PINGUE CLANCHE, PINGUE CLANCHE, PINGUE CLANCHE, PLUM, PLUM, PLUM, PLUM.

Quatrocentas portas de cofres foram abertas de uma só vez. E, ao mesmo tempo, abriram-se as cinco portas de grades de aço que davam acesso às salas dos cofres particulares.

Molly afastou o olho da máquina. E ficou a admirar o seu trabalho.

— A isto chamo um trabalho de classe — afirmou.

— A isso chamo uma sorte dos diabos — disse o Rocky.

Subiu a escada na companhia de Mrs. Brisco e regressou ao vestíbulo do banco. Chegado ali, ordenou às 35 pessoas hipnotizadas que formassem uma cadeia humana, desde a zona dos cofres particulares até ao furgão do banco, que se encontrava na garagem. Mrs. Brisco forneceu à Molly e ao Rocky uns sacos de juta do tamanho de bolas de futebol e maços de grandes sobrescritos castanhos. Sem perda de tempo, os dois amigos lançaram-se ao trabalho.

Os cofres-fortes continham um tesouro de fazer perder a respiração. Cada uma das salas tinha oito colunas de dez cofres. Portanto, em cada casa-forte havia 80 cofres, num total de 400, contando os cinco cofres-fortes.

Cada cofre continha um pequeno tabuleiro metálico, que podia ser puxado para fora e, como Molly e Rocky depressa descobriram, os tabuleiros eram todos diferentes. Havia uns que continham apenas um grande rubi, cuidadosamente assente em veludo. Havia outros com pequenos embrulhos do tamanho de uma unha, apertados como sardinhas em lata. Havia tabuleiros cheios de colares de pérolas e outros cobertos de anéis de brilhantes. Alguns continham bolsas de seda ou de pele. Cada bolsa estava cheia de gemas. Havia tabuleiros com joalharia antiga e cara, especialmente pedras trabalhadas. A Molly e o Rocky despejavam as bolsas, metendo o conteúdo de cada uma num dos sobrescritos castanhos, um para cada coluna de cofres. Os sobrescritos cheios eram metidos nos sacos do tamanho de bolas de futebol.

Finalmente, o último dos sacos passou pela cadeia humana e chegou à garagem. O gorila acomodou-os todos dentro do furgão.

Foi um trabalho exaustivo. Daqueles cofres-fortes saíram milhões, milhões e mais milhões de dólares de jóias. Mas, no final, todas as jóias guardadas no banco tinham sido tiradas e embrulhadas, estando agora metidas naquela pilha de sacos que enchia a caixa de carga do furgão.

A Molly e o Rocky juntaram as suas vítimas, hipnotizadas e húmidas de suor, e submeteram-nas à mais completa lavagem do cérebro.

— Todos vão acordar quando ouvirem o relógio lá de fora bater as 14h30m — disse a Molly. — Todos contarão aos polícias que o banco foi assaltado por uma quadrilha de bandidos com meias de senhora enfiadas na cabeça e, bom, cada um de vós terá a sua própria história para contar, o susto que apanharam, o que os bandidos disseram, que tipo de coisas, bom... até às 14h30m, podem ficar sentados no chão e... podem cantar umas cantigas. Tenho uma última recomendação a fazer. *Nenhum de vós se lembrará de mim ou do meu amigo.*

Todas as pessoas que estavam no vestíbulo se sentaram no chão e começaram a cantar. Molly ficou a pensar como pareciam amorosos, como crianças num jardim infantil, todos sentadinhos no chão. Então, ela e o Rocky saltaram para a cabina do furgão de segurança, juntamente com o guarda hipnotizado, a porta da garagem foi aberta, o furgão saiu e a porta da garagem voltou a fechar-se.

A viagem entre o Shorings Bank e a Rua 52, na parte ocidental de Manhattan, foi de arrasar os nervos, pois o gorila não dominava totalmente o furgão. Mas não tardaram a localizar, perto das docas, o edifício degradado em que o Nockman tinha o armazém. A Molly tentou ler os grafitos das paredes, enquanto o Rocky saltava do furgão para abrir a porta desengonçada do armazém.

Começaram a transferência entre o furgão do banco e o furgão castanho. Os sacos de juta tiveram de ser novamente acondicionados no furgão castanho do Nockman. Terminado o trabalho, o guarda peludo sentou-se, de rosto afogueado pelo esforço, e Molly deu-lhe uma bebida.

— Obrigado, muito obrigado — disse o Rocky, a sentir pena do pobre homem. — Agora, deve conduzir o furgão vazio de regresso ao banco, mas não vai acordar nem chegar lá antes das *três* horas. Nunca mais se recordará deste endereço. A quem lhe fizer perguntas, vai dizer que foi obrigado a descarregar o produto do roubo em diversos carros de várias marcas: *Mustang,*

Cadillac e carrinhas. E dirá também que depois foi amarrado e que lhe vendaram os olhos e que, quando finalmente conseguiu fugir, se encontrou na... na... Rua 99; e que, daí, regressou ao banco.

O gorila grunhiu e emborcou a água, entornando metade para o peito. Não tardou a sair.

Às 13h40m, Molly estava nervosamente sentada numa cadeira, a aguardar a chegada do Nockman.

Capítulo XXVIII

Eram precisamente 13h45m quando a porta do armazém chiou ao ser aberta para dar entrada ao Nockman, que vestia o casaco de pele de carneiro e usava o aparelho anti-hipnose. Fechou a porta depois de entrar. O corpo tremia-lhe ligeiramente, tinha arrefecido no caminho entre o metropolitano e o armazém, mas as tremuras das mãos deviam-se ao nervosismo. Não tinha confiança absoluta na Molly. Contudo, dera-lhe a entender que não tinha dúvidas de qualquer espécie porque dominava perfeitamente a situação. Respirou fundo e com ruído.

A rapariga estava lá, sentada numa cadeira. Não a via muito bem por causa daqueles óculos especiais, mas não teve dúvidas de que era ela. Com o aparelho anti-hipnose colocado nos ouvidos, os seus passos pareciam-lhe esquisitos e a própria voz soou-lhe como se fosse a do *Rato Mickey*.

— Então, o furgão está carregado, não está?

— Está. Com tudo o que havia nos cofres-fortes. Até à última pérola.

Nockman estava espantado. Aquela rapariga era ainda melhor do que ele tinha pensado. Mas não deixou que o espanto se notasse. — E o trabalho decorreu de acordo com o plano?

— Completamente. Todos ficaram a pensar que foram assaltados por uma quadrilha de bandidos armados. E foi tudo carregado no seu furgão. Pode ver.

Molly olhava o rosto do professor como se estivesse a estudar um insecto com uma lupa. Era realmente um piolho abjecto e imundo, que olhava para a Molly como um piolho deve olhar para o ser humano a quem se prepara para sugar o sangue sem dó nem piedade.

— Muito bem — estava ele a dizer. — Está a fazer progressos. Da próxima vez pode assaltar um banco sozinha, sem precisar da minha ajuda. Ora, quanto ao livro? Também faz parte do acordo.

Molly voltou-se para trás e pegou no livro embrulhado em seda e deu-lho. Nockman abriu o embrulho com rudeza, rasgando a seda, para ver se era o livro verdadeiro.

— Caramba! — exclamou, a lamber os lábios gulosos, como uma criança mimada. Agora só queria ver-se dali para fora.

Subiu à pressa para a cabina do furgão. O veículo tremeu quando o motor foi ligado e os fumos do escape encheram o armazém.

— Eu telefono quando acabar a conferência da mercadoria — disse ele, cheio de pressa. — Agora, abra a porta.

— E a *Petula?* Está bem? — perguntou Molly, em bicos de pés para falar com ele pela janela.

— Óptima, óptima — mentiu Nockman. — Tem comido bem, bifes, bacon e bolachas de chocolate.

— Bolachas de chocolate?

— Sim, e quanto mais depressa abrir aquela porta mais depressa eu lhe telefonarei, e mais depressa a verá.

Molly observou a saída do Nockman e ficou a vê-lo conduzir o furgão castanho pela Rua 52.

Logo que saiu da estrada que corre ao longo das docas, Nockman tirou os óculos e o aparelho de alteração da voz que tinha nos ouvidos. A caixa de velocidades do furgão gemeu enquanto ele lutava com a alavanca de mudanças. Depois, com o coração aos pulos, conseguiu que o veículo arrancasse. Embora soubesse que podia sair facilmente de Manhattan ainda antes do roubo ser comunicado, sentia-se terrivelmente nervoso. As bagas de suor desciam-lhe da testa para os olhos, obscurecendo-lhe a visão. Amaldiçoou todos os semáforos e insultou todas as pessoas que pretendiam atravessar a rua. Mesmo assim, depressa se viu a guiar o furgão pela estrada da zona industrial de Brooklyn, a caminho do seu armazém dos gnomos, ao abrigo de olhos indiscretos.

Tinha pressa de chegar, para recuperar o fôlego, acalmar os nervos e inspeccionar a carga preciosa que levava no compartimento de carga do furgão.

Depois de ter chegado em segurança ao armazém, e de ter fechado a porta atrás de si, deixou-se escorregar até ao chão, de costas apoiadas contra a parede de betão.

— Caramba! Preciso de beber um copo, um dos grandes — exclamou em voz alta.

Foi à cabina do furgão e trouxe o saco com o manual de hipnotismo, o conjunto anti-hipnose e o passaporte, despejando tudo em cima da mesa onde estava uma grande garrafa de uísque e um copo a precisar de ser lavado. Sentado numa cadeira de braços, de plástico, serviu-se de uma bebida enorme e bebeu uma boa golada. Esvaziou o copo e voltou a enchê-lo. Acendeu uma cigarrilha e, a expelir baforadas de fumo, apoiou os pés em cima da mesa. Foi então que desatou a rir às gargalhadas.

No interior da caixa de carga do furgão, escondido por uma pilha de cartões, Rocky ouviu-lhe as gargalhadas. Bem gostaria de saber se o Nockman estava sozinho.

Do interior da divisão onde estava, a *Petula* pôde sentir que o humor de Nockman era agora diferente. Soltou uns latidos.

— Chiu! Cadela estúpida — gritou Nockman. O som de uma porta de correr ressoou pela garagem quando ele abriu a caixa de carga do furgão. Rocky deitou-se por detrás das caixas de cartão.

— Feliz Natal-dia-de-anos-aniversário para mim! — gritou Nockman ao agarrar dois sacos, que puxou para fora. Levou-os para junto da cadeira de plástico e despejou um em cima da mesa, com todas as precauções. Dez pesados sobrescritos castanhos caíram com um som cavo no tampo de fórmica. Sem deixar de puxar fumaças da cigarrilha, Nockman mostrou um sorriso próprio do homem ganancioso que era. Tirou de debaixo da mesa uma pasta de arquivo que continha diversas folhas dactilografadas e, sentando-se, começou a abrir um dos sobrescritos. A abertura deu passagem a uma chuva de rubis, pesados e cor de sangue, que lhe reflectiram o olhar.

Rocky deslizou até à porta do compartimento de carga do furgão e espiou o exterior. Viu Nockman a babar-se de gozo, enquanto examinava lentamente um conjunto de gemas. Em cima da mesa estava o manual de hipnotismo e o aparelho anti-hipnose. Nockman sorria, a admirar os seus tesouros.

Rocky não sabia utilizar o truque dos olhos, essa era a especialidade da Molly. Para hipnotizar as pessoas tinha de falar com elas. Tudo o que podia fazer era esperar que Nockman adormecesse, para o hipnotizar durante o sono.

Nockman voltou a sorrir enquanto procedia à contagem. Deitou a ponta da cigarrilha para o chão e pisou-a com a ponta do sapato. Pôs os auscultadores e os óculos especiais e riu-se para si mesmo.

Caminhou para o furgão.

Rocky voltou para o esconderijo.

Como quem não quer a coisa, Nockman carregou num botão e fez subir o elevador eléctrico do compartimento de carga do furgão. Afastou as caixas que escondiam o Rocky e agarrou o rapaz pelos pulsos. — Uma bela tentativa — disse com ar ameaçador. — Meu grande estúpido. Vi a tua cara reflectida no copo do uísque.

Embora gordo, Nockman era bastante mais forte que o Rocky. Mesmo debatendo-se, como não deixou de fazer, o rapaz foi incapaz de resistir; Nockman atou-lhe os braços atrás das costas e amordaçou-o. Depois arrastou-o pelo armazém e atirou-o para a divisão das traseiras, onde já se encontrava a *Petula*. Rocky caiu de costas no chão duro de cimento.

— Instala-te confortavelmente — disse Nockman. Cuspindo para o chão, empurrou a porta e fechou-a à chave. A cadela saltou para o colo do Rocky e lambeu-lhe a cara. O patife aproximou-se do furgão com todo o cuidado. Se houvesse mais algum rato a bordo, não deixaria de o caçar.

Foi então que ouviu um ligeiro ruído por cima da cabeça. Andava alguém em cima do telhado.

Capítulo XXIX

Molly sabia que a *Petula* detestava bolachas de chocolate. E pela maneira como Nockman se tinha gabado da comida que estava a dar à cadela, não pôde deixar de pensar que ele mentia. Só acreditaria naquele homem no dia em que as galinhas tivessem dentes. Sabia que tinha de ir atrás dele.

Assim, logo que vira o furgão do Nockman virar a esquina no fim da Rua 52, saiu do armazém e correu, mais depressa do que alguma vez correra em toda a sua vida, até à rua principal para apanhar um táxi.

Estava quase a perder o furgão de vista quando conseguiu saltar para um táxi amarelo mas, como tivera a sorte de lhe calhar um taxista esperto, não tardou a colocar-se atrás dele.

Molly sentia-se uma espia. Se a situação não fosse tão grave, teria certamente apreciado o papel. Em vez disso, de tão suadas, as mãos quase escorriam água e, quando o táxi chegou à zona industrial de Brooklyn, ia de cara séria.

Ficou a observar de longe. Viu o Nockman parar junto de um armazém. Logo que o táxi partiu, Molly escondeu-se por detrás de uma árvore e ficou a espiar o homem a guardar o veículo de carga.

— Apanhei-te — murmurou para si própria.

O som abafado que vinha do andar de cima fez com que Nockman entrasse em pânico. Teve a visão súbita de um batalhão de polícias de choque a preparem a armadilha para o caçar. Não podia saber que o único intruso era a Molly, que tinha conseguido trepar a uma árvore e saltar para o telhado, entrando por uma clarabóia, para se deixar cair suavemente no andar superior. Com gestos bruscos, atirou com os sacos das jóias, a lista das pedras roubadas, o manual de hipnotismo e o aparelho anti-hipnose para dentro da caixa de carga do furgão e atirou com a porta. Metendo o passaporte no bolso, alçou-se para dentro da cabina e ligou o motor.

Molly ouviu o motor pegar e ficou em pânico ao aperceber-se de que Nockman ia fugir. Correu escadas abaixo, mas o veículo já tinha uma velocidade engrenada. Nockman pisou o acelerador. Quando a Molly chegou ao andar térreo já era demasiado tarde. Fazendo chiar os pneus e enchendo a garagem de fumo, o furgão começou a adquirir velocidade.

A rapariga iniciou a perseguição, mas os fumos do motor fizeram-na tossir e desistir por não ter pernas para se aproximar do furgão. Deixou-se ficar no meio da rua, rodeada de prédios velhos, armazéns vazios e árvores.

Agora é que tinha estragado tudo. O Rocky devia estar ainda dentro do veículo e o Nockman acabaria por dar com ele. E quanto à *Petula?* No pé em que as coisas estavam, o Nockman nunca lhe telefonaria. A Molly gemeu. Sentia-se mesmo agoniada.

Preocupada como estava com a sorte do Rocky e da *Petula*, percebeu que a única solução que lhe restava era ir contar tudo aos polícias. Tinha de os avisar, era a única forma de salvar o amigo. Quanto à cadela, ainda tinha uma certa esperança de ir encontrá-la escondida no armazém. Correu de regresso ao armazém. Encontrou uma porta e ouviu barulho de unhas a arranhar e gritos abafados vindos de dentro de uma divisão. Aberta a porta, Molly irrompeu pela prisão do Rocky e da *Petula*.

A cadela saltou-lhe para o colo, ao mesmo tempo que ela tentava tirar a mordaça da boca do Rocky, que começou a falar logo que pôde. — Molly, peço imensa desculpa, mas ele viu-me e muniu-se novamente dos óculos e dos auscultadores, agarrou-me e...

O rapaz estava a tremer e tinha a respiração ofegante dos asmáticos.

— Rocky, eu é que devo pedir-te desculpa, a culpa foi toda minha — disse a Molly, desatando a corda que prendia os pulsos do Rocky, ao mesmo tempo que abraçava a cadela. — Estou tão contente por ambos estarem bem; pensei que nunca mais os via, verdade que pensei.

Procurou no bolso uma pequena lata de comida para cães, que já trazia consigo há vários dias e, tirando-lhe a tampa, lançou os pedaços de carne para o chão. Petula engoliu-os com sofreguidão. Depois, pôs um pouco de água mineral na mão em concha.

— Nem posso acreditar. Acho que ele não alimentou a *Petula*, que nem sequer lhe deu água — disse ela, com ar desgostoso. — Pobre *Petula!*

Quando a cadela acabou de beber, Molly levantou-a do chão e apertou-a com força de encontro ao peito. Era maravilhoso voltar a sentir o calor da cadela entre os braços. — Perdão, *Petula* — disse. — Nunca mais deixo que te façam mal.

E a cadela deslizou para dentro do anoraque da Molly, o lugar mais seguro que podia encontrar de momento.

Depois, ambas as crianças a acarinharam e pensaram em Nockman.

— Portanto, neste momento ele está a afastar-se o mais que puder — disse o Rocky.

— Pois está — concordou a Molly —, e também a sentir-se nervoso, espero...

Ambos ficaram por momentos em silêncio, a olharem para a porta, a imaginarem o Nockman na estrada. Então, coisa curiosa, começaram ambos a sorrir.

— Mmmm — começou o Rocky. — Terá, sem dúvida, de parar numa bomba de gasolina para abastecer o veículo. Vai comprar uma *Heaven bar* [*Chocolate do Céu*].

— E talvez uma lata de *Qube* — sugeriu a Molly.

— Depois, trepa para a cabina do furgão e vai andando.

— Andando, andando, andando — disse a Molly, como se fosse um eco.

— E, então, acontece o quê? — perguntou o Rocky.

— Começa a ficar cansado.

— E depois?

— Depois, começa a sentir-se com sono, o que não lhe agrada mesmo nada.

— Pois não, porque não quer parar, não é isso? Por querer sair do estado de Nova Iorque... Então?

— Então, para se manter acordado, suponho que ligará o rádio — imaginou a Molly.

— Esperemos que sim.

Nockman afastou-se o mais rapidamente possível do armazém dos gnomos. Enquanto o furgão estrondeava pelos subúrbios de Brooklyn, sentia a adrenalina correr-lhe nas veias. Sentia comichão na cicatriz de cada vez que avistava um carro da polícia, mesmo que, dizia a si próprio, os polícias não tivessem qualquer razão para suspeitar do furgão. A polícia pensaria que qualquer veículo de carga que tivesse conseguido sair da ilha de Manhattan em tão pouco tempo estaria puro como o ouro de lei, nunca julgaria que aquele estaria cheio de ouro. Contudo, Nockman sentia-se um feixe de nervos. Conduzia o mais depressa que podia, tentava deixar Nova Iorque para trás, mantendo-se em ruas secundárias, olhando constantemente pelo retrovisor, fumando sem parar e suando como um queijo aquecido. Depois de duas horas de tormentos, começou a sentir-se mais confiante de que não tinha sido identificado. Abriu mais um botão da camisa e virou para a auto-estrada.

Manteve-se a rolar durante horas, até ter percorrido uma distância tal que o indicador do nível de combustível começou a apontar para a marca de «vazio». Entrou numa bomba de combustíveis, atestou o depósito, comprou três chocolates *Heaven* e quatro latas de *Qube*. Voltou a pegar no volante e continuou a viagem.

Pelas nove da noite Nockman começou a sentir-se cansado. Ficou inquieto. Não queria adormecer ao volante e despistar-se. Imaginava o furgão sinistrado, com a caixa de carga aberta como um ovo de Páscoa muito caro, com todas as pedras preciosas e peças de joalharia espalhadas pela estrada. Mas também não queria fazer paragens para descanso. Tinha de continuar. Ia parar um pouco mais adiante e beber uns cafés que o mantivessem acordado. Enquanto não parava, ia ouvir o noticiário.

— Hora de viajar — anunciaram na rádio.

— Sim — anunciou um locutor jovial. — Vamos manter acordados todos os condutores que circulam por toda a costa leste da América, vamos mantê-los de olhos bem abertos, não precisam de se preocupar com o sono, descontraiam-se enquanto conduzem... Somos a rádio que vos traz animação! Caramba, que ninguém duvide, temos material para os entreter. Temos horas e horas de música *fantááástica*. Dentro de segundos levaremos até si o noticiário mas, primeiro, vamos fazer um curto intervalo...

Nockman sentiu-se bastante melhor. Era o género de estação de que precisava, além de ficar muito excitado com a ideia de ouvir as notícias, pois o roubo não deixaria de ser referido.

«Estou no Céu,
Trago o Céu comigo,
Sei que acabarei por ir para o Céu.»

E depois uma voz cantante: «*Ei, você aí, quer saborear o céu? Pegue num* Heaven bar [Chocolate do Céu]!

Nockman trincou um pouco mais do seu Chocolate do Céu e sentiu-se muito contente. Ouviu um anúncio da cerveja *Qube.*

«Qube *para quem é belo...* Qube *para quem é duro... Toda a gente adora um bebedor de* Qube.»

«*Sou tão estimado. — Claro, bebo* Qube*!*»

«*Oh, que homem bonito, posso beber um gole da sua* Qube*?*»

«*Ei, o mundo parece realmente mais belo quando tenho uma* Qube *na mão.*»

«Qube... *A cerveja que satisfaz mais do que a sua sede!*»

Nockman abriu uma lata de *Qube*, bebeu um gole e sorriu. A partir de agora as pessoas iriam gostar dele. Em toda a sua vida, nunca fora estimado, e a ideia de ser popular fazia-o gemer de prazer.

O locutor regressou. — E, agora, as *notícias*. A grande notícia do dia é o assalto ao Shorings Bank, em Manhattan, que foi roubado esta manhã...

Nockman aumentou o volume de som. — A operação foi levada a cabo ao princípio do dia por um grupo de bandidos armados. Conseguiram fugir com pedras preciosas e objectos de joalharia com um valor de mais de 100 milhões de dólares.

Bem mais do que isso, pensou Nockman a rir de satisfação.

— Os especialistas estão a tentar descobrir como é que os assaltantes conseguiram apoderar-se das instalações e desligar todos os alarmes, pois o Shorings Bank tem um dos sistemas de segurança mais refinados e mais completos de todo o mundo. Acredita-se que a quadrilha ainda se encontre algures na ilha de Manhattan. O roubo foi comunicado logo que os assaltantes partiram e, em poucos minutos, a polícia instalou barreiras em todas as pontes que permitem a saída da ilha. Os agentes também têm estado a investigar os barcos que se encontram acostados à volta da ilha. Todo o tráfego fluvial foi suspenso. Um trabalhador do banco, que foi forçado a acompanhar os assaltantes, relatou como foi obrigado a descarregar e a transferir o produto do roubo do furgão do banco para diversos carros, que depois se afastaram. Acredita-se que os criminosos esconderam os artigos roubados na zona de Manhattan. A polícia pediu que os cidadãos observem movimentos suspeitos mas que tenham cuidado, pois a quadrilha é considerada perigosa. A polícia agradece qualquer informação que a possa pôr no encalço dos gatunos.

Nunca o Nockman tinha ouvido notícias mais agradáveis. Ficou a adorar o locutor que lhas deu.

— Obrigado pela vossa atenção — rematou o locutor.

— Eu é que fico agradecido — disse Nockman.

— Grandes notícias, não acham? — continuou o locutor.

— Pois são — disse Nockman. Estava realmente a gostar deste locutor, especialmente da sua voz. Era perfeitamente modulada e muito calmante.

— Deve sentir-se optimamente — afirmou o homem da rádio.

Nockman riu-se. — Pois sinto!

— Está a sentir-se optimamente. Há anos que não se sentia tão bem.

— Estou! Estou, sim senhor! — concordou Nockman.

— Sente que o seu esforço foi recompensado. Merece isto, não merece?

Nockman aquiesceu. O homem tinha toda a razão.

— E agora está a precisar de um descanso bem merecido. Faça uma inspiração profunda e expire o ar lentamente.

Nockman inspirou profundamente e expirou o ar a pouco e pouco, sentindo-se muitíssimo melhor.

— Respire lentamente, inspire e expire. Conforme eu for contando, vai sentir-se mais e mais repousado. Vá guiando enquanto eu conto dez... nove... oito... sete... seis... cinco... quatro... três... dois... um e agora, Mr. Nockman, o senhor está totalmente às minhas ordens. Compreendido?

— Compreendido — respondeu Nockman, estupidamente. Sentia-se tão bem! Tinha caído na ratoeira armada pela Molly e pelo Rocky, e sentia um bem-estar fabuloso.

— Agora — continuou o Rocky — quero que faça uma inversão de marcha e regresse a Nova Iorque, ao lugar de onde partiu esta tarde. Estamos de acordo?

Nockman sorriu. — Óptimo, óptimo, tudo bem.

Continuou a guiar, mesmo que a gravação tivesse chegado ao fim. O resto da cassete estava em branco. Na noite de sábado, a Molly e o Rocky tinham preparado aquela emissão de rádio falsa, mas dispuseram de pouco tempo, teve de ser uma emissão curta. E foi assim, em silêncio, que o sorridente Nockman continuou a viagem.

Para conseguirem os seus fins, a Molly e o Rocky tinham partido de duas ideias básicas:

— a primeira era um facto: muitos adultos não têm em devida conta a inteligência das crianças;

— a segunda resultava de uma questão técnica: se um rádio/leitor de cassetes tiver uma cassete inserida, quando o aparelho é ligado a cassete começa automaticamente a tocar.

Capítulo XXX

A Molly, o Rocky e a *Petula* esperavam pacientemente no armazém dos gnomos. Quando a luz exterior diminuiu, Molly dirigiu-se a uma cabina telefónica, de onde ligou para Rixey Bloomy para lhe dizer que estava demasiado preocupada com o roubo da cadela e que, por isso, não estava em condições de fazer a sessão da noite do espectáculo *Stars on Mars*.

— Desculpa, Rixey, tenho medo de desmaiar no palco.

— Oh, Molly, o público vai compreender — assegurou-lhe Rixey. — Não te preocupes; esta noite, a tua substituta, a Laura, faz o teu papel.

Molly sentiu-se um pouco culpada, pois sabia que os espectadores ficariam desapontados. Mas, depois, pensou em Laura, a actriz substituta, uma rapariga ansiosa por mostrar a toda a gente que sabia dançar e cantar, e sentiu-se melhor. Rocky não precisava de telefonar a ninguém. Tinha levado os Alabaster a pensarem que ia a Nova Iorque, integrado numa excursão de escuteiros. Por isso, o seu único telefonema foi para encomendar *pizzas*. Depois, cheios de *pizza* e de esperança, ficaram à espera do Nockman.

A *Petula*, entretanto, como não podia atacar o Nockman, descarregava a fúria nos gnomos de jardim que se perfilavam na sombra como um exército. Embora mais pequenos, pareciam lembrar-lhe os marcianos do espectáculo *Stars on Mars*. E um ou dois dos gnomos tinham um aspecto tão maléfico como o próprio Nockman.

Molly e Rocky aventuraram-se até ao andar de cima, onde havia uma janela que dava para uma rua escura.

— Pensas que ele terá ouvido a gravação? — perguntou o Rocky.

— Se não ouviu, estou metida num bonito sarilho. Não deixará de me desmascarar — respondeu a Molly, sentindo um calafrio.

— Se ligou o rádio, espero que a gravação tenha desempenhado o seu papel — continuou o Rocky. — Espero que a minha voz tenha estado à altura do que queríamos.

— Só nos resta esperar, para vermos.

Enquanto esperavam, os dois amigos foram bisbilhotar o armazém do Nockman. Descobriram duas novas salas no primeiro piso: uma pequena cozinha e uma retrete. Na cozinha havia um lava-louça, com um frasco de detergente e luvas, um fogão imundo e um frigorífico que cheirava a leite azedo. Havia caixas por todo o lado, que a Molly e o Rocky se entretiveram a abrir. Caixas de perfume, de artigos de joalharia, enfeites, antiguidades e relógios de alto preço. — Ah! Estes devem valer uma fortuna!

— Penso que não — disse o Rocky, apontando para a etiqueta colada numa das caixas, onde se lia «Made in China». — São imitações, mas estou certo de que o Nockman os vende como se fossem verdadeiros.

Noutra sala encontraram caixas cheias de malinhas de pele.

— Também imitações — disse o Rocky. — Cópias de malinhas de grandes marcas. Mas, se olhares com atenção, verás que são coladas em vez de cosidas... Podem desmanchar-se em segundos. Já ouvi falar de vigaristas que vendem estas coisas.

— Aposto que ele as vende por bom dinheiro — afirmou a Molly.

— Podes crer que sim.

No andar de baixo havia caixas de porcelanas preciosas mas, uma vez mais, cada peça era uma imitação. Outras caixas estavam cheias de diversas coisas a que Nockman tinha conseguido deitar a mão: secadores de cabelo, cestinhos para gatos, martelos, esfregões, televisores e equipamentos de alta-fidelidade. Até encontraram uma caixa cheia de relógios de cuco.

— Acho que tudo isto foi roubado — disse o Rocky.

— «Caiu de um camião», como eles dizem — concordou a Molly.

Passava pouco da meia-noite, a rua foi iluminada por faróis de um carro de carga.

— É ele! — exclamaram a Molly e o Rocky ao mesmo tempo. Lançaram-se escada abaixo para abrirem a enorme porta de ferro. Nockman entrou e parou o furgão, com os pneus do veículo a esmagarem uma caixa de bules de chá. A Molly e o Rocky abriram a porta do lado do motorista e encontram-no a olhar fixamente para diante, com uma expressão idiota na cara, sem ter largado o volante.

Conduzir naquele estado de torpor tinha sido uma terrível experiência para Nockman. A certa altura, saiu da estrada e, antes de conseguir retomá-la, percorrera a mesma rotunda sessenta e duas vezes.

— Já pode sair — disse o Rocky. Sem dizer nada, Nockman desceu do veículo, a cadela ladrou-lhe e ele encheu as bochechas de ar. Quando começou a rolar os olhos nas órbitas, a *Petula* recuou. Este não era o homem duro que ela tinha conhecido. Este parecia poder explodir a qualquer momento. A cadela resolveu deixá-lo em paz e, em vez dele, foi atacar um dos gnomos de jardim.

Molly recuperou o manual de hipnotismo e até assobiou de contente.

Ambos, ela e Rocky, andaram à volta do homem. — Vestido como deve ser — observou Molly —, seria perfeito para um lago de jardim.

— Pois — concordou Rocky. — Você — ordenou a Nockman —, também é obrigado a obedecer a esta pessoa. Ela chama-se... — deteve-se, a pensar — Miss Hairdryer [«Miss Secador de Cabelo»].

— Já tive alcunhas piores — disse a Molly.

— E eu — continuou Rocky — chamo-me Cat Basket [«Cesto de Gato»].

Nockman acenou gravemente e Molly e Rocky começaram a rir baixinho.

— Quem sou eu? — perguntou Rocky.

— Cat Basket — disse Nockman, com o ar de quem diz: «Deus».

— E quem é esta pessoa?

— Hairdryer. Tenho de fazer... o que Miss Hairdryer... e Mr. Cat Basket... ordenarem.

Os latidos da *Petula* disfarçaram os risos abafados da Molly e do Rocky.

— Pch!, *Petula* — exigiu a Molly. Voltando-se para o amigo, murmurou: — E agora?

Rocky puxou os cabelos da testa. Tinham falado acerca do que fariam se Nockman regressasse completamente hipnotizado, mas não tinham ainda tomado qualquer decisão.

— Vamos fazer como eu disse — sugeriu. — Deixamos o furgão aqui, largamos o Nockman em Manhattan, de consciência limpa, e avisamos a polícia com um telefonema anónimo. Uma vez chegados aqui, os polícias adivinharão o resto.

— De maneira nenhuma — murmurou a Molly com voz rouca. — Eu disse-te... chegados aqui, é provável que descubram que o armazém pertence ao Nockman, que certamente será investigado, e poderão acabar por descobrir que ele foi hipnotizado, poderão tirá-lo do estado de hipnose que nós provocámos e até poderão descobrir que nós fomos os hipnotizadores.

— Não podemos limitar-nos a abandonar o furgão num sítio qualquer? — perguntou o Rocky.

— Não, porque também poderão descobrir que o furgão pertence ao Nockman. É demasiado arriscado. Não, o que devemos fazer é pôr as jóias em *qualquer* outro sítio, em caixotes de lixo, por exemplo. Podíamos pô-las nos caixotes do lixo que estão *à porta do banco*.

Rocky tinha dúvidas.

— Por que não? — insistiu a Molly. — De momento, sem nada que possa ser roubado, o banco já não precisa de guardas, estaremos em segurança. Ninguém estará à espera que os assaltantes se aproximem do banco. Podíamos telefonar aos polícias e dizer-lhes onde deviam procurar.

— Não podemos pôr as jóias em caixotes de lixo — murmurou o Rocky. — E se o pessoal de limpeza pensasse que era lixo? E não podemos livrar-nos de tudo de uma vez; são toneladas de jóias. Levaríamos montes de tempo a tirá-las do furgão. Alguém poderia ver-nos.

Sentindo que a discussão estava tensa, a *Petula* encarniçava-se a ladrar a um gnomo de rosto rosado, como se ele fosse o culpado de tudo.

— Pois é, tens razão, os caixotes de lixo não servem. E se usássemos aquelas malas de mão que estão lá em cima?

— São pequenas de mais — sussurrou o Rocky. — E seriam logo roubadas. Quer dizer, as malas de mão têm quase sempre dinheiro, não têm?

— É, precisamos de malas grandes, que não sejam roubadas nem *esvaziadas*.

A cadela estava a investir contra outro dos gnomos, um que tinha um chapéu encarnado, a tentar morder-lhe o nariz. Finalmente, deitou-o ao chão. O gnomo caiu com estrondo, bateu num degrau de cimento e a cabeça desfez-se em cacos. A *Petula* olhou para cima, cheia de orgulho, como se acabasse de matar um monstro.

— Os gnomos! — exultou Molly. — Nem quero acreditar, são ocos! Olha, têm bases de atarraxar, para se poderem encher de areia e não tombarem.

— Perfeito — concordou o Rocky, pegando no cachimbo do gnomo. — Obrigado, *Petula*.

— Ão, ão — ladrou a cadela, a sentir-se satisfeita consigo mesma.

Durante as duas horas e meia que se seguiram, Molly, Rocky e Nockman, todos de luvas de borracha para não deixarem impressões digitais, entregaram-se ao trabalho de transferir os sobrescritos cheios de jóias para dentro dos gnomos. Cada um dos bonecos recebeu uma carga variada. Joalharia leve, mais delicada, na cabeça e nas partes mais altas, para que não se partisse ao tombar, enquanto os pacotes mais pesados eram colocados no fundo, para facilitar o equilíbrio da estátua. A maioria dos gnomos tinha espaço suficiente para dois dos pequenos sacos do tamanho de bolas de futebol que pertenciam ao banco. Uma vez atarraxadas as bases, as estátuas de jardim pareciam tão inocentes como dantes.

Por fim, Nockman, encharcado em suor e malcheiroso como uma peúga suja, colocou o último dos bonecos no furgão.

Molly e Rocky, com a cadela ao colo, ficaram por momentos a admirar as fileiras de duendes sorridentes, todos prontos para desempenharem o seu papel, e a verem o Nockman a descer da plataforma eléctrica do veículo.

— Deixamo-lo aqui? — perguntou Rocky.

— Não, ele é demasiado perigoso — sussurrou a Molly. — Sabe demasiado. Pode ter algum plano do assalto ao banco e qualquer coisa que lhe faça voltar a memória.

— Então, isso significa que temos de o levar connosco — gemeu o Rocky.

— Tenho muita pena — respondeu a Molly —, mas ele pode ser-nos útil. Não te esqueças da ajuda que nos deu no carregamento. Rocky, além disso, para começar, nenhum de nós sabe conduzir.

— Eu até conduzia, se houvesse necessidade disso — disse o Rocky, a sorrir.

— Nem penses, Rocky. Deves estar chalado. Despacha-te, temos de nos pôr a mexer. Amanhece dentro de poucas horas.

— Eu sei — disse o Rocky, a espreguiçar-se.

— É melhor que entreguemos estas coisas antes que os moradores de Manhattan comecem a acordar.

Molly e Rocky deram uma volta pelo armazém, tentando eliminar todas as provas da sua permanência ali. Depois, Nockman e Rocky entraram na cabina do condutor, com Molly e a *Petula* na caixa de carga, e afastaram-se do armazém, seguindo por Brooklyn, a caminho de Manhattan.

A condução de Nockman deixava muito a desejar, era um pouco incerta, mas lá foram seguindo. Ao cruzarem a ponte de Manhattan verificaram que todos os veículos que saíam da ilha estavam a ser mandados parar e a ser revistados pelos polícias. Havia um longo engarrafamento, mas o caminho para Manhattan estava livre e avançaram sem problemas para atravessarem a ponte.

Uma vez em Manhattan, deram início à «Operação de Instalação de Gnomos». Tinham decidido deixá-los em diversas partes da cidade. Dessa maneira, não tinham de ter o furgão parado durante muito tempo e diminuíam os riscos de serem vistos. Sempre que chegavam a um sítio sossegado, onde houvesse um canteiro de relva e não notassem olhos curiosos, Rocky, que seguia à frente, mandava que o Nockman parasse e batia no painel que separava a cabina da caixa de carga, dando o sinal para a Molly instalar mais uma estátua. Molly abria a porta traseira pela parte de dentro, rolava um gnomo e fazia-o descer na plataforma eléctrica até ao nível da rua. A *Petula* fazia a guarda, enquanto a rapariga rolava o pesado boneco e o colocava em posição. Rocky anotava a posição exacta de cada um dos gnomos.

Deixaram gnomos debaixo de árvores, ao lado de moitas e em minúsculos triângulos de relva. Decoraram parques infantis, colocaram gnomos junto de fontes, ao lado de bancos de jardim e no meio de canteiros de flores. Um parecia muito valente, a sorrir por debaixo de um dinossauro postiço colocado no relvado do Museu de História Natural. Outro, sentado num canteiro de relva acima do rinque de patinagem Rockfeller, parecia satisfeito por ver que o seu lago tinha gelado. Puseram dois à entrada do jardim zoológico de Manhattan e dois na porta Strawberry Fields, de Central Park.

Cada gnomo levou cinco minutos a instalar.

Cada um destes medonhos períodos de cinco minutos constituía uma possibilidade de serem vistos, houve alguns momentos em que a Molly sentiu que poderiam ter sido descobertos. Junto ao parque, em Riverside Drive, fez parar a plataforma eléctrica por ver aproximar-se um carro da polícia. Quando o carro roçou por eles, como se fosse um crocodilo esfomeado, fez figas para que os polícias não resolvessem parar. Em Gramercy Park, a *Petula* correu para uma zona sem iluminação, atrás de um cão vadio, e Molly ficou a chamá-la, com voz abafada, até que a cadela regressou. Em Union Square, dois japoneses saíram do escuro e tropeçaram num gnomo. Molly receou ter sido descoberta mas, ao perceber que os dois homens estavam bêbados e mal se tinham de pé, achou que eles também não estavam em estado de a espiar.

Um a um, livraram-se dos vinte e cinco gnomos de cores vivas. Ficaram plantados por toda a ilha de Manhattan. À laia de desafio, os dois últimos foram colocados junto da entrada do Shorings Bank.

— Acho-os fantásticos! — exclamou a Molly, subindo com a cadela para a cabina do furgão, onde já estavam o Rocky e Nockman.

Depois regressaram ao armazém da Rua 52, para se verem livres do furgão. Rocky retirou a cassete do rádio/leitor de cassetes do veículo.

Deixaram a zona das docas e apressaram-se a regressar às ruas mais movimentadas. De uma cabina pública, ligaram para a polícia e seguraram o auscultador em frente da boca do Nockman, que recitou: — As... jóias... do Shorings... estão... salvas. Procurem... gnomos... pelas... ruas de... Manhattan.

Desligaram e acenaram a um motorista de táxi madrugador; antes do nascimento do Sol de Dezembro, estavam de regresso ao Bellingham Hotel.

Capítulo XXXI

O recepcionista do hotel estava cansado por ter passado a noite de serviço. Molly não teve muito trabalho para o persuadir a arranjar um quarto para o Nockman, apenas para um dia, e para lhe arranjar roupas limpas, um fato qualquer de que o hotel pudesse dispor, além de um estojo de barbear. O recepcionista aquiesceu e levou-os para um quarto do 16.º piso.

— Por último — exigiu Molly —, depois de entregar as roupas, não vai recordar-se de ter visto este homem. Compreendido?

— Com...preen...dido... Madame.

— Pode ir.

Depois, para Nockman, disse: — Durma ali até às duas horas da tarde, depois tome um banho, lave a cabeça, rape o bigode e a pêra e ponha-se a cheirar bem. Às duas horas, vestido com o seu fato novo, dirija-se ao quarto 125.

Molly e Rocky subiram a escada e, tirando apenas os casacos, deitaram-se na cama completamente vestidos. A *Petula* arranjou uma cama para si, o velho anoraque da Molly, e adormeceu também.

Molly dormiu até o despertador tocar. Durante um minuto ou dois ficou a ver o Rocky, a ouvir o ressonar do amigo e a chuva que tinha começado a cair lá fora. A sua aventura das primeiras horas da manhã já parecia um sonho. Sorriu e ligou para o serviço de quartos a encomendar qualquer coisa que se comesse.

Rocky foi acordado pelo cheiro a ovos e tostas. Os dois amigos sentaram-se para comer, enquanto viam um pouco de televisão.

Os noticiários estavam cheios de comentários acerca dos gnomos. Os repórteres da televisão estavam a ficar desnorteados. Tinham entre mãos uma história espantosa. O Canal 38 mostrava uma jornalista, protegida por um chapéu de chuva, a falar excitadamente para um microfone forrado de espuma, em frente do Shorings Bank.

— Por mais espantoso que pareça, as jóias do Shorings foram *todas* devolvidas. O banco verificou que nem uma pérola desapareceu. Não perderem um *único* diamante, ou rubi, ou qualquer outra gema! Na realidade, artigos avaliados em centenas de *milhões* de dólares. E o método de devolução acrescentou um pormenor bizarro a uma história já de si estranha. Vinte e cinco gnomos de jardim, cheios dos artigos roubados, foram encontrados em diversos pontos da ilha de Manhattan às primeiras horas de hoje, depois de as autoridades terem recebido um telefonema anónimo. A chamada foi feita por um homem com pronúncia de Chicago mas, para além disso, nada mais se sabe sobre ele. À medida que as foi encontrando, a polícia distribuiu imagens das estátuas.

O ecrã encheu-se de imagens de gnomos, cujos olhos espantados pareciam brilhar na escuridão, alumiados por lanternas dos agentes da autoridade, como se fossem criminosos apanhados em flagrante delito. O efeito era muito cómico.

A jornalista continuou a falar. — A razão que levou os assaltantes a devolverem as jóias continua a intrigar os investigadores. Uns pensam que o assalto foi uma espécie de aposta, outros crêem que os próprios assaltantes foram roubados. Os polícias estão a interrogar possíveis testemunhas, à procura de qualquer informação que os possa ajudar a resolver o mistério. Agora, atenção aos estúdios.

— Mais! Mais! — gritou o Rocky para o televisor. — Queremos mais imagens dos gnomos, e mais imagens dos polícias a parecerem desconcertados.

Apontou o controlo remoto para o televisor, percorrendo todos os canais, a tentar encontrar mais notícias. — Oh! — protestou —, o noticiário da hora do almoço acabou. Este foi brilhante!

— Nós fomos brilhantes! — concordou a Molly. — Roubámos aquele banco como se fôssemos profissionais e devolvemos o tesouro como se fôssemos agentes secretos.

— Tirando alguns sustos que apanhámos... — zombou Rocky. — Molly, não me pareceste lá muito satisfeita contigo mesma, quando, no banco, pensaste que tínhamos sido filmados. Ficaste mesmo preocupada.

Molly sorriu ao recordar-se da cena. — Está bem, mas não senti metade do susto que apanhaste quando pensaste que não íamos conseguir enganar os aparelhos que analisam os olhos...

— Pois, pois, mas não te esqueças de ti, esta manhã, em Gramercy Park, quando a *Petula* desatou a correr. Pensei que ias deixar cair o lábio inferior...

Os dois amigos riram-se ao recordarem os momentos mais aflitivos, cena por cena.

— E a mais maluca das ideias é que ninguém vai conseguir saber quem fez isto, ou como o fez. Na verdade, sabes uma coisa? — Rocky encheu o peito de ar. — Este crime vai ficar na História.

Ficar na História. Molly lembrou-se de que Nockman alimentara a mesma esperança em relação a si próprio. E recordou com irritação outras frases daquele homem. Desligou o televisor e começou a enrolar o guardanapo entre os dedos.

— Rocky, quero que saibas que, realidade, não sou melhor do que o Nockman. Também sou uma criminosa.

Rocky pareceu surpreendido.

— Sou, sim, Rocky. Se pensares nisso concordas comigo. Olha para este lugar. Consegui entrar aqui graças a uma vigarice, enganei as pessoas que o pagam, roubei o papel à Davina Nuttel. Enganei a assistência em Briersville e, por isso, acho que roubei o prémio, além de ter roubado a todos aqueles miúdos a possibilidade de qualquer deles vencer o concurso de talentos.

— Molly, cala a boca — disse o Rocky, mas com pouca convicção. — És uma hipnotizadora genial. És verdadeiramente boa nisso. É o teu talento. Isto quer dizer que nenhuma daquelas pessoas de Briersville poderia vir para Nova Iorque graças ao seu talento. És brilhante. Fizeste toda a gente feliz. Nova Iorque adorou o teu espectáculo, os espectadores passaram a melhor noite das suas vidas. E Rixey e Barry adoram-te. Vê só a publicidade que conseguiste para *Stars on Mars*. Agora todos os nova-iorquinos sabem que o espectáculo existe, haverá montes de gente a querer comprar bilhetes. Não és uma *verdadeira* ladra, apenas conseguiste o que querias utilizando métodos diferentes dos das outras pessoas. De facto, a única coisa que roubaste foi o papel da Davina Nuttel, que também não era um anjo, pois não? Tu e eu somos as únicas pessoas que sabem a verdade; então, Molly, o que é que te preocupa verdadeiramente?

— Está bem, sei isso tudo, mas ser honesto é melhor, não é, Rocky?

— É, mas não vou deixar que tenhas complexos de culpa. Esquece-te disso.

Na verdade, Molly sentia-se culpada, mas havia mais qualquer coisa. Como um cavalo que tivesse galopado sem destino, tinha acabado por chegar a um lugar onde efectivamente não queria estar. Ter encontrado o Rocky obrigara-a a parar para pensar.

— Rocky, não se trata apenas disso. Há mais qualquer coisa que está a fazer-me sentir... como dizer, mal, verdadeiramente mal. Sei que este quarto de hotel é espantoso, e tudo. Mas, Rocky, o problema é que começo a não gostar da Molly Moon, vedeta de teatro. Talvez gostasse, se na realidade fosse a pessoa que todos pensam que eu sou; mas o problema é que não sou. E, por muito estranho que te pareça, estou a ficar cansada desta situação, em que as pessoas gostam de mim por terem sido hipnotizadas para gostarem de mim. As pessoas não gostam de uma Molly de carne e osso. Gostam de uma pessoa irreal. Estão a gostar de uma espécie de objecto publicitário, de uma falsa Molly Moon. Ora, isto faz que a Molly Moon verdadeira se sinta um verdadeiro nojo, a minha vida aqui é pura perda de tempo; como esta não é a verdadeira vida da Molly Moon, ninguém vai chegar a saber como é a Molly Moon da vida real. — Olhou para a cadela, profundamente adormecida. — O problema é que nem a *Petula* gosta verdadeiramente de mim. Hipnotizei-a para que gostasse de mim.

— Molly! Mas isso foi há montes de tempo. A hipnose que provocaste na *Petula* já deve ter-se esgotado.

— Esgotado? De que é que estás a falar?

— Molly, o estado de hipnose não dura para sempre. Não percebeste isso? As *lições* que os animais ou as pessoas aprendem quando estão hipnotizadas podem durar para sempre, como acontece com o facto de a *Petula* não comer bolachas de chocolate e gostar de ti. Adquiriu novos hábitos, que a fazem sentir-se bem, e continua a agir de acordo com eles. Mas a hipnose não dura para sempre. A *Petula* já não está hipnotizada. Agora gosta de ti por gostar.

— Como assim? Queres dizer que a hipnose que provoquei no Barry Bragg e em Rixey Bloomy acabará por desaparecer? Molly estava de boca aberta.

— Claro. Com o tempo desaparece. Nunca chegarão a saber que estiveram hipnotizados e sempre se recordarão de ti como uma miúda brilhante. Porém, se não os vires durante seis meses, acabarão por pensar que não és tão brilhante como antes te tinham julgado. Terás de os hipnotizar repetidamente.

— E quanto ao público que hipnotizei?

— Acontece o mesmo. Os espectadores vão recordar-se de que és boa mas, no caso de voltarem a ver-te no palco, terás de voltar a hipnotizá-los, pois, a não ser assim, eles darão ao teu pequeno número de canto e dança o valor que ele realmente tem.

— Olha lá, como é que sabes isso tudo? — perguntou Molly.

— Aprendi no livro, claro — respondeu o Rocky. Molly ficou perplexa. — Ah, a propósito — disse ele, a tentar evitar um soluço —, esta parte vem no final do oitavo capítulo.

— Então, esse trecho de informação fundamental esteve sempre na tua algibeira. Bolas!

— Desculpa.

— Não faz mal — disse Molly, embrenhada em pensamentos profundos. — Então, o estado de hipnose desaparece com o tempo. Ora bem, sabes uma coisa? A chama da minha vida também está a desaparecer. De qualquer das formas, já estava a pensar em sair de Nova Iorque com a *Petula*. Agora que me disseste tudo isso, quero mesmo ir. Ter de estar constantemente a cortejar as pessoas e a hipnotizá-las, para sempre... apre! A ideia é um pesadelo!

— Para onde é que queres ir?

Molly olhou para o tecto. — Para te falar com franqueza, tenho andado preocupada com todas aquelas pessoas de Hardwick House. Não estou a falar da Hazel ou do Gordon, ou do Roger, mas sim de Gemma, de Gerry, de Ruby e de Jinx.

— Também eu — admitiu Rocky. — Imagina o que será aquilo com a Hazel a mandar. Talvez seja bem pior do que quando a Miss Adderstone lá estava, mesmo que Mrs. Trinklebury continue a ir lá.

— E eu sou a única culpada — disse a Molly. — Aposto que a Hazel os obriga a fazer o trabalho todo. Quero regressar. Mas tu, Rocky... Não deves querer voltar, agora que tens uns pais novos.

— Ah! Bem, Molly, tenho uma coisa para te dizer acerca da família Alabaster. Não foram muito simpáticos.

— Não foram muito simpáticos!

Rocky continuou a contar como os Alabaster eram pessoas horríveis, que lhe tinham parecido maravilhosas no dia em que visitaram Hardwick House, mas depressa revelaram os seus verdadeiros sentimentos, logo que puseram os pés nos Estados Unidos. Foram muito, muito severos e Rocky achou que estar em casa deles era o mesmo que estar numa prisão.

— Queriam enfiar-me dentro de roupas desconfortáveis e fora de moda, obrigavam-me a ficar sentado a resolver quebra--cabeças ou a fazer origami.

— O que é origami?

— Sabes, aquela arte japonesa de fazer enfeites de papel. Não me importaria de fazer aquilo durante um bocado, mas eles deram-me um livro para aprender a arte e as instruções eram impossíveis de seguir, e queriam que fizesse aquilo durante todo o dia.

— Todo o dia?

— Bem, durante muito tempo. Diziam que era para eu disciplinar a mente. Hipnotizei-os, como tinha de ser, para abandonar o origami.

— E que mais?

— Também não gostavam que saísse para não sujar as roupas. Ou com medo de que algum miúdo me transmitisse piolhos. Não que eu me encontrasse com outros miúdos. As casas da vizinhança estavam cheias de gente velha. Uma vez em que fui dar um passeio, chamaram a polícia. Tentei hipnotizá-los para me deixarem mais à vontade, mas nem sempre resultou. Não era tão bom como tu. Por vontade deles, eu nunca poderia cantar ou assobiar, ir dar uma volta ou ver TV. Gostavam que eu lesse, mas só me deixavam ler velhos anuários de quando Mrs. Alabaster era uma rapariga. Oh, e a comida que eles comiam era ordinária; ambos tinham de fazer dieta e obrigavam-me a engolir aquela comida de coelhos juntamente com eles.

— Comida de coelhos?

— Ora bem, parecia comida de coelhos. Por vezes parecia comida para gatos, enfeitada com comida para peixinhos dourados. Tudo o que faziam era esquisito. Viver com eles era uma tarefa difícil. No final, acabei por conseguir o que queria, mas eles não eram as pessoas que esperava que fossem e detestei a minha vida em casa deles. Pior do que tudo, senti saudades de ti. Quero dizer, acho que és a minha família, Molly. Conheço-te desde sempre.

Molly sentiu uma espécie de calor interior. — Obrigada, Rocky.

Houve alguns momentos de silêncio, em que ficaram a sorrir um para o outro, a apreciarem a amizade do outro. E Molly acabou por perguntar: — E como é que vais conseguir sair de lá?

— Telefono-lhes e ponho algumas ideias dentro daquelas cabeças. Vou hipnotizá-los para os levar a perceber que a solução não resultou por eles não gostarem de mim. Vou fazer que pensem que me mandaram de volta e que essa foi a melhor solução para todos, sabes, esse género de coisas.

— Vai ser difícil desligar-me de Nova Iorque — disse a Molly, com voz de quem está assustada.

— Podes resolver tudo — disse o Rocky, pensativo. — Sei o que deves fazer. E penso que sei a maneira de te livrares dos sentimentos de culpa pelas patifarias que fizeste. Só tens de fazer umas chamadas telefónicas.

Dez minutos mais tarde, Molly agarrou-se ao telefone. — Sim, Barry, a *Petula* foi devolvida durante a noite.

— Exactamente como os gnomos do Shorings Bank! — disse Barry.

— Sim, como os gnomos. Mas, Barry, como sabes, toda esta questão foi muito deprimente para mim. E decidi que prefiro que a Davina regresse ao espectáculo. Quero ter umas férias bem longas.

— Mas...

— Tenho de sair daqui — disse Molly com firmeza.

— Estou a perceber — respondeu Barry. — Bem, vamos todos sentir a tua falta, eu, a Rixey e o elenco.

— Obrigada. Também vou ter saudades. Barry, agora ouve-me com atenção. Tens de arranjar maneira de a minha conta de hotel ser liquidada e preciso que me pagues um salário. Na tua opinião, quanto é que achas que devo receber?

— Bem... tendo em conta... o que nos custaste... para te manter... e o custo... daquela vidraça maciça... a lente... como contrapartida... da grande publicidade... que trouxeste ao espectáculo... bem... estou a pensar... em 30 mil dólares — calculou Barry, já a pensar na sua fatia de 10 por cento.

— Acho bem — respondeu a Molly, muito satisfeita com as contas dele —, fantástico. Por favor, manda entregar o dinheiro no Bellingham, pelas 16h00m. A propósito, prefiro receber em dinheiro.

— De acordo.

— E, Barry, diz à Rixey que esta noite também não posso fazer o espectáculo. Posso ser substituída pela Laura... Oh!, por falar da Laura, vais protegê-la, não vais, Barry? Arranja-lhe um bom papel principal em qualquer espectáculo... toma-a sob a tua protecção...

— De acordo.

— Quanto a mim, até amanhã ninguém precisa de saber que estou realmente de saída.

— De acordo.

— Diz à Rixey que tiveste uma conversa comprida, muito comprida, comigo e que lhe mandei cumprimentos de despedida. Diz que lhe vou telefonar.

— De acordo.

— Então, adeus, e, bem, obrigada por tudo.

— De acordo — disse Barry, pousando o auscultador.

— Estás a ver, não foi muito difícil, pois não? — concluiu o Rocky.

— Não — disse a Molly, embora começasse a sentir uma certa tristeza. Tinha criado uma certa amizade por aquele tonto do Barry e ia ter saudades dele.

Capítulo XXXII

Pouco depois de ambos terem comido, Nockman bateu à porta do quarto da Molly. Parecia muito bem no seu uniforme de porteiro, com o barrete de feltro verde a condizer, que o recepcionista lhe tinha dado. Entrou com modos humildes no quarto e ficou ali, a ser objecto da atenção da Molly e do Rocky. O cabelo do homem continuava a ser um emaranhado de crina preta e a cara, embora barbeada, estava manchada e tinha um aspecto doentio, além da cicatriz avermelhada na parte inferior do queixo.

— Um corte de cabelo, penso eu — disse Rocky. E não tardou muito que ele a Molly pusessem uma toalha à volta dos ombros do Nockman.

Sem aquela cauda de cabelo, o homem ficou com muito melhor aspecto. Parecia um monge, com a cabeça calva como um ovo na parte da frente e uma auréola de cabelo na parte de trás.

Rocky deu-lhe uma banana. — Durante uns dias vai comer apenas fruta. Vai fazer-lhe bem. E vai deixar de fumar.

Nockman descascou a banana e enfiou-a sofregamente na boca. Havia bocados de banana por toda a parte.

— E quanto às maneiras dele? São um *nojo* — disse Molly, a apontar para o homem.

Rocky concordou. — Pois são. A partir de agora, Nockman, vai comer como...

— Como uma rainha — sugeriu Molly.

— Ah! Por favor, podem trazer-me um guardanapo e uma tigela para lavar os dedos?

— E tem de mudar de sotaque — disse Molly. — Podemos ser apanhados por causa do sotaque de Chicago. A partir de agora, vai falar com... com um sotaque alemão.

— *Prronto*, eu *fazerr* isso — concordou Nockman.

Depois de Nockman ter acabado de comer a banana, Rocky ordenou-lhe que se levantasse, e juntamente com a Molly, analisou o sujeito, as costas curvadas do homem, o pescoço mole e o duplo queixo.

— Não poderíamos dar-lhe um aspecto mais agradável? — perguntou o Rocky. Para experimentar, ordenou-lhe: — Faça como um cachorrinho.

De imediato, Nockman levantou as mãos como se fossem duas patas e deitou para fora a sua língua arroxeada. Os olhos abertos pareciam bem vivos.

— É quase isso, mas meta a língua para dentro. — Sussurrou para a Molly: — É tão esquisito. Até tenho pena dele.

— *Pena* dele? É uma *ratazana* — respondeu a rapariga.

Nockman começou a imitar uma ratazana, a rastejar pelo chão e a farejar.

— Não disse que *fosse* uma ratazana — bradou a Molly.

— Desculpe, Miss Hairdryer — murmurou Nockman.

— Mas não tem amigos — sussurrou o Rocky.

— Ai isso é que tem. Montes deles, de ratazanas. Vamos perguntar-lhe. Tem amigos?

— Não, não. Nunca *terr* amigos — declarou Nockman, de forma automática, com o seu novo sotaque germânico. — Excepto um *passarinho* de estimação. Costumava cantar *marravilhosamente*, e voar à volta do *jarrdim*.

Nockman tinha os olhos velados de lágrimas verdadeiras. Molly foi apanhada de surpresa. A última coisa que desejava era ter pena daquele homem.

Rocky, porém, estava intrigado e mostrava simpatia. — O que é que lhe aconteceu? — perguntou.

— Foi morto... na ratoeira de Mr. Snuff. Encontrei-o morto.

— Que coisa horrível, que tristeza — disse o Rocky. — Molly, tens de concordar que foi um acontecimento triste... Pobre passarinho, pobre de si. Mas, quem era Mr. Snuff?

— Era o nosso *senhorrio. Parrtilhávamos* o jardim com ele.

— E qual a razão de nunca ter tido amigos? — perguntou o Rocky.

— Por eu ser esquisito.

— Esquisito? Como assim?

— Estranho. Impopular.

— Não tinha percebido. Isso é horrível — disse o Rocky. — Sinto pena dele.

— Eu não — declarou Molly. — Foi realmente muito mau para a *Petula* e muito mau para mim. Deixa-te disso, Rocky. O que é que te deu? O tipo é um palerma.

— Penso que, lá no fundo, não é má pessoa — teimou o Rocky.

— Ai não? Vamos fazer-lhe umas perguntas. Muito bem, cavalheiro. É capaz de nos dar uma lista de todas as maldades que fez, desde que o seu passarinho morreu?

Nockman acenou com a cabeça e começou a falar com uma voz de criança. — Armei uma ratoeira e coloquei-a debaixo da mesa de Mr. Snuff... e a ratoeira... apanhou-lhe o pé... como tinha... apanhado o pé do meu... *passarrinho*.

Rocky olhou para Molly com o ar de quem diz que foi bem feito.

Nockman continuou: — Eu *meter* comida do *passarrinho* nas papas de Mr. Snuff, e ele comeu-a.

Isto também parecia razoável.

— Pois, pois — disse Molly. — Não nos conte as outras maldades que fez a Mr. Snuff, porque é evidente que ele as merecia. Fale-nos de *outras* maldades.

Da boca de Nockman começou a jorrar uma verdadeira torrente de maldades. — Roubei o relógio do Stuart Blithe, e acusei um outro rapaz, e ele levou uma sova do director. Risquei o trabalho de casa da Shirley Denning, e fiz riscos nas melhores gravuras dela. Obriguei o Robin Fletcher a comer quinze... moscas mortas, e ele vomitou... e obriguei-o a comer o vomitado. Puxei a cabeça da Debra Cronly através dos varões do corrimão e tiveram de chamar os bombeiros para a libertar. Roubei rebuçados às crianças... e *dizer* a elas que se fossem contar... eu enfiava as cabeças delas na sanita...

Molly interrompeu-o. — Isto são maldades vindas do fundo, não são, Rocky?

Rocky encolheu os ombros. — Acho que sim.

— Que mais? — perguntou a Molly. — E salte uns quantos anos.

A voz de Nockman soou subitamente mais velha. — Queimei um modelo do avião do Danny Tike, que ele tinha levado três semanas a fazer. Estendi um cordel... entre dois postes... *perrto* do lar de terceira idade... fiz cair a velha Mrs. Stokes... que partiu o nariz. Eu *achar* muito graça. Depois fiz cair o cego. Foi fácil... e roubei a carteira dele.

— Roubou a carteira dele?! — Molly estava agora verdadeiramente irritada. — E depois?

— Depois... — A memória de Nockman foi obrigada a avançar, passando por cima de numerosas malfeitorias. — Depois, aprendi... a roubar em *outrros* sítios. Muito útil. Brinquedos, tudo o que pudesse roubar. E aprendi a maneira... de os *venderre*... numa loja de coisas em segunda mão. Foi o *prrincípio* da minha carreira.

— E que idade tinha nessa altura?

— Onze.

— E que mais?

— Roubei a bicicleta de uma miúda e fechei... a miúda numa sala de arrumações. Ninguém soube que ela lá estava... durante um dia... e uma noite. Arranjei miúdos mais pequenos que roubavam aos pais. Se contassem a alguém... batia-lhes. Forcei um miúdo a roubar... a casa de um idoso... por mim. Ele *caber* por janela pequena. Ser um bom *trrabalho*.

— Foi um bom trabalho — corrigiu a Molly.

— Não, não, não bom — atalhou Nockman, subitamente a mudar de ideias.

— E nos anos mais recentes?

— Bom — explicou Nockman com voz neutra —, um trabalho correu bem, convenci uma senhora idosa a dar-me as suas economias... para um lar de cães abandonados. Deu-me... 150... mil dólares. Comprei os armazéns... e lancei-me nos negócios.

Rocky fez uma careta, como quem acaba de mastigar uma malagueta.

— O seu negócio?

— Sim. Negoceio... com mercadorias roubadas.

— Agora já não negoceia, pois não? — perguntou a Molly.

— Não — concordou Nockman. — Não.

— Nesse caso — continuou a Molly —, qual é que considera o maior golpe da sua carreira?

— Ah!..

Os olhos hipnotizados do homem tornaram-se subitamente sonhadores.

— Ah, bem, a melhor coisa... foi ter descoberto um manual de hipnotismo. A senhora idosa falou dele. Com este livro, *dir-*

rigi o *maiorre* assalto de um banco... em todo o mundo. Roubei... o Shorings Bank... esse mesmo... em Nova Iorque.

— Bolas! — disse Molly, baixando a voz para o Rocky —, a lavagem ao cérebro não foi completa.

Depois, para Nockman, disse: — Tenho de o fazer parar aí durante uns momentos. Vamos esclarecer as coisas. Não foi *você* quem assaltou o banco. Foram uns garo... quero eu dizer, uns *cúmplices* extremamente talentosos que fizeram isso. De qualquer dos modos, isso agora não interessa, pois, a partir deste momento, vai esquecer-se completamente do livro de hipnotismo e das viagens que fez para o procurar. Vai esquecer-se de quaisquer ideias acerca do assalto ao Shorings Bank. Vai esquecer-se de que o banco foi roubado. Estamos entendidos?

— Estamos. Esqueci-me, agora.

— Muito bem. Fez mais algumas maldades?

— Sim — admitiu Nockman —, vendi a um homem um carro com o chassis partido. Teve um acidente.

— Morreu? — perguntou um Rocky boquiaberto.

— Não, mas a senhora *atrropelada* morreu.

— Chega! — bradou o rapaz, zangadíssimo. — Isto é horrível. Não quero acreditar. Como é que pôde fazer todas essas coisas se sabia que eram horríveis?

— Gosto de ser horrível — foi a resposta simples do Nockman.

— Mas, porquê? Porquê? — continuava Rocky a perguntar, absolutamente perplexo. — Como é que alguém pode gostar de ser *horrível?* Por que razão não preferiu ser *bondoso?*

— Nunca... *saber...* o que era bondade.

— Mas as pessoas não foram bondosas para si? — perguntou o Rocky.

— Não... claro que não. Toda a gente me odiava. O meu pai... batia-me... se me via em casa. Até a minha mãe se riu quando o meu *passarinho* morreu. Por isso, quis *morrerre* também. Ela era má. *Aprrendi* as maldades com ela, não as bondades. Não sei o que é bondade.

Rocky parecia abatido pelo horror da situação. Contudo, o seu ar de horror começou a dar lugar a uma expressão de entendimento. — Molly, é como na canção de embalar de Mrs. Trinklebury... Foi assim que a mãe-cuco os ensinou a viver. Ensinou-os que empurrar é o que têm de fazer.

Molly acenou lentamente com a cabeça, também ela a pensar na canção de Mrs. Trinklebury e a ver Nockman sob uma nova luz. Como poderia culpá-lo de não ser bondoso, se nunca tinham sido bondosos para ele? Se a sua infância de cuco apenas lhe ensinara o ódio?

— Rocky, acho que tens razão. Quase me detesto por sentir pena dele, mas tens razão. Acho que não é de surpreender que ele seja mau, se ninguém lhe ensinou a ser outra coisa... Acho que ser bondoso é um pouco como... como a leitura... se não me tivessem ensinado a ler, acharia muito difícil saber como... Isto é, as páginas dos livros pareceriam uma baralhada. Para ele, a bondade deve parecer uma perfeita baralhada. — Então, acrescentou: — E tu e eu a pensarmos que a nossa vida foi má.

— Pois — suspirou Rocky. — Pelo menos, nós tínhamos Mrs. Trinklebury, além de nos termos um ao outro. Talvez possamos ensinar Mr. Nockman a ser uma pessoa melhor.

— Oxalá — murmurou a Molly. — Gostaria de saber... — começou, mas acabou por perguntar: — Sente-se mal por ter feito as coisas que fez?

— Não, por que razão havia de me sentir mal? — respondeu Nockman.

— Temos aqui um problema — disse a Molly para o Rocky. — Deve ser difícil ensiná-lo a ser melhor, se ele não vir nenhuma razão para ser melhor. Ele não quer ser ensinado. E não tenho a certeza de que resolva a situação se o hipnotizar e lhe mandar que seja bom. Nunca mudará *verdadeiramente* se não se sentir culpado do mal que fez. Pode acontecer que *queira* mudar, se perceber até que ponto magoou as pessoas.

— Mas como é que vamos fazer isso? — perguntou o Rocky.

— Teríamos de o fazer sentir-se mal, como as pessoas se sentiram com o mal que ele lhes fez.

— Bem, eu penso — disse a Molly, a sentir-se como um cirurgião prestes a iniciar uma operação — que devemos tocar na única coisa que o deixou triste, a única coisa que sabemos que o perturbou.

— O passarinho?

— Exactamente, o passarinho.

Molly voltou-se para Nockman.

232

— Deixe-me que lhe diga, quero dizer, qual é o seu primeiro nome?

— Simon. Chamo-me Simon — disse Nockman, metendo a mão ao bolso interior do casaco de onde retirou o passaporte de cor verde, que entregou à Molly. Esta pegou no documento e estudou a fotografia, em que ele mais parecia um peixe dourado do que uma pessoa. Ou talvez parecesse uma piranha.

— Ora bem, Mr. Simon Nockman — começou ela —, em primeiro lugar, quero que imite um cão morto, deitado de costas, com os braços e as pernas no ar, assim, isso mesmo, assim está bem, e agora ladre.

— *Ão, ão, ão* — ladrou Nockman, deitado no chão, a agitar as pernas e os braços.

— Óptimo — continuou a Molly. — Agora, enquanto está nessa posição, quero que imagine o que significou para a *Petula*, aquela cadela *pug* que roubou, ser maltratada por si.

— *Ão, ão.*

Molly bem via que ele não estava a sentir-se muito mal e, por isso, acrescentou: — E se não consegue sentir nada, então comece a pensar naquele seu pobre passarinho que morreu.

Nockman soltou um uivo de meter dó: — *Aaaaoooouuuuoooo.*

— Isso mesmo. Como vê — disse a Molly —, está a pensar na pobre da *Petula* e a juntar o pensamento à memória que guarda do passarinho. Está a aprender.

Nockman voltou a uivar. — *Aiaaaouuuuuuouoooo.*

— De agora em diante — gritou a Molly, a sobrepor a sua voz ao uivo —, sempre que alguém lhe disser «olá», vai deitar-se de costas e uivar dessa maneira, e sentir-se assim mal e imaginar como é que a *Petula* deve ter-se sentido quando foi raptada por si.

E virando-se para o Rocky, acrescentou: — Todas as vezes que alguém o cumprimentar devem ser suficientes para que a lição seja realmente aprendida, não achas? E agindo assim não teremos a preocupação de estarmos sempre a mandá-lo fazer a mesma coisa.

Então, para acabar com o barulho, Molly ordenou que Nockman se levantasse e andasse aos saltos, como se fosse um orangotango excitado.

— *Ooooogh, oooogh uuuugh* — grunhiu o homem.

— Agora — disse Rocky, que tinha percebido a ideia —, por causa de todas as suas outras malfeitorias, sempre que alguém lhe disser «boa tarde» vai recordar-se da coisa feia que fez e lhe seja trazida à mente por essa pessoa, e terá de contar à pessoa o que fez, voltando a recordar-se do seu passarinho. De acordo?

Nockman acenou que sim, a tentar perceber as instruções complicadas do Rocky: — *Oooooh, ooogh, uurgh, aah*, pois.

— Isto vai dar-lhe que pensar, não vai? — perguntou o Rocky.

— Sem dúvida nenhuma — concordou a Molly. — E — ordenou — já pode deixar de ser um orangotango. Bom. Muito bem, passa a trabalhar para nós, Mr. Nockman. Cumprirá todas as nossas ordens. Vai ser bem tratado e sentirá muita felicidade por trabalhar para nós. Agora, pode acordar — concluiu a Molly, batendo as palmas.

De seguida, Rocky abriu o frigorífico e encheu copos de cerveja para todos.

Começaram os preparativos para a viagem.

Como tinha muitas coisas novas para levar, Molly pediu à recepção que lhe enviasse mais umas malas e Nockman começou a arrumar as roupas dela. Rocky dirigiu-se à segunda divisão da *suite* para fazer diversos telefonemas importantes. E Molly tratou de acondicionar o manual de hipnotismo.

Tirou-o do cofre, guardando-o com todo o cuidado dentro da mochila. Depois deu uma vista de olhos por tudo o que tinha trazido para o quarto, pelo correio dos fãs e pelas recordações de Nova Iorque, brinquedos e engenhocas, acessórios e roupas, para decidir o que iria levar consigo. Quando viu a *Petula* deitada em cima do seu velho anoraque, decidiu deixá-lo. Retirou o seu novo blusão de ganga do guarda-vestidos, mais uma sombrinha, e foi até à varanda para olhar uma vez mais, do ponto alto em que estava, todo o esplendor de Manhattan.

Chovia, mas o Sol da tarde também se derramava sobre os edifícios, onde tudo brilhava: tijolos, armações de aço e vidraças. Continuava a sentir-se pequena perante aquele cenário, pois a cidade era tão alta e tão densa, tão cheia de pessoas que ela nunca poderia conhecer. No entanto, agora, em vez de achar a cidade medonha, como acontecera na primeira manhã em que a olhara, adorava aquele lugar. Adorava os arranha-céus, as ruas barulhentas, os automobilistas malucos, as lojas, as galerias, os teatros, os cinemas, a vivacidade das pessoas, os parques da cidade e até a sujidade. E também soube que, um dia, havia de regressar.

A *Petula*, depois de um sono reparador em cima do anoraque, acordou com o barulho de Nockman, que estava a tirar as roupas da Molly do guarda-vestidos. Por qualquer razão, o homem que estava na sala não era tão ameaçador como aquele que a tinha raptado, pelo que resolveu ignorá-lo. Apanhou um seixo bem redondinho do chão e começou a chupá-lo. Ainda meio a dormir, ficou a ver a Molly na varanda e sentiu-se aliviada por voltar a casa.

Finalmente, o recepcionista do hotel apareceu a entregar um sobrescrito volumoso, que tinha sido entregue para a Molly. Chegara a hora da partida.

O *Rolls Royce* da Molly foi levado para junto da porta dos fornecedores. Com a ajuda de um dos porteiros do hotel, Nockman encheu a mala do carro com as bagagens. Passados poucos minutos, a Molly, o Rocky e a *Petula* estavam confortavelmente instalados nos assentos de pele, protegidos pelas vidros foscos. Nockman seguia no lugar do condutor, ele que era, conjuntamente, motorista, mordomo, porteiro e paquete.

O motor do carro foi ligado e o *Rolls Royce*, com um solavanco imponente, afastou-se do Bellingham Hotel.

Capítulo XXXIII

Molly e Rocky quiseram fazer uma última paragem antes de deixarem Nova Iorque. O *Rolls Royce* abriu caminho através de avenidas movimentadas, até que Nockman o arrumou junto de um edifício alto, com uma entrada em forma de triângulo, com o nome Sunshine Studios por cima da porta.

Um homem de pescoço esguio, vestido com um fato azul-escuro, apressou-se a descer a escada de mármore para os receber. Tirou os óculos escuros e sorriu, mostrando um dente de ouro no maxilar superior. — Bem-vindos, bem-vindos — disse, excitado —, e obrigado pelo vosso telefonema. Estamos deveras satisfeitos por estarem aqui. Eu sou Alan Beaker, o realizador que falou convosco.

Estendeu a mão aberta para apertar as mãos da Molly e do Rocky. — Façam o favor de me seguir.

A Molly, o Rocky e a *Petula* entraram atrás do realizador e seguiram-no através de um corredor pintado de branco, até um estúdio enorme, cheio de cabos, guindastes, câmaras de filmar e pessoas de pé, todas a olharem para a Molly. Para a nova estrela infantil: Molly Moon.

Uma senhora de cabelo grisalho, vestida com um fato muito elegante, destacou-se do grupo. — Esta senhora — disse Alan Beaker, ao apresentá-la —, é a presidente da Qube Incorporated, Dorothy Goldsmidt.

Dorothy Goldsmidt levantou a mão para cumprimentar a Molly, fazendo faiscar a enorme esmeralda do anel que usava. — Como está? — disse na sua voz agradável e distinta. — Tenho muito prazer.

— O prazer é meu — respondeu Molly. — Penso que falou pelo telefone com o meu amigo Rocky.

Rocky deu um passo em frente.

— Como está? — cumprimentou.

— Também tenho muito prazer em conhecê-lo — disse Dorothy Goldsmidt, após uma ligeira hesitação —, e estamos prontos, prontos para tudo.

Vinte minutos mais tarde, depois de devidamente maquilhados, o Rocky, a Molly e a *Petula* encontravam-se todos no palco do estúdio.

— Luzes — bradou Alan Beaker. — Câmara, e... *acção!*

Molly e Rocky começaram. Era uma balada simples que tinha sido composta pelo Rocky, mas com os olhos da Molly em pleno, a voz do Rocky no auge do seu poder hipnótico e a *Petula* a parecer o mais graciosa possível, o anúncio que interpretaram era muito, muitíssimo poderoso. Dizia assim:

> *«Quem quiser ser fixe e sentir-se feliz,*
> *Faça aquilo que nós pensamos que deve fazer,*
> *Veja como vivem, como vivem, como vivem,*
> *Os miúdos do seu bairro.*
> *Alguns miúdos podem estar a passar mal,*
> *Então veja como vivem, faça que se sintam bem,*
> *Veja como vivem, como vivem, como vivem,*
> *Os miúdos do seu bairro.»*

> *«Ouçam todos...*
> *Para alguns miúdos a vida não tem nada de bonito,*
> *Este mundo devia ser bom para toda a gente.*
> *A infância devia ser feliz... Não acha?*
> *Então, veja como vivem os miúdos do seu bairro.»*

O anúncio terminou com a Molly e o Rocky a apontarem directamente para as câmaras. — Corta! — bradou Alan Beaker. — Foi fabuloso! Feito por dois verdadeiros profissionais.

— Bem — começou a Molly, a sorrir para o Rocky —, há anos que interpretamos anúncios.

— Sim — disse Dorothy Goldsmidt —, foi maravilhoso e, tal como mandaram, vamos transmitir o anúncio de hora a hora, todos os dias. A Qube Incorporated pagará com todo o gosto o tempo de antena necessário. Muito obrigada.

— Oh, não — disse a Molly —, *nós* é que temos de lhe agradecer. E agora, adeus. Temos de ir.

— Adeus — disseram todas as pessoas presentes no estúdio, ainda encantadas.

De regresso ao *Rolls Royce*, Rocky disse para a Molly: — Vês, as lavagens ao cérebro também *podem* ser usadas para fazer o bem. Já tens menos sentimentos de culpa?

Molly acenou que sim. — Sei que o anúncio não vai mudar o mundo, mas acabará por fazer algum bem, não achas?

— Sem dúvida — concordou o Rocky. — Nem que haja apenas uma pessoa tornada mais bondosa por causa dele, valeu a pena. Mas, sabes uma coisa? Penso que vai ser visto por milhares de pessoas. Nunca saberás quantas coisas boas foram feitas devido a este simples anúncio. Lança-se a semente, com a esperança de que dê fruto.

Capítulo XXXIV

O *Rolls Royce* deixou a ilha de Manhattan pelo Queens Midtown Tunnel e rolou pela estrada que conduz ao aeroporto John F. Kennedy.

Chegados ali, Nockman parou em frente do edifício das «Partidas Internacionais» e apareceu um bagageiro para ajudar. Ele e Nockman carregaram as doze malas da Molly num carro do aeroporto, enquanto a *Petula* pulou para dentro do cesto de viagem e Rocky entrou no terminal para tratar dos bilhetes. O bagageiro conduziu o carro para dentro e todos o seguiram até ao balcão do *check-in*.

Molly agradeceu-lhe logo que ele acabou de colocar a última mala na correia transportadora. — Obrigada. E se não for muito incómodo, pode ficar com o carro?

Dito isto, colocou as chaves do *Rolls Royce* nas mãos daquele homem cansado.

— Ficar com o carro? Quer que o leve para a garagem?

— É um presente — disse Molly.

O homem ficou boquiaberto.

— Está a brincar comigo?

— Estão aqui os documentos — continuou a Molly, tirando um grosso sobrescrito amachucado de dentro do bolso das calças. — Para ser seu, só falta que eu ponha aqui o seu nome. Como é que se chama?

— Louis Rochetta. Mas está a brincar, não está? Ah! Isto é para algum programa da televisão?

O homem olhou à roda para tentar descobrir alguma câmara oculta.

— Nada disso — disse a Molly, tentando pôr a esferográfica a funcionar. — Aqui tem, Mr. Rochetta. Agora, conduza com cuidado.

Mr. Rochetta estava demasiado perplexo para dizer alguma coisa de jeito. Só conseguiu titubear. — Obrig... obrig...

— É um prazer — disse a Molly, a sorrir. — Adeus.

Sempre quisera proporcionar uma surpresa daquelas a alguém. Voltou-se para o Rocky, que estava a distribuir os bilhetes. Um quarto de hora mais tarde, Molly estava uma vez mais a hipnotizar o pessoal do aeroporto, para que a cadela não fosse descoberta e passasse pela máquina de raios-X.

Rocky e Molly foram fazer compras à área *duty-free*. Tiveram de ir a uma loja de artigos de higiene, a uma loja de doces, aos artigos electrónicos e a uma loja de brinquedos. Depois de gastarem bastante dinheiro, estava na hora da partida. Assim, cambaleando sob o peso das compras e tendo ainda de carregar o cesto da *Petula*, dirigiram-se para a Porta 20, onde tinham combinado o encontro com Nockman.

Como um servidor fiel, Nockman estava a caminho da porta de embarque, como lhe tinha sido ordenado. Sentia-se bastante estranho. Sabia quem era, estava ciente de toda a sua vida até àquele momento. No entanto, não sabia como é que tinha chegado à situação de empregado de Mr. Cat Basket e de Miss Hairdryer. Também não conseguia perceber a razão de gostar tanto dos patrões. Continuava a odiar as outras pessoas. Na porta 20, onde as pessoas formavam bicha para terem acesso ao avião, apresentou o passaporte e o bilhete à assistente de bordo, que o cumprimentou delicadamente: — Boa tarde.

Nockman esteve quase a retribuir-lhe com um sorriso postiço mas, de súbito, veio-lhe à mente a recordação de uma adolescente que conhecera e se parecia com esta assistente de bordo. Recordou-se de como tinha sido grosseiro com essa rapariga. E, sem querer, deu consigo a balbuciar, a dizer: — Você é gorda e feia como ela. Sim, sim, é mesmo. Você parece uma rã com prisão de ventre. Era isso que eu costumava dizer à outra. E também lhe fazia caretas e soprava-lhe na cara.

Chegado a este ponto, Nockman sentiu as bochechas a encherem-se de ar e, antes que conseguisse deter-se, soltou o ar a fazer barulho com a língua e os lábios, de onde saiu um nuvem de «gafanhotos». E como se ainda não fosse suficiente, completamente descontrolado, Nockman começou a recordar-se do seu passarinho, o *Fluff*, que tinha sido morto por Mr. Snuff, e soltou um uivo prolongado.

— *Aaaaaaeeeeouuuuuooo!*

A assistente de bordo ficou perplexa. Cruzou os braços e semicerrou as pálpebras. — Meu caro senhor, temos normas de segurança a respeito de passageiros incorrectos. Se for grosseiro para o pessoal ou para os outros passageiros, não autorizamos a sua entrada no avião.

Nockman estava admirado consigo próprio. Não percebia como é que aquilo acontecera. Não estava bêbado. Talvez estivesse doente. Era provável que as recordações tristes estivessem a provocar aquele descontrolo.

— Peço muita desculpa. Por *favorre*, aceite as minhas desculpas. *Trratou*-se de uma piada.

— Que estranho sentido de humor! — retorquiu a assistente. No entanto, descruzou os braços e deixou-o passar.

Nockman seguiu aos baldões pelo corredor que conduzia à porta do avião, a tropeçar no atacador do sapato e a magicar sobre o que acabava de lhe acontecer. Caminhava com dificuldade, a pensar na estranheza da conversa com a assistente de bordo, no descontrolo que tinha experimentado. Tinha sentido que era uma espécie de máquina comandada à distância por uma pessoa invisível. Voltou a estremecer ao recordar-se do seu pobre passarinho, torcendo o nariz ao lembrar-se da rapariguinha para quem tinha sido tão mau. Não conseguia perceber como é que todas estas recordações lhe saltavam assim da cabeça. Não estava a gostar daquilo. Então, pensando nos seus novos patrões, começou a andar mais depressa.

— Ei, viva, Miss Hairdryer e Mr. Cat Basket, estou de volta.

— Oh, boa tarde — disseram a Molly e o Rocky, sentados nas suas cadeiras da primeira classe, levantando os olhos para Nockman e para a sua farda verde. O homem pareceu-lhes pálido, como se tivesse visto um fantasma.

— Sente-se bem? — perguntou Rocky.

Subitamente, voltou a sentir-se estranho. Desta vez deu consigo a mergulhar no corredor do avião, a rolar até ficar deitado de costas, a agitar braços e pernas no ar. E, tal como acontecera antes, a boca abriu-se-lhe sem que o desejasse. Deu consigo a ladrar e a soltar uivos de meter dó.

— *Vouuuf, vouuuf, aaaarf, aaaarf* — ladrou, deixando cair o chapéu. Depois, recordando-se novamente do seu passarinho morto, voltou a uivar. — *OOOuuuuOOOuuOOuuuuuooof.*

Os outros passageiros mostraram-se muito preocupados e uma assistente de bordo veio saber o que é que se estava a passar.

— Pode parar, pare já — disse a Molly, com modos autoritários. Então, lançou um olhar à assistente. — Está tudo bem. Basta que ele tome o medicamento. Por favor, não se preocupe com ele.

A assistente de bordo afastou-se.

Nockman levantou-se, completamente exausto. Tinha sofrido um ataque. *Devia* estar doente. Uma vez mais, sem saber porquê, tinha dado consigo a chorar a morte do passarinho e a pensar como Mr. Snuff se tinha mostrado odioso.

E agora, ao sentar-se, descobriu outro sentimento que lhe encheu os olhos de lágrimas. Teve pena de uma cadela que também tinha tratado mal; uma cadela parecida com a de Miss Hairdryer.

Descobriu que não era melhor do que Mr. Snuff. Ao apertar o cinto de segurança, pôs-se a pensar como é que podia ter sido tão insensível. Não era insensível nos seus tempos de menino. Fora sensível ao sofrimento do seu passarinho, tinha chorado por ele. Tinha chorado durante noites inteiras. Porém, na idade adulta, tratara uma cadela com crueldade. Tinha deixado o animal sozinho, frio e esfomeado, num quarto escuro e sujo. O S de Simon, pensou, bem poderia ser o mesmo S de Snuff. Snuff Nockman. Deixou cair a cabeça para o peito e sentiu-se sufocar por uma emoção que não o afectava desde há muitos anos.

Ficou a olhar pela janela do avião, a pensar. Também tinha sido mau para as pessoas. Nunca se tinha preocupado com os sentimentos das outras pessoas. Tinha-se convencido a si mesmo de que os outros não contavam. Mas agora... Que coisa estranha! Sem saber a razão de pensar assim, naquele dia, soube que jamais poderia deixar de dar importância aos sentimentos das outras pessoas. Nockman estava a aperceber-se de um pormenor novo, a perceber que, como o seu passarinho, as pessoas também tinham sentimentos.

A cabeça do homem começou a encher-se de recordações de outras patifarias que tinha feito. Um a um, os fantasmas das suas maldades apresentaram-se perante ele. E quantos mais apareciam, mais desconsolado Nockman se sentia em relação a si mesmo.

Quando o avião levantou voo, sentiu-se pesado de uma forma inteiramente nova para ele. O seu espírito perseguia-o, rasteiro, triste e encharcado de sentimentos de culpa.

Capítulo XXXV

Quando chegou a hora de jantar no avião, Nockman percebeu que só queria comer fruta. Adormeceu logo de seguida. Por sua vez, o Rocky e a Molly mantiveram-se bem acordados, fazendo as devidas honras à ementa da primeira classe.

— Gostaria de saber aquilo que os restantes passageiros estão a comer — disse a Molly, de olhos brilhantes, ao dar uma dentada numa sanduíche de molho de tomate.

— Será uma carne cozinhada em gordura congelada, seguida de um bolo grumoso, com frutas, que sabe a cartão? — interrogou-se Rocky, ao morder uma panqueca estaladiça de onde pingava doce de limão. — Foi o que os Alabaster e eu comemos na viagem para os Estados Unidos. — Sabes uma coisa — acrescentou o Rocky, a ler uma revista publicitária da companhia aérea. — Diz aqui que na primeira classe temos direito a massagens no pescoço.

— Feitas por quem?

— Não sei. Será pelo comandante?

A conversa provocou sorrisos nos dois e Rocky deixou cair uma boa porção de doce na revista.

— Viva, a primeira classe é fantástica! Luxuosa — acrescentou a Molly, servindo-se de uma grande golada de sumo de laranja concentrado. — Mas, Rocky, sabes uma coisa? Vai ser difícil retomar a vida na terra, quando chegarmos.

— Porquê? O avião não tem rodas?

Desataram de novo a rir.

— Que bela piada... — concluiu a Molly, com lágrimas de tanto rir. — Não, o que quero dizer é que... — olhou para o Rocky. — E não me faças rir, Rocky, pois estou a procurar dizer uma coisa importante.

Rocky fez uma cara muito séria. — Ai estás?

— O que quero dizer é que vai ser difícil não tornarmos a usar o hipnotismo quando regressarmos. Ouve lá, já pensaste em quantas vezes o usámos nestas últimas semanas? É tão *cómodo!*

Bem sei que concordámos em que, a partir de agora, só vamos utilizar meios honestos mas se, digamos, vires um velhinho a chorar na rua porque a mulher dele morreu, e por se sentir só... Não seria melhor hipnotizá-lo para que ele não se sentisse tão triste? Hipnotizá-lo para ele se poder juntar aos outros no clube da terceira idade, ou coisa do género? Ou, digamos que encontras uma criança a chorar porque teve más notas, no mesmo dia em que o seu ratinho de estimação foi comido por um gato e em que a sua amiga foi internada no hospital com uma doença terrível e...

— Molly — interrompeu o Rocky —, pára com isso. Nós fizemos um acordo.

— Pois fizemos, mas penso que vai ser muito difícil resistir à tentação.

— É verdade. Vai ser difícil. Mas temos de resistir, pois se começamos a usar a hipnose por boas razões, não tardará que estejamos empenhados em fazer boas acções e, antes que nos apercebamos disso, estaremos a usá-la sempre que não conseguirmos o que queremos. A partir daí, estaremos novamente a viver em mundos de fantasia.

Molly parecia desapontada. Sabia que o Rocky tinha razão. Já tinham discutido este assunto entre os dois. — Porém — fez uma nova tentativa —, se não hipnotizarmos uma pessoa qualquer, é possível que nos esqueçamos como se faz.

— Não — respondeu Rocky, arqueando as sobrancelhas —, é como chuchar no dedo. Uma vez aprendido, nunca mais se esquece.

— Pronto, tens razão — disse a Molly, de má vontade, virando a cabeça para olhar pela janela.

Lá fora, o céu nocturno mostrava-se recheado de estrelas e por baixo, uns 11 mil metros mais abaixo, as marés do oceano Atlântico seguiam os movimentos da Lua. Molly ficou a olhar pela janela, a pensar como seria difícil não voltar a hipnotizar alguém. Apercebeu-se de que ainda faltavam muitas horas para a chegada. Seria contrário às regras, usar os seus poderes dentro do avião.

Rocky estava a ver um vídeo de música. Molly levantou-se e estirou-se. Então, foi andar um pouco.

Molly manteve várias conversas durante as duas horas seguintes. Perto das casas de banho encontrou um passageiro a tremer porque detestava andar de avião. Molly conseguiu persuadi-lo de que, a partir daquele momento, adoraria voar. Falou com uma mãe exausta, que passeava um filho que não queria dormir. Dez minutos depois, estavam sentados nos seus bancos, ambos a dormir. Falou com uma assistente de bordo com lágrimas nos olhos por ter acabado de romper com o namorado; Molly também reparou aquele coração destroçado. Depois ajudou três miúdos que detestavam a escola, transformou um velho mesquinho e enfadonho num idoso simpático, além de modificar os gostos de um menino, de maneira a que ele passasse a gostar de comer legumes verdes, especialmente espinafres.

Molly voltou a sentar-se, sentindo-se muito satisfeita e um pouco semelhante a uma fada madrinha.

O avião aterrou às seis horas da manhã. Era o mesmo que uma hora em Nova Iorque, o que fez que a Molly e o Rocky se sentissem muito desorientados. Porém, tinham dormido um pouco e sentiam-se felizes por estarem de regresso.

— Lembra-te do nosso acordo — avisou o Rocky, enquanto vinham a descer a escada do avião.

— Cá estamos! — exclamou a Molly ao pôr os pés em terra.

Chegados ao terminal, Nockman encarregou-se de recolher a bagagem no carrossel, mais tudo o que tinham comprado em Nova Iorque. Então, de comum acordo, Molly e Rocky decidiram regressar a Hardwick House em grande estilo. Para isso, alugaram um helicóptero.

A viagem de helicóptero durou vinte minutos. Com as pás a girarem por cima da sua cabeça, Molly olhou para baixo, vendo a linha de costa à distância e, mais para diante, a cidade de Briersville. Quando o piloto desceu um pouco mais, apontou para o sítio onde ficava Hardwick House. Ao aproximar-se do edifício decrépito, a precisar de reparação, Molly recordou-se de como costumava fechar os olhos para sonhar que levantava voo de Hardwick House e que ficava a planar no espaço.

Não tardou que estivessem mesmo por cima dos terrenos do orfanato e o piloto começou a fazer o helicóptero descer. Pousou mesmo ao lado do edifício, num pequeno espaço de terreno plano, com a deslocação de ar das pás do aparelho a castigar os arbustos, os cardos e as ervas.

Desligou o motor. — Cá estamos.

Molly ficou a olhar o edifício, na expectativa, a ver quem seria a primeira pessoa a sair, mas não viu ninguém.

— Suponho que ainda não se levantaram — disse o Rocky.
— É muito cedo. Pelo menos, demonstra que a Hazel não é muito severa quanto à hora de sair da cama.

— O prédio parece estar a cair, como sempre — disse a Molly, soltando a *Petula* para ela fazer chichi.

Enquanto a cadela farejava com entusiasmo a vereda gelada, Nockman encarregou-se de descarregar o helicóptero. Uma vez tudo no chão, o piloto desejou-lhes felicidades e, com toda a gente afastada do aparelho, voltou a ligar o motor. Com um sinal do polegar erguido, levantou voo. Um minuto depois, o aparelho era apenas uma pequena mancha no céu.

Molly e Rocky voltaram-se para verem Hardwick House de perto. Viram um rosto miúdo a afastar-se de uma das janelas.

— Está alguém a pé.

— Está alguém a pé — repetiu a Molly. — Acho tudo isto demasiado calmo.

Tocou a campainha da frente, mas verificou que a porta, partida, já se encontrava aberta.

Capítulo XXXVI

Passada a porta, o cheiro foi a primeira coisa que notaram. O vestíbulo tinha um cheiro horrível. Cheirava a qualquer coisa podre. A comida estragada, a lixo e a sujidade. Em vez de preto e branco, o chão de mosaicos estava tão sujo que só se via o preto.

— Apre! — exclamou a Molly, tapando a boca e o nariz com o lenço de caxemira. — Que nojo!

— Pelo cheiro, parece que morreu alguém — disse o Rocky. — E está frio, como uma morgue.

Molly repreendeu-o. — Oh, não digas coisas dessas. Por favor. Estás a meter-me medo. Mas bem gostaria de saber o motivo de a casa cheirar tão mal. E onde é que se terão metido as pessoas?

— Acho que o mau cheiro vem da cozinha — disse o Rocky, fechando a porta que dava para a escada da cave. — Devem estar todos lá em cima. Nockman, faça o favor de pôr a bagagem cá dentro; e deixe a porta da frente aberta, para podermos arejar a casa.

— Com certeza, Mr. Cat Basket — disse Nockman, com ar submisso.

Molly, Rocky e a cadela aventuraram-se pela escada acima.

Chegados ao primeiro patamar, viram que as portas dos quartos estavam todas fechadas e que havia no ar um cheiro penetrante, avinagrado, a falta de limpeza. Molly abriu a porta do quarto onde o Gordon e o Rocky costumavam dormir.

O quarto estava em silêncio, com as cortinas corridas, mas os buracos no tecido deixavam entrar luz suficiente para se ver que não estava ali ninguém. O quarto estava desarrumado. Lençóis, mantas e colchões deformados, tudo estava espalhado pelo chão, fazendo que as camas de ferro parecessem nuas e frias. Cascas de laranja, caroços de maçã, embalagens de leite vazias, latas e pratos sujos estavam espalhados por todo o lado. E quando Rocky abriu as cortinas de tecido gasto, o quarto foi inundado por uma nuvem de traças.

Molly e Rocky fecharam o quarto e abriram a porta do seguinte.

Também estava vazio, no mesmo estado caótico. Os terceiro e quarto alojamentos também estavam vazios, mas mais limpos, com os colchões no sítio. O ar estava tão frio, em todas as divisões, que os dois amigos viam a própria respiração condensar-se.

— Mas nós vimos alguém — disse a Molly. — Talvez estejam aqui.

Tentou abrir o quinto quarto, mas sentiu que a porta batia de encontro a um móvel. Contudo, o móvel não era suficientemente pesado e, com mais um empurrão, a porta abriu-se.

Neste quarto as cortinas estavam abertas. E sentados à luz fria de Dezembro estavam o Gerry, a Gemma e os dois miúdos de cinco anos, Ruby e Jinx.

Estavam encostados uns aos outros, debaixo de cobertores, de cabelos sebentos, rostos encardidos, olhos abertos e medrosos.

— O que é que estão a fazer aqui com as portas barricadas? — foi a primeira pergunta da Molly. Como nenhuma das crianças respondesse, nem sequer o Gerry ou a Gemma, atravessou o quarto e agachou-se junto delas. As crianças colaram-se umas às outras, como se fossem pedaços de ferro magnetizado. O seu comportamento era chocante.

— Gemma — começou a Molly, falando calmamente —, não me reconheces?

— N-ão — respondeu a miúda, a olhar o rosto de Molly de maneira esquisita.

— Sou a *Molly*.

— Mas — disse a Gemma, com voz fraca —, a Molly voou para longe e, de qualquer maneira, a Molly não se parecia contigo. Não tinha roupas bonitas, nem coisas como tu tens, os sapatos dela não tinham aspecto limpo como os teus, o cabelo dela não andava penteado e a cara dela era diferente.

A menina limpou o nariz ranhoso com uma ponta do cobertor e estremeceu.

— É, a Molly tinha a cara manchada — disse o Gerry.

— Eu sou a Molly. Só estou um pouco mais gorda e mais bem vestida. Sabes, Gerry, como sucedeu com o teu ratinho, depois de começares a tratar dele. Sabes o que sucedeu.

Molly olhou em volta. Havia montes de roupa suja espalhados por todo o quarto. Penas brancas, provenientes de uma almofada rebentada, cobriam os colchões e o chão, de modo que a divisão parecia-se mais com um ninho do que com um quarto de dormir. Um tubo de pasta dentífrica, que alguém pisara, tinha derramado o conteúdo no chão de madeira, formando uma massa pegajosa, a cheirar a mentol, ao lado de uma lata de cerveja, que para ali ficara, esmagada, vazia e de aspecto triste.

— O meu rato morreu — disse o Gerry, de cabeça baixa.

— Oh, não, Gerry, de verdade? Que pena. Não foi, Rocky? Rocky pareceu muito preocupado.

— Pois foi. É uma péssima notícia, Gerry. Fico muito triste por saber que o *Squeak* morreu. Gerry, lembras-te de mim? Sou o Rocky.

Gerry acenou que sim.

— E esta é a *Petula*. Também está mudada. Vês, já não é gorda e, se queres que te diga, agora até gosta de correr.

Entorpecido pelo frio, Gerry olhou para a cadela, que lhe lambeu a mão.

Molly percorreu a fila de crianças com os olhos. — Parecem todos doentes.

Mal podia crer na mudança sofrida pelas crianças, na rapidez com que tudo tinha acontecido. Enquanto ela estivera a engordar, os colegas quase morriam de fome. Pareciam gravemente doentes. Umas semanas mais e talvez viesse encontrá-los todos mortos. Estremeceu com a ideia e sentiu que a culpa lhe cabia por inteiro. Ao olhar aqueles rostos, tão seus conhecidos como seriam os dos irmãos e irmãs que não tinha tido, sentiu-se inteiramente culpada da miséria deles.

Dobrou-se para a frente e abraçou a Gemma. — Peço-te que me perdoes — disse, do fundo do coração. A menina agarrou-se a ela, Molly sentiu como estava fraca e a tremer de frio. Rocky abraçou o Gerry e a seguir fez o mesmo a Ruby e a Jinx. Jinx e Ruby começaram a chorar. Sem conseguir perdoar a si mesma, Molly não percebia como pudera ser tão insensível, como podia ter deixado estas criaturas em Hardwick House, entregues à maluca da Miss Adderstone. E depois, mais tarde, quando soubera que quem mandava era aquela malvada da Hazel, por que razão não voltara? Achou que tinha sido egoísta e, recordou-se, também estava desesperada. Mas, antes de mais, como é que pudera ir-se embora, para a América, pensando que em Briersville não havia nada que a pudesse prender? Supunha que tudo tinha acontecido por ela não se ter apercebido, até ao momento, de quanto amava estas crianças.

— Gemma, há alguma comida em casa? — perguntou Molly, determinada a melhorar a situação o mais depressa possível.

— Sim, sim, ainda fazem entregas, como batatas e ovos e mercearia e coisas, mas não sou muito boa a cozinhar e já não temos mais panelas, e a cozinha está cheia de ratos e temos medo de lá ir, mas por vezes temos mesmo de ir, levamos paus.

— Nesse caso, o que é que têm comido? — perguntou Molly, horrorizada.

— Feijões de lata sem aquecer...

— Mas o abre-latas é difícil de usar...

— E comemos pão e fruta e às vezes comemos queijo, se conseguimos apanhá-lo antes daqueles ratos horríveis.

— Mas como é que começou tudo a correr mal? A Mrs. Trinklebury já não vem cá, para fazer bolos e ajudar-vos nas limpezas e na cozinha?

— Não — começou o Gerry —, Miss Adderstone despediu a Mrs. Trinklebury e ela nunca mais veio cá. Miss Adderstone disse que estaríamos melhor sozinhos. Mas não estamos... e o meu rato morreu — concluiu, de olhos postos no chão.

Molly acariciou-lhe a cabeça. — Eu sei, Gerry, uma coisa muito, muito triste.

— Ora bem, ouçam lá — disse o Rocky, a tentar ser prático, — devem estar mesmo esfomeados. O que diriam, se lhes fizéssemos um pequeno-almoço de omeleta com batatas fritas e chocolate quente?

As quatro crianças ficaram embasbacadas a olhar para ele. — Sim, por favor.

— Então, está bem. Todos a vestir os roupões e a calçar os chinelos; vamos para baixo e acendemos a lareira para nos aquecer a todos.

Os meninos pareciam tão fracos e tão agradecidos que Molly se sentiu na obrigação de dizer: — E ouçam, todos, agora acabaram-se as preocupações. Prometo que a partir de hoje vamos ter uma vida agradável. Voltámos para tomar conta de todos, e temos uma outra pessoa para ajudar, vai ser tudo limpo e vamos ter coisas boas para comer e teremos aquecimento e... bem, esperem e verão.

Dito isto, Molly levou as crianças desamparadas, metidas nos seus roupões desfiados, para o andar de baixo. Vinte minutos depois, havia uma fogueira a crepitar no vestíbulo e estavam todos sentados, a aquecerem os pés sujos. Molly gostaria de saber onde se encontravam os mais velhos mas decidiu que, mais tarde, perguntaria à Gemma. Antes de mais, era necessário preparar o pequeno-almoço e, por isso, chamou o Nockman e o Rocky, que se dirigiram ambos para a cozinha imunda.

Encontraram a cozinha num estado infernal. Sacos de feijão tombados e comida estragada, coberta de larvas. As tinas do lava-louças tinham pilhas de panelas, pratos e talheres. Na verdade, não havia peça de equipamento de cozinha que não estivesse suja, fosse nas tinas, na bancada ou caída no chão. As cadeiras estavam encostadas ao fogão, postas ali numa tentativa feita pelos mais pequenos para cozinhar.

A *Petula* farejou as redondezas e sentiu o cheiro dos roedores. Quando a Molly abriu um armário, três ratos que estavam a comer umas migalhas, escapuliram-se para os buracos.

— Sabes uma coisa, Molly — observou o Rocky —, não há por aqui ratazanas, porque ouvi dizer que onde há ratinhos não há ratazanas. O que é bom, pois as ratazanas são portadoras de doenças perigosas, enquanto os ratinhos são apenas um pouco sujos. Se o Nockman limpar tudo isto com um desinfectante, acho que podemos cozinhar sem receio.

— Isto só mostra como eles estão assustados. Até o Gerry, que gosta de ratos, imaginou que havia aqui ratazanas.

Nockman, graças aos dias que tinha trabalhado no Shorings Bank, era muito bom em limpezas. Começou por retirar todo o lixo que havia dentro da cozinha, depois encheu uma das tinas do lava-louça de água com detergente e, a outra, com água quente e limpa, para enxaguar a louça. Lavou frigideiras, panelas, pratos e talheres, para depois se entregar à tarefa de descascar batatas. Rocky partiu vinte ovos para dentro de uma grande tigela e começou a batê-los, enquanto a Molly se encarregou da limpeza de dois carrinhos. Depois foi até à porta das traseiras para ver se o leiteiro já tinha passado.

Junto aos degraus havia duas caixas de peixe podre, mais algumas latas que cheiravam mal e garrafas de leite com as tampas cor de alumínio bicadas pelos pardais. Molly agarrou na cesta do leite, com as cinco garrafas mais recentes, e correu para dentro da cozinha.

— Nockman, quando acabarmos de fazer o pequeno-almoço, e depois de também comer qualquer coisa, faça-me o favor de limpar toda a cozinha.

— Com certeza, Miss Hairdryer — disse o obsequioso Nockman.

Dentro de pouco tempo, um cheiro fantástico a omeleta e a lenha a arder tinha-se espalhado pela casa. Molly e Rocky olhavam com satisfação para as crianças que comiam sentadas à volta da fogueira. A cor estava a voltar-lhes às faces com cada garfada que metiam na boca.

Gerry foi o primeiro a dar largas à curiosidade. — Então — disse ele —, diz lá outra vez como se chama esse lugar para onde foste.

— Chama-se Nova Iorque — respondeu a Molly. — Não te lembras, telefonei-te de lá!

— Pois foi. E como é que é Nova Iorque?

— Fantástica — respondeu o Rocky.

— E o que é que faziam lá?

— Bem, fizemos coisas diferentes — disse o Rocky. — Eu vivi com uma família e descobri que o nosso grupo é uma família muito melhor.

Gerry mostrou-se satisfeito ao ouvir isto. Os outros meninos acenaram com a cabeça e sorriram.

— E eu — disse a Molly — vivi sozinha, tinha tudo o que queria.

— O quê, tinhas tudo? — perguntou a Gemma.

— Sim. Coisas fixes, tudo fixe, como aquelas coisas que já viste nos anúncios, e ainda mais. Tinha roupas e carros e televisores e filmes e lojas e *todos* os caramelos que me apetecesse comer. E entrei numa peça e fui à televisão e as pessoas estavam sempre a telefonar-me e fiz umas coisas de meter medo e fui famosa!

— Foste famosa? — perguntaram os meninos todos.

— Sim, fui tão famosa como... as pessoas que fazem os anúncios.

— E não ficaste lá porquê? — perguntou Gemma de repente.

— Porque — explicou a Molly — também tinha uma coisa que não *queria* ter.

— O que era?

Gerry deitou-se a adivinhar. — Piolhos?

— Não, piolhos não. Solidão, sim.

— Solidão?

— Isso mesmo. Solidão. E sabem uma coisa?

— O quê?

— A solidão faz que todas aquelas coisas fixes, giras e vistosas, que vemos nos anúncios, pareçam lixo.

— Lixo?

— Sim, como caixotes de lixo velho e podre.

— Mas porquê? — perguntou o Gerry.

— Porque, sem amigos ou família, sentimo-nos abandonados e o que mais queremos é *não* sentirmos que estamos sós. Todas aquelas coisas giras não nos fazem sentir melhor. Numa altura dessas deixamos de nos preocupar com coisas giras, o que queremos é estar com as pessoas de quem gostamos.

— Portanto — acrescentou Rocky —, quando a Molly deu comigo, ficou muito satisfeita por voltar a ver-me. E ambos decidimos que tínhamos saudades deste grupo, além de estarmos preocupados convosco; e por isso resolvemos voltar para casa.

Os meninos pareceram muito impressionados e satisfeitos por terem puxado a Molly e o Rocky de regresso a casa. Nenhum deles sentiu ressentimento. Eram demasiado amáveis e generosos para alimentarem sentimentos desses. Todos ficaram encantados a olhar para o Rocky e para a Molly, enquanto iam beberricando as suas bebidas.

— E a *Petula*? Também se sentia abandonada? — perguntou Jinx, a dar palmadinhas na cabeça peluda da cadela.

— Pois sentia — respondeu a Molly.

— Porque nós também fomos abandonados, não fomos, Gemma?

— Sim — admitiu Gemma — e não foi muito agradável.

254

A pequena Ruby estava sentada junto da fogueira, ao lado de Nockman, com um grande bigode de chocolate no lábio superior. Enfiou a mão entre as do homem. — Obrigada, senhor — disse, a pestanejar na direcção dele. — Este chocolate foi o *melhor* de sempre.

Nockman tinha vindo a sentir-se diferente depois do ataque no avião e agora, ao olhar para a menina, sentiu qualquer coisa que já não sentia há muitos anos. Sentiu uma espécie de calor no interior do peito. Sentiu-se afectuoso porque a menina tinha descoberto o caminho para o seu coração e porque ele se sentia bem por tê-la ajudado. Mal acreditava no que estava a sentir. E respondeu calmamente: — O prazer foi todo meu.

— Agora — disse a Molly para o Gerry e para a Gemma —, contem-me tudo o que se passou. Para onde foram a Hazel e os outros?

— Foram? Eles não foram para lado nenhum — respondeu a Gemma. — Ainda cá estão.

E inspirou profundamente, antes de lhes contar tudo o que se tinha passado em Hardwick House.

Capítulo XXXVII

Gemma começou a contar o sucedido. — Depois de te ires embora, Miss Adderstone e a Edna também saíram, mas antes de irem despediram Mrs. Trinklebury e disseram-lhe para *nunca* mais voltar. Disseram que queriam ser boas para as crianças e que, a partir dessa altura, nós, os meninos, não queríamos ter aqui adultos para darem ordens. Disseram que seríamos mais felizes se *todos os adultos* se fossem embora.

Molly recordou-se das instruções que deu a Miss Adderstone e a Edna no aeroporto. Como é que as duas conseguiram ser tão estúpidas para pensarem que deixando miúdos entregues a si próprios os iam tornar mais felizes?

— Mas Mrs. Trinklebury era boazinha — insistiu a Jinx.

— Pois era, mas fazia o que a Miss Adderstone mandava e também se foi embora — continuou a Gemma. — A seguir, Miss Adderstone embrulhou as suas coisas e a Edna também, mas tiveram uma discussão porque Miss Adderstone fez cortes em algumas roupas da Edna...

— Cortou o casaco da Edna — disse a Ruby.

— E os dois chapéus — acrescentou a Jinx.

— Quando se foram embora pareciam duas maluquinhas, com as roupas todas feitas em tiras — disse o Gerry. — A Edna deu-nos uns caramelos, uns doces esquisitos com uma coisa horrível lá dentro.

— Era um tipo de caramelos para italianos crescidos — explicou a Gemma. — Mas foram ambas boas para nós antes de se irem embora. Miss Adderstone deu-me um pacote de bolinhas de naftalina.

— E a mim deu-me o frasco de elixir para a boca — disse Jinx.

— Mas não te portaste bem, pois não? — recordou a Gemma.

— Não, bebi-o.

Rocky despenteou os cabelos do Jinx.

— De qualquer maneira — continuou a Gemma —, Miss Adderstone disse que a comida e os artigos de limpeza continuariam a ser entregues aqui e pagos automaticamente pelo banco e disse que tínhamos de continuar a ir à escola, que se não fôssemos a odiosa Mrs. Toadley viria cá. Por isso, devíamos fingir que Miss Adderstone e a Edna ainda estavam cá, para nenhum estranho saber que elas nos tinham deixado sozinhos.

— E para onde é que elas foram? — perguntou a Molly.

— Não sei.

— E depois, o que é que aconteceu?

— Bem, então, a Hazel passou a mandar — disse a Gemma.

— E era *pior* do que Miss Adderstone — sussurrou Gerry.

— Era horrível e mandona — continuou a Gemma —, e fazia-nos trabalhar muito. Tínhamos de cozinhar e fazer a limpeza. Dizia que tínhamos de parecer *realmente* asseados para irmos à escola, que se não fôssemos arranjados Mrs. Toadley descobria que estávamos sozinhos...

— E a Hazel deixou o seu quarto e foi para os quartos de Miss Adderstone e atirou muitos papéis pela janela fora — disse o Gerry. — Disse que Roger e Gordon deviam ir para o quarto de Edna. Mas então...

— Começaram todos a discutir — disse a Gemma. — E Roger disse que passava a ser ele a mandar porque a Hazel estava a deixar que o orfanato se tornasse uma selva. E o Gordon queria o quarto da Edna só para ele. Por isso, o Roger e ele andaram à pancada e o Roger teve de ir lá para cima, para a enfermaria...

Gemma e Gerry falavam muito depressa e Ruby e Jinx ficavam a olhar, de olhos esbugalhados. Molly e Rocky perceberam quanto as últimas semanas deviam ter sido difíceis para todos.

— E então, *todos* eles desataram a gritar para nós e a dar-nos ordens — disse a Ruby —, mas *nunca* davam uma ajuda.

— E depois discutiram tanto que deixaram de falar uns com os outros.

— E a nós. Deixaram de nos falar — lembrou a Gemma. — Por vezes, ficavam *realmente* zangados connosco se atendíamos o telefone. E a Hazel era muito severa. Disse que não contássemos a ninguém que Miss Adderstone se tinha ido embora. Se contássemos, dizia que o Gerry nos batia. Mas agora estamos bem, porque estamos nas férias do Natal e a escola está fechada.

— E por isso já não precisamos de andar limpos — rematou o Gerry.

— Mas não temos os almoços da escola e por isso temos fome — murmurou a Ruby.

— E não podemos ir à aldeia, nem à cidade.

— Nunca — disse Jinx. — Dizem que, se formos, somos levados pelo «homem do saco».

— Bom, não se devem preocupar com isso — disse a Molly. — O homem do saco é uma treta.

Molly olhou à sua volta. O lugar parecia-se mais com uma lixeira do que com a divisão de uma casa. Havia stiques de hóquei e bolas rebentadas pelos cantos, juntamente com caixas de cartão e sacos de plástico. Alguns tachos sujos de restos de comida tinham ficado por ali abandonados e as paredes tinham sido manchadas com tinta preta.

— E agora, onde é que estão os outros?

— Provavelmente estão a dormir — respondeu a Gemma, bebendo mais um gole. — O Roger levanta-se às dez. Vai rebuscar os caixotes do lixo de Briersville. Mas o Gordon, a Cynthia e o Craig não saem. Ficam no quarto da Edna, a ver televisão. E a Hazel fica no quarto, só desce quando há entregas especiais. Leva as caixas para o seu quarto.

— Bem — concluiu Molly, virando-se para o Rocky —, penso que está na hora de irmos acordar a Hazel e os outros. O que é que achas?

A porta dos antigos aposentos de Miss Adderstone estava fechada. Viram uma enorme barata preta a arrastar-se para o corredor. Petula farejou o ar com nervosismo, detectando um ligeiro odor da velha solteirona. Molly ficou a olhar o retrato de Miss Adderstone suspenso da parede do patamar. Alguém lhe tinha acrescentado um bigode e barbas. Bateu à porta, empurrou, a porta abriu-se. Entrou, juntamente com o Rocky.

O quarto cheirava a bafio e a ranço. A velha sala castanha, onde Miss Adderstone recebia as visitas, estava ainda mais escura do que habitualmente, pois as pesadas cortinas cor de vinho estavam fechadas.

Molly acendeu uma luz. Por todo o lado, no chão, havia caixas, latas vazias e dossiês do arquivo de Miss Adderstone. De tão coberto com pacotes vazios de batatas fritas e de restos de embalagens de doce, o chão parecia um tapete de folhas de Outono.

Na escuridão da parede abriu-se a janela do relógio de cuco, que piou nove vezes.

— Quem é? — perguntou a voz ensonada da Hazel, vinda de dentro do quarto. O Rocky e a Molly passaram por cima dos detritos que cobriam o chão e abriram a porta.

No quarto quase às escuras, viram a Hazel sentada na cama. Molly pisou mais uns montículos de lixo e puxou o cordão da cortina.

O quarto foi inundado pela luz, que atingiu em cheio o rosto da Hazel. Protegeu os olhos com as mãos e, sem deixar de piscar os olhos, resmungou: — Vai-te embora, Gemma. Ninguém está autorizado a entrar aqui.

— Não é a Gemma. São a Molly e o Rocky — disse Molly.

Quando os olhos se adaptaram à luz, Hazel deixou de cobrir as faces com as mãos. E mostrou um aspecto muito diferente daquele que tinha da última vez que Molly a vira. Esta Hazel estava muito mais gorda, mais pálida, tinha o rosto mais manchado. Tinha olheiras fundas e os olhos raiados de sangue. Os lábios estavam secos, com feridas de ambos os lados. O cabelo estava mais comprido, por não ter sido aparado, e colava-se-lhe à cabeça por causa da sujidade. Também tinha o ar de quem está louco, além de se mostrar alarmada com a surpresa de ver a Molly e o Rocky. Agarrou-se a uma almofada, como para se defender. — D...D...Drono. Estou a sonhar — conseguiu dizer, numa voz ofegante e rouca, a bater ligeiramente com a almofada de encontro à cabeça.

— Não, não estás. Voltámos — disse a Molly. — E, embora isso possa parecer-te um sonho mau, viemos para ficar.

A velha Hazel teria saltado da cama para fazer frente a Molly, mas esta Hazel limitou-se a resmungar: — Quero lá saber!

Meteu a mão numa caixa de cartão que estava ao lado da cama e tirou de lá uma barra de chocolate. Desembrulhou-a com gestos frenéticos e enfiou-a na boca. — Estou com falta de açúcar — disse, ao mesmo tempo que dava uma grande dentada. De súbito, pareceu esquecida de que o Rocky e a Molly estavam dentro do quarto.

— Hazel — exclamou a Molly —, estás com péssimo aspecto.

— Pois estou, eu sei — respondeu a Hazel, metendo mais um bocado de chocolate na boca.

— Pareces *doente* — disse o Rocky. — Tens andado a comer só doces?

— Tenho, não há coisa melhor — disse a Hazel, percorrendo o quarto com olhos desesperados, para todas aquelas caixas de guloseimas. De repente, pareceu ficar gelada. — Não vais levar-me os meus doces, pois não?

— Não — disse a Molly —, mas temos de arranjar alguma comida melhor para ti. O que dizes a uma omeleta com batatas fritas?

Depois de o Rocky ter trazido comida como deve ser, e de a Hazel a ter devorado, ele e a Molly ficaram a falar com ela.

Hazel contou-lhes como é que tudo tinha começado a correr mal.

Contou-lhes que, a princípio, até tinha gostado de ser ela a dirigir mas, depois das zaragatas com o Gordon e com o Roger, tinha-se tornado mais solitária. Até tinha fumado um maço de cigarros que estavam no armário de Miss Adderstone. Confessou que se sentira cansada, doente e sozinha, e que, finalmente, tinha começado a preocupar-se só consigo própria.

— Andava sempre zangada, tentei modificar-me mas não consegui. Queria mostrar bons sentimentos em relação às outras pessoas, mas não sentia nenhuns. Passei a detestar toda a gente e ainda me odiava mais a mim mesma por me sentir... tão cheia de ódio. Além de que sou uma mentirosa.

Pegou num dossiê verde que estava na ponta da mesa e atirou-o à Molly.

— É para ficares a saber quem eu sou de verdade. Sempre menti, a todos. Lê isso. Vá lá, lê!

Deitou-se para trás, com lágrimas nos olhos. A Molly e o Rocky começaram a ler.

Nome	*Hazel Hackersly*
Data de nascimento	*?*
Naturalidade	*?*
Como chegou a Hardwick House	*Vida familiar com grave instabilidade. Criança com 6 anos, chegou subalimentada e com feridas devidas a maus tratos.*

260

Pais	*Mãe alcoólica. Pai violento e dado a ataques. Ambos incapazes de tratar da filha.*
Objectos pessoais	*Nenhuns.*
Descrição da criança	*«A Hazel faz-me pensar em mim quando era criança. Aprende com facilidade e gosta de agradar.»*

— Estás a ver — gemeu a Hazel —, nunca fui a menina de boas famílias que todos pensaram que eu era. Pensaram que eu tivera os melhores dos pais, mas os meus pais nunca mostraram que me tinham amor, só me deram pancada. — Os olhos da Hazel brilhavam com as lágrimas. — Quanto à Adderstone, pelo menos nunca me bateu; por isso, gostava dela. Mas vocês os dois... Eu invejava-vos porque tinham Mrs. Trinklebury. Era como uma mãe para ambos. Mas não para mim. Cheguei demasiado tarde. Só tive uma mãe que me gritava.

— Mas — começou Molly, assustada com o que a Hazel acabava de lhes contar —, mas Mrs. Trinklebury também teria acabado por gostar de ti. Tu é que nunca a deixaste.

— Porque sou horrorosa — disse a Hazel, entre soluços. — Sei que ninguém gosta de mim. Não te estou a censurar. Nem eu gosto de mim. Sou má. Já não estou interessada em dirigir coisa alguma. Não quero dirigir esta casa. Estou doente. Só quero ficar *melhor.*

O rosto da Hazel contorceu-se numa massa desesperada de vincos e rugas e ficou de boca aberta. Não soltou qualquer som. Mas continuou no seu choro silencioso, com as lágrimas a correrem-lhe pelas faces.

Molly pôs a mão no ombro da Hazel. — Tudo bem, Hazel. Não chores, por favor. Nós compreendemos. Obrigada por nos teres mostrado o teu dossiê. Devias ter visto o meu, dizia que, na realidade, eu não era ninguém. Agora vamos ajudar-te a ficares melhor. A partir de agora, a vida nesta casa vai levar uma grande volta.

— Óptimo. — Foi só o que a Hazel conseguiu dizer, por entre dois soluços. — E... obrigada por terem voltado.

A Molly e o Rocky ajudaram-na a sair da cama e puseram-lhe o banho a correr. Só então foram saber o que se passava com Gordon Boils.

Encontraram Gordon no quarto de Edna, sentado numa cadeira de braços, embrulhado num cobertor, com os pés metidos num enorme chinelo. Perto dele, cobertos de edredões, estavam os outros miúdos mais velhos, a Cynthia e o Craig. Tinham os olhos colados ao ecrã do televisor, que tinha sido retirado da sala de convívio do andar inferior. Quando o Rocky e a Molly apareceram, todos levantaram os olhos como se tivessem visto um par de moscas, mas voltaram a olhar para o televisor.

O rosto de Gordon, que ele apoiava nas mãos, estava anémico, mais magro e menos agressivo. Nos punhos tinha escrito «KING GORD». De momento, não tinha nada de majestático. A Cynthia e o Craig pareciam dois fantasmas tristes.

Molly desligou o televisor.

— Olá, malta.

Gordon acabou por falar, depois de o Rocky lhe ter trazido o pequeno-almoço. A voz era agora mais fraca e o olhar divagava à volta da sala.

Contou que tinham andado todos com uma disposição terrível depois de a escola ter fechado para férias. A sua única consolação era o televisor, que viam de seguida, sem descanso.

— Isto aqui é um horror. Todos nos sentimos doentes — gemeu Gordon. — Sinto-me mesmo muito doente. Verdade, penso que tenho uma doença má. Rocky, acho que preciso de um médico.

A Cynthia e o Craig ficaram calados.

— Ouçam — mandou a Molly —, vamos fazer o possível para que todos se sintam melhor, mas com uma condição: todos têm de se comportar de maneira diferente.

— O que é que queres dizer?

— Têm de deixar de ser mesquinhos.

— Oh, isso — disse o derrotado Gordon, cujos olhos estavam agora húmidos e submissos como os de um boi. — Claro que podemos fazer isso. Há uns dias que não me meto com ninguém...

— Mas como é que nos podes ajudar, Bogey Eyes? — perguntou a Cynthia.

— Posso. Logo verão. Oh, a propósito, passas a chamar-me Molly. Molly Moon.

Molly falou com voz firme mas, interiormente, ficou satisfeita por a Cynthia lhe ter chamado Bogey Eyes. Ficava assim demonstrado que a adoração que a Cynthia pudesse ter sentido, depois da sessão de hipnotismo em Briersville, se tinha desvanecido.

Ao deixarem Gordon, Cynthia e Craig, para eles poderem tomar banho e vestirem roupa lavada, a Molly interrogava-se se aqueles três se mostrariam tão acomodados quando se sentissem melhor.

O Rocky também tinha dúvidas. — Vamos ter de esperar, para ver como se comportam.

A última visita que fizeram foi à enfermaria, onde se encontrava o Roger Fibbin. Encontraram-no sentado na cama, a apertar os atacadores dos sapatos.

O choque de ver ali a Molly e o Rocky fez que Roger desse um salto.

O rosto do rapaz parecia mais ossudo do que nunca, o nariz fino e avermelhado estava a pingar devido ao frio, além de ter as mãos roxas. As roupas estavam cuidadas como sempre, mas quando a Molly se aproximou viu que a camisa tinha uma mancha castanha de sujidade a toda a volta do colarinho e que as calças cinzentas, de tão encardidas, até estavam rígidas. Quanto às unhas, há muito que precisavam de limpeza.

— O quê... o que é que estão aqui a fazer? — perguntou, sem conseguir controlar uma tremura do olho esquerdo. — Vou sair. Tenho de... tenho de ir ver os caixotes — disse, ao mesmo tempo que olhava para o relógio avariado que trazia no pulso.

— Estou atrasado, tenho de chegar lá depressa, se não já os encontro despejados.

Também o Roger, depois de a Molly e o Rocky o terem acalmado com alguma comida substancial, acabou por mostrar que estava deprimido. Tinha adquirido aquele hábito de vasculhar os caixotes do lixo da cidade de Briersville. Tinha coleccionado uma boa porção de perturbações do estômago, mas achava que aquela era a maneira mais fácil de conseguir uma maior variedade na dieta.

— Esta — dizia ele, quase a chorar e a apontar o prato vazio do pequeno-almoço — foi a melhor comida que consegui em... em... muitas semanas.

— Roger, não te preocupes. A partir de hoje, vamos ter coisas boas para comer — assegurou-lhe o Rocky. Ao ouvir estas palavras amáveis de conforto, o Roger lançou os braços à volta do pescoço do Rocky e desatou a chorar.

Ao andar pela enfermaria, a Molly captou uma visão de si própria no espelho. Naquele mesmo espelho onde se vira com um aspecto miserável.

Não pôde deixar de pensar que agora tinha um aspecto muito diferente. O cabelo estava mais brilhante, as faces não estavam manchadas, tinha um ar saudável. Quanto ao nariz abatatado e aos olhos verdes muito juntos, em vez de os ver como traços de fealdade, agora até gostava deles, porque eram os seus.

Sem dúvida que tinha mudado desde aquela noite de Novembro em que ficara parada em pleno monte, a odiar a vida e a detestar-se a si mesma.

Ficou a reflectir nas mudanças que, desde aquela data, tinham afectado todas as pessoas que viviam em Hardwick House. E não deixou de pensar que tais mudanças se deviam à descoberta do manual de hipnotismo.

Hazel, Roger, Gordon, Cynthia e Craig, todos tinham sido humilhados. Sem a estrutura e as normas da escola, sem terem mais nada por que lutar, tinham lutado entre si e quebrado as alianças que os uniam. Desfeito o grupo, cada um fora obrigado a enfrentar a situação sozinho. Cada um se vira obrigado a olhar para si próprio. E nenhum gostou daquilo que viu. A Hazel tinha sofrido uma depressão tão violenta que acabara por contar a verdade acerca do seu passado. Molly sabia que ela nunca mais poderia voltar a ser a mandona que era antes. E quando a Hazel disse que queria tornar-se uma pessoa melhor, a Molly acreditou nela. Não tinha certezas acerca de Gordon, Cynthia e Craig, não sabia se algum deles conseguiria alterar a sua maneira de ser. Não conseguia imaginar o Gordon a ajudar uma velhinha a atravessar a rua, ou a Cynthia ou o Craig a serem simpáticos. Achava que voltariam a ser agressivos, mal recuperassem as forças. Não ia ser fácil trabalhar com eles. Quanto ao Roger, pensava que a tensão das últimas semanas o tinha levado à beira de uma certa forma de loucura. Alimentava a esperança de ele vir a recuperar.

E não podia esquecer-se de Nockman. Era inegável que o homem estava a melhorar, a ficar mais atencioso a cada hora que passava. Embora de certo modo continuasse em observação, Molly esperava que as mudanças verificadas nele se tornassem permanentes, como já acontecera com a *Petula*, que agora corria tudo, alegre como um cachorrinho.

E quanto a Miss Adderstone e a Edna? Molly não sabia onde estavam nem o que andariam a fazer. Sabia que as instruções que lhes dera deveriam estar prestes a perder o efeito, embora esperasse que ambas continuassem a adorar a pilotagem de aviões e a cozinha italiana. E se, entretanto, esses passatempos se tivessem transformado em verdadeiras paixões, não regressariam a Hardwick House. Afinal, nenhuma delas era do tipo que gosta de crianças. Ao afastá-las dos miúdos, a Molly tinha-lhes feito um grande favor.

Com estes pensamentos, resolveu ir ao andar de baixo esconder o manual de hipnotismo, no sítio onde ele sempre estivera em segurança. Debaixo de um colchão.

Capítulo XXXVIII

Mrs. Trinklebury ficara encantada com o telefonema da Molly. Dirigiu-se para Hardwick House, onde se apresentou alegre e de faces rosadas, mais parecendo um pudim embrulhado num casaco de lã. Vinha carregada de sacos cheios de coisas deliciosas para fazer o jantar, mais o seu velho saco de tricô, cheio de bolos caseiros, que distribuiu logo que entrou no orfanato.

— Meu Deus! — exclamou, olhando em volta. — Esta casa está nas últimas, não está? Que desconsolo! Tem o cheiro de uma sarjeta por limpar.

Depois de a Molly e o Rocky lhe terem explicado a situação, Mrs. Trinklebury não precisou de muito mais argumentos para se decidir a ir viver com eles.

— Tem de ir para cá, Mrs. Trinklebury. Precisamos da sua ajuda, que olhe por nós — explicou a Molly.

— Se não vier, eles acabam por mandar outra Miss Adderstone — avisou o Rocky.

— Venha, Mrs. Trinklebury, por favor, porque precisamos mesmo de uma mãe — disse a Ruby.

— Alguém que nos faça bolos — adiantou Jinx.

Mrs. Trinklebury suspirou e cruzou os braços. — Como se sabe, sinto a casa vazia desde que o meu Alberto morreu. E ainda me tenho sentido mais só desde que Miss Adderstone me despediu. Adoro a ideia de voltar.

Molly e Rocky abraçaram-na. — A senhora é uma estrela, Mrs. T.

Então, levaram-na à cozinha para conhecer o Nockman.

Nockman estava de avental e tinha os braços mergulhados até aos cotovelos em água borbulhante de detergente. Já tinha tratado dos caixotes malcheirosos e lavado os armários da cozinha. Agora, graças ao detergente, a cozinha cheirava a limão.

— Mr. Nockman, queremos apresentar-lhe Mrs. Trinklebury. Vem viver connosco e será ela a dirigir a casa.

— E vai dar-se bem com ela — murmurou o Rocky muito baixinho.

— Ah, viva — disse Nockman, tirando a luva de borracha e cumprimentando com toda a delicadeza.

— Muito gosto em conhecê-lo — disse Mrs. Trinklebury. — O senhor está a fazer um belo trabalho de limpeza.

— Obrigado — disse o sorridente Nockman, satisfeito por ver o seu trabalho apreciado.

— Bem — começou Mrs. Trinklebury, embaraçada por não saber como continuar a conversa —, como disse à Molly, gostaria muito de voltar. Vou trazer o *Poppet*, se não se importam.

De seguida, explicou a Nockman: — É o meu canário e canta que é uma maravilha. Tenho a certeza de que vão gostar dele.

— A senhora tem um passarinho? — perguntou Nockman, a olhar para Mrs. Trinklebury como se ela fosse uma deusa.

— Tenho — respondeu ela, novamente embaraçada pelas atenções de Nockman. Calçou um par de luvas abandonadas. — Se queremos pôr este lugar em condições, é melhor não perdermos tampo.

Com o aproximar da hora do jantar, o cheiro de um guisado com batatas e ervilhas, milho doce e molho de carne, espalhou-se pelo orfanato. Lá dentro estava quente, pois Mrs. Trinklebury tinha encomendado combustível e a caldeira estava a funcionar a todo o vapor.

A Molly e o Rocky distribuíram gel de banho e champô a todas as crianças, mais as toalhas que Molly tinha comprado no aeroporto.

Pelas oito horas, toda a gente estava lavada, enxuta e a usar uma peça de roupa que tinha escolhido nas malas da Molly. Até Gordon, Roger e Craig encontraram *T-shirts* do seu agrado.

As mesas do refeitório estavam postas, com copos brilhantes e velas acesas. E a lenha ardia na lareira.

Foi o melhor jantar que Molly alguma vez comeu. Não por que a comida, embora boa, fosse a melhor, mas por ser fantástico voltar a estar com todos, mesmo com a Hazel e o seu grupo. E como eles agora estavam diferentes! Eram meras sombras do que tinham sido, mantinham-se muito calmos a comer e a beber. Pelo contrário, os meninos mais pequenos iam ficando mais faladores e mais barulhentos à medida que a noite avançava, o que fez Mrs. Trinklebury rir. Até Nockman soltou uma gargalhada.

A dada altura, o Gerry fez uma pergunta que deixou Mrs. Trinklebury e Nockman muito corados. — Então, agora, Mrs. Trinklebury e Mr. Nockman vão ser a nossa mãe e o nosso pai?

Molly e Rocky distribuíram a todos os presentes que tinham comprado no aeroporto. Máquinas fotográficas e *walkmans* para Hazel e Cynthia, carros controlados por rádio e aviões para Gordon, Roger e Craig, e ursos de pelúcia e *walkie-talkies* para Gemma, Gerry e Ruby, e Jinx. Gerry também teve um ratinho empalhado. Cada um recebeu um pequeno aparelho de televisão e um grande saco de caramelos. Mrs. Trinklebury adorou o perfume e o colar que tinham comprado para ela e Mr. Nockman gostou do seu fato novo.

Distribuídos os presentes, a Gemma pediu que a Molly repetisse o seu número de canto e dança. — Lembras-te, aquele que fizeste no concurso de talentos?

Molly sorriu e negou com a cabeça.

— Desculpa por não te fazer a vontade, Gemma, mas o problema é que desisti de todas essas coisas. Gostaste do número?

— Sim, foste *brilhante!* — recordou a Gemma.

— Fui, não fui?

De súbito, já as velas que ardiam nas mesas se tinham gasto até parecerem cogumelos, Mrs. Trinklebury bateu com o garfo no copo. Todos ficaram em silêncio, a verem a tímida senhora levantar-se, tossir e começar corajosamente a falar.

— Ora bem, c...como toda gente sabe, eu g...gaguejo — começou, sorridente.

— Mas é muito simpática — disse a Gemma.

— Bem, obrigada, Gemma, tu também és. E por muito g...gaga que seja, vou dizer a t...todos uma coisa qu...que não disse a ninguém durante muitos anos, mas que qu...quero agora dizer a todos. É a altura certa, porque finalmente esta casa é o nosso la...lar. H...H...Hardwick H...house é uma casa feliz. Como sabem, a M...Molly e o R...Rocky pediram-me que voltasse para a...ajudar a tomar conta de vós todos. Es...espero que todos concordem.

Mrs. Trinklebury respirou fundo.

— Dantes, havia muita tris...tristeza nesta casa e provavelmente quase todos acharam que ninguém compreendia o que é estar sozinho no mundo. N... não penso que Miss Ad... Adderstone ajudasse muito.

«Quando vinha fazer a limpeza, costumava sentir-me triste. É que, bem, no fundo, eu também sei o que é estar só. Porque, bem, e isso era o queria dizer a todos, eu também sou uma órfã.

«Talvez se pense que sou demasiado velha e gorda para ser órfã, mas quando era menina também tive de ir para um orfanato. O meu pai morreu quando eu tinha dois anos e a minha mãe voltou a casar-se. O problema é que o novo marido já tinha três filhos e, depois, teve mais dois da minha m...mãe e, bem, havia filhos a mais e a minha pobre mãe não podia dar conta do recado. Um de nós tinha que s...s...sair. Fui eu que saí.

«Ora, isso nunca me pareceu justo. E durante muito tempo detestei as outras crianças por me terem empurrado para fora do ninho. P...porque me empurraram. Eram como o pai deles. Era um b...brutamontes de um homem e os filhos também eram brutos. Aguentaram e espernearam, eu fui empurrada para fora. Eu era mais tímida do que eles.

«Então, um dia, ouvi uma canção que parecia ter sido escrita para mim. Há aqui quem a conheça — acrescentou, sorrindo para a Molly e para o Rocky. — Mas, para os outros, vou cantá-la agora. É assim.

A voz trémula de Mrs. Trinklebury encheu a sala de jantar.

Perdoem, lindos passarinhos, ao cuco castanho
Que vos empurrou para fora do ninho.
Foi assim que a mãe-cuco os ensinou a viver.
Ensinou-lhes que empurrar é o que têm de fazer.

Olhou em volta, a querer saber se a Hazel e as crianças mais crescidas estariam a fazer caretas à canção de embalar. Mas não estavam. Viu-as muito quietas, a ouvirem com toda a atenção. Com excepção do Gordon, que continuava a comer.

— Aprendi muito com esta canção — continuou Mrs. Trinklebury. — Fez-me perceber que não devia odiar as crianças que me empurraram para fora do ninho, pois estavam apenas a fazer aquilo que o p...pai as tinha ensinado a fazer. Por isso, perdoei-lhes. E, a partir desse momento, a vida tornou-se mais fácil para mim, porque nunca mais o...odiei fosse quem fosse.

«Pois bem, todos temos histórias da nossa vida nesta casa, e é pro...provável que alguns se sintam zangados com a pessoa que os deixou aqui. Mas não nos podemos esquecer de que as pessoas são assim porque foi assim que as ensinaram a ser. Todos d...devemos tentar sentir pena delas e perdoar-lhes.

«E como as mães dos cucos ensinam maus hábitos aos filhotes, e como o que aprendemos em c...crianças vai ditar a forma como tratamos as pessoas que nos rodeiam, a partir de agora esta vai ser uma casa feliz.

«A partir desta noite, cada um de nós vai ter em consideração os sentimentos das outras pessoas.

Voltou-se para os meninos mais pequenos. — Não precisamos aqui de m...maldade, pois não? O que é a maldade? É um micróbio m...mau. E não queremos que ele se espalhe por aí, pois não?

— Não — concordou o Gerry —, não queremos.

— Portanto — concluiu Mrs. Trinklebury —, se estamos todos de acordo, quero mudar o nome desta c...casa, que, a partir de agora, é um lugar de alegria. A partir de hoje, este edifício passa a chamar-se Happiness House [Casa da Felicidade].

Todos ficaram a olhar para ela.

— Então, estamos de acordo? — perguntou. — Quem estiver de acordo l...levante o seu copo.

Todos levantaram os copos. Nockman foi o que o levantou mais alto. A Cynthia atirou uma bola de pão ao Craig.

— À Casa da Felicidade! — brindou Mrs. Trinklebury.

— À Casa da Felicidade! — responderam todos.

Todos ouviram o relógio de cuco, numa sala afastada, a dar as dez horas.

— Agora — terminou Mrs. Trinklebury —, acho que são horas de irmos para a cama.

— Mas, antes disso — interrompeu Nockman —, gostaria de vos mostrar alguns truques.

Molly engoliu em seco. Tinha a sensação de que Nockman ia portar-se mal. Contudo, durante a meia hora que se seguiu, a Molly descobriu uma nova faceta daquele homem, que a surpreendeu. Nockman estava no seu elemento, a entusiasmar todos com uma variedade fantástica de truques de cartas, achando cartas atrás das orelhas dos miúdos ou debaixo das cadeiras. Mostrou-lhes como se faz batota no póquer e Molly viu os olhos de Gordon a brilharem com a habilidade do homem. Tinha de manter aqueles sob vigilância, pensou. O fascínio que Nockman exercia sobre Gordon podia ser uma fonte de sarilhos.

Depois dos truques de cartas, Nockman deu espectáculo com a sua espantosa habilidade de mãos. Tirou um porta-moedas do bolso do casaco de malha de Mrs. Trinklebury, sem que ela desse por isso, e um pacote de rebuçados de debaixo do braço da Hazel. Todos aplaudiram e pensaram que Nockman era um dos homens mais simpáticos que alguma vez tinham conhecido. Mal sabia a Molly, e todos os outros, quantas *maldades* Nockman tinha feito. Tinha furtado uma máquina fotográfica da Hazel, dinheiro da Ruby, cinco libras do bolso do Gordon e a chave da casa de Mrs. Trinklebury, escondendo todas estas coisas dentro da camisa, por baixo do escorpião de olhos de diamante, que repousava descansado entre os pêlos do peito do dono.

Pelas 11 horas, toda a gente tinha ido para a cama. Só a Molly e o Rocky continuavam sentados, sem terem sono, junto da fogueira que crepitava. A *Petula* estava feliz, deitada aos pés deles, a chupar um seixo.

— Que dia! — suspirou Rocky. — Repara, não estou cansado; pelo tempo de Nova Iorque são ainda seis da tarde.

— Pois é, sofremos de *jet lag* — concordou a Molly, a olhar fixamente para a fogueira. — Foi um dia fantástico — continuou — e isto aqui é realmente adorável, quando há aquecimento.

— Sim, muito diferente de quando a Adderstone mandava na casa.

— O problema é — respondeu a Molly — o combustível para a caldeira ser *tão* caro. 250 libras! Mrs. Trinklebury apresentou-me a factura.

Meteu a mão no bolso do robe felpudo e retirou o envelope onde guardava o dinheiro. — Se continuarmos a comprar combustível e começarmos a gastar dinheiro em outras coisas, como novas decorações para os quartos e novas mobílias, depressa ficaremos sem dinheiro para o aquecimento, para pagar a Mrs. Trinklebury, ou para a boa comida. E prometemos que não tornávamos a usar o hipnotismo. Talvez tivéssemos sido idiotas quando decidimos seguir os caminhos normais, porque, Rocky, não vejo nenhuma maneira de nos aguentarmos.

A cadela olhou para cima, sempre a chupar a sua pedrinha, a sentir que a Molly estava preocupada.

— Bem — disse Rocky —, temos de fazer o possível para só gastarmos o que temos. Molly, as condições nem sempre poderão ser perfeitas, mas serão melhores do que eram antes e tentaremos resolver os problemas que forem aparecendo.

— Pois.

A *Petula* pôs a cabeça de lado, à procura de uma maneira de animar a Molly. Detestava ver a rapariga preocupada. Tentou o truque habitual, que quase sempre resultava. Molly ria-se quando a cadela lhe dava uma das suas pedrinhas de chupar.

Assim, a cadela coçou a perna da Molly com a pata da frente, largou a pedrinha aos pés dela e soltou um latido amigável.

Porém, desta vez, para surpresa da cadela, a Molly reagiu de forma muito diferente ao presente da *Petula*.

— Valha-me Deus! — balbuciou a Molly, a olhar estupidamente para o chão. E Rocky, igualmente embasbacado, exclamou: — *Com a breca, Petula!* Onde é que foste arranjar *isso?*

A *Petula* fez um sorriso de cão. Ela própria tinha de concordar que aquela pedra era especialmente bonita; e também a mais dura que alguma vez chupara. Tinha-a encontrado no bolso do anoraque da Molly quando, na manhã do dia anterior, procurara uma cama confortável.

Molly pegou no enorme diamante e, de boca aberta, passou-o ao amigo. — É o diamante que o homem tinha na mão, aquele bandido que encontrei no cofre-forte do banco. Lembro-me de o ter metido no bolso, mas esqueci-me de o juntar ao resto das coisas que tirámos do banco. Só por isso, não acabou metido dentro de um dos gnomos...

Rocky mostrava-se perplexo. — Mas na notícia da televisão disseram que todas as jóias tinham sido devolvidas ao banco.

— É provável que este diamante ainda não constasse de nenhuma lista. Recordo-me de o mafioso ter dito que o tinha roubado naquele mesmo dia, a um outro vigarista.

— Ão, ão! — ladrou a *Petula*, como se quisesse dizer: «Fica com ele. É teu!»

A Molly fez uma festa nas orelhas aveludadas da cadela.

— Rocky, o que é que vamos fazer com isto?

— Não sei — disse o Rocky, a tomar o peso do gordo diamante. — Seria tarefa muito difícil, talvez impossível, descobrir
quem é o *primeiro* dono disto.

Foi então que o rosto do rapaz se animou com um sorriso
travesso.

— Molly, o melhor é guardares isto num lugar seguro.

Capítulo XXXIX

Naquela noite, a Molly e o Rocky só foram deitar-se às duas horas da madrugada.

Às quatro, a Molly acordou.

A Lua cheia de Dezembro brilhava através da janela, derramando feixes de luz sobre a cama da rapariga.

Molly sentiu-se esquisita. As mãos começaram a transpirar e, então, como se respondesse a uma chamada, saltou da cama, vestiu o roupão, calçou os chinelos e tirou de debaixo do colchão o manual de hipnotismo forrado a pele.

Como num sonho, viu-se a deixar o quarto, a descer a escada, a pegar num casaco e a sair para a noite gelada.

O luar iluminava-lhe o caminho quando abriu o portão do orfanato e se encaminhou para a cidade, seguindo pela estrada gelada que descia o monte, passando ao lado da aldeia, a caminho da cidade de Briersville.

Sentia-se conduzida. Puxada. E não se importava com o frio. Nem se sentia amedrontada. Ia a magicar que tinha de fazer uma qualquer coisa, embora sem saber exactamente o quê. Finalmente, deu consigo à porta da biblioteca de Briersville. Subiu os degraus de pedra, passou pelos velhos leões de pedra e entrou no vestíbulo da biblioteca. Viu que lá no fundo, na sala de leitura, havia uma luz. Molly sabia que tinha de lá ir. Caminhou para a porta e abriu-a.

Deu com a bibliotecária, sentada à sua secretária.

— Ah! — exclamou a senhora, levantando os olhos, a sorrir. — Estás, então, de regresso.

E vendo a lua cheia através da janela, acrescentou: — Pontualidade perfeita.

De súbito, ao ouvir isto, Molly emergiu daquela espécie de sonho fantástico. Sentiu-se como quem acorda de um sono muito reparador. Tinha as ideias claras e tudo à sua volta brilhava com uma luz extraordinária. Ali estava ela, de roupão, casaco e chinelos, na sala de leitura da biblioteca, com o manual de hipnotismo debaixo do braço.

— Obrigada, Molly. Espero que te tenha ajudado — disse a bibliotecária, ao mesmo tempo que tirava os óculos.

Molly ainda não sabia muito bem onde estava. Deitou um olhar esquisito à bibliotecária, a tentar perceber como é que ela sabia o seu nome. Depois lembrou-se de que a bibliotecária devia ter visto o seu nome nas inúmeras vezes que tinha requisitado livros. No entanto, como é que poderia saber que ela estava para chegar? Dando sinais de desconfiança, perguntou: — O que é que quis dizer quando afirmou que eu estava de regresso com «pontualidade perfeita»? Não me lembro de termos feito qualquer combinação.

Voltou a pensar na forma como tinha furtado o manual de hipnotismo da biblioteca. Teria o furto sido visto pela bibliotecária? Sentiu-se embaraçada ante a possibilidade de ter sido caçada com a boca na botija. Só queria colocar o livro na estante, sem complicações, para se ver livre daqueles sentimentos de vergonha. Contudo, não conseguiu evitar outra ideia. *Tinha a certeza* de que a bibliotecária não estava olhar quando ela levou o livro. Não, ninguém a tinha visto tirá-lo. Sendo assim, como é que esta senhora sabia? Haveria câmaras de vigilância na biblioteca? Subitamente, a Molly sentiu-se muito confusa.

A bibliotecária sorriu. — Olha, Molly, não te preocupes. Vem sentar-te aqui.

Molly sentou-se junto à secretária, em frente da bibliotecária. Foi a primeira vez que olhou para ela com atenção.

Era uma mulher com ar de pessoa estudiosa mas, agora que tinha tirado os óculos, Molly viu que não era tão velha como lhe parecera antes. Usava o cabelo enrolado num carrapito fora de moda, já tinha alguns cabelos brancos, mas o rosto destoava do resto. Tinha uma cara jovem e lisa e, quando sorria, os olhos brilhavam de simpatia.

— Tu, Molly, provavelmente pensaste que, como era normal eu ter o nariz enfiado num livro, nunca tinha reparado em ti. Mas observava-te. Observei que chegavas aqui, sozinha e cheia de frio, e te sentavas perto dos radiadores. Havia muito que andava de olho em ti, que sentia pena de ti. Tinha a sensação de que poderias aprender qualquer coisa, ou melhor, muita coisa, no manual de hipnotismo. Por isso, naquela tarde, quando apareceste toda molhada e suja, hipnotizei-te para encontrares

275

o livro. Lembras-te de teres acordado, depois de teres estado a dormir no chão?

Molly aquiesceu, de sobrolho franzido, sem querer acreditar.

— Pois bem, esse sono foi provocado por mim. Hipnotizei-te quando te cumprimentei. E enquanto achaste que estavas a dormir, eu estava a sugerir-te coisas. Hipnotizei-te para encontrares o livro. Calculei que três semanas em teu poder seria o tempo certo para viveres uma aventura. Por isso, ordenei-te que devolvesses o livro durante a noite de Lua cheia de Dezembro.

— Pontualidade perfeita... — murmurou a Molly.

— Essa foi a expressão que escolhi para te acordar depois do teu passeio ao luar. A propósito, não estavas hipnotizada para fazeres nenhuma das outras coisas que fizeste. Tudo o resto que te aconteceu foi a tua *própria* aventura.

— Normalmente, chego atrasada a todo o lado! — respondeu, embora, logo de seguida, se recordasse de que nas últimas semanas não tinha chegado atrasada a qualquer sítio. — Mas como é que o Nockman teve conhecimento da existência do livro? — perguntou, a tentar aclarar as ideias.

— Oh, esse. Esse mentiroso. Bem, uns dias antes, tinha telefonado dos Estados Unidos, afirmando que precisava do livro para um importante trabalho de investigação. Disse que era professor e que, se pudesse dispor do livro durante algum tempo, o seu trabalho receberia um impulso importante. Foi muito persuasivo. Disse-lhe que podia levar o livro *emprestado*. Contudo, usando processos pouco claros, aproveitou o meu dia de folga e falou com outra das bibliotecárias. Persuadiu-a a *vender*-lhe o livro. Enviou o dinheiro por vale telegráfico e, quando regressei no dia seguinte, a minha colega disse-me que ele vinha a caminho para levar o livro. Nessa altura, aquilo começou a cheirar-me a patifaria. Feitas as minhas investigações, concluí que no Museu de Chicago não havia um professor chamado Nockman. Em nenhum dos departamentos. Antes mesmo de ele pôr os pés neste país, eu já sabia que era um mentiroso. E, por essa altura, também já tinha pensado em ti. Queria emprestar-te o manual.

A bibliotecária apagou o candeeiro de secretária. — Desculpa ter-te feito saltar da cama. É demasiado tarde e eu também estou muito cansada. Tenho de ir para casa. E tu também.

Molly começava a acordar e tinha a cabeça cheia de dúvidas.

— Não estou a sonhar, pois não? — perguntou.

A bibliotecária riu-se. — Não. Mas devias estar. Devias estar na cama, a dormir descansadamente.

— Agora, já não estou cansada.

— Mas eu estou. Tenho mesmo de ir para casa. No entanto, gostaria de falar contigo como deve ser. Portanto, logo que disponhas de algum tempo, e se assim quiseres, podemos tomar chá. Podes falar-me de algumas das tuas aventuras, e eu conto-te algumas das minhas.

— Também se meteu em aventuras, graças ao manual de hipnotismo?

— É claro que sim. Toda a gente que o lê passa a ter o dom de viver aventuras. Contudo, agora raramente utilizo as minhas capacidades. Por vezes utilizo-as, mas só para ajudar pessoas. Acho que é melhor assim.

— Como me ajudou a mim?

— Ajudei-te? Fico deveras satisfeita.

Por momentos, Molly ficou calada, a pensar como tinha mudado durante as últimas semanas. Poderia ser ainda infeliz, se não fosse a bibliotecária. Graças a ela, tinha aprendido imensas coisas.

— Obrigada — disse com voz agradável. — Desculpe, mas nem sequer sei o seu nome.

— Chamo-me Lucy Logan — disse a senhora de ar bondoso.

— Como o Doutor?! — exclamou Molly. — Como o Doutor Logan que escreveu o livro?

— Foi meu bisavô — respondeu Lucy, de novo a sorrir. — Mas, atenção, por hoje já basta de surpresas. Vais sentir dificuldades para voltares a adormecer. E eu tenho de fechar a porta. Portanto, saímos ambas e, Molly, sempre que queiras serás muito bem-vinda, visita-me sempre que te apetecer; poderei contar-te pormenores acerca do meu bisavô e podemos falar de hipnotismo. De acordo?

Molly aquiesceu e levantou-se.

Ao deixar a biblioteca, a Lucy acenou-lhe. — Olha, Molly, se não nos virmos antes, desejo-te um Feliz Natal!

— Feliz Natal! — respondeu a Molly, ainda atordoada com as revelações daquela noite.

Molly regressou a casa, sempre iluminada pela lua cheia de Dezembro. De vez em quando, abanava a cabeça ao pensar em qualquer dos episódios das semanas anteriores, a reviver os momentos, excitantes ou medonhos, e a avaliar quanto a sorte tinha estado do seu lado. Estava maravilhada com a forma como as coisas tinham evoluído.

Enquanto subia aquela estrada de província, começaram a cair flocos de neve, espessos e macios, tornando o chão que ela pisava mais branco e mais agradavelmente ruidoso. As árvores, numa fileira contínua que bordejava a estrada, pareciam cumprimentar a Molly à sua passagem.

À distância, viu um cartaz iluminado, em Briersville. Os figurantes no anúncio da *Qube*, em fatos de banho, pareciam ir começar a bater os dentes de frio de um momento para o outro. E Molly pensou como era divertido que, há apenas três semanas, tivesse julgado que aquelas pessoas eram maravilhosas e quisesse ser como elas. Naquele momento, não lhe interessava minimamente o tipo de vida que levavam. Tinha a sua própria vida para viver, uma vida com mais interesse e mais significado do que a deles.

O ar estava cheio de flocos de neve que rodopiavam à volta da Molly, abafando os ruídos, tornando os seus passos mais suaves e mais secretos. Pela primeira vez, a sua vida pareceu-lhe verdadeiramente excitante. Mesmo com a consciência de que não era uma pessoa perfeita, sentiu gosto por ser a Molly Moon.

O manual de hipnotismo demonstrara-lhe que tinha capacidade para aprender qualquer coisa, desde que tentasse. Seis meses antes, se alguém dissesse que ela podia vir a ser uma grande hipnotizadora, não acreditaria, pois tinha a noção de que era má em tudo. Agora, mal podia esperar, queria tentar fazer todo o tipo de coisas. No desporto, decidiu experimentar a corrida de corta-mato, só para ver se conseguia aperfeiçoar-se nesta modalidade. E tinha decidido aprender a dançar bem o sapateado. Não para ser uma dançarina de grande fama, mas apenas suficientemente boa para sentir verdadeiro prazer a dançar. Aliás, a Molly já deixara de se preocupar com a fama. Só pretendia gozar a vida e ajudar as outras pessoas a serem felizes.

Faltavam, agora, cinco dias para o Natal! De tão ocupada, tinha-se esquecido totalmente da festa. Sorriu. Este iria ser o *melhor* Natal de *sempre*.

Respirou o ar frio da noite e sorriu para os campos silenciosos e adormecidos. Esta noite, quase pensava que a vida era demasiado excitante. Que ideias lhe passaram pela cabeça quando encontrou o manual de hipnotismo? Que o livro lhe ofereceria possibilidades infinitas? Esta noite, a Molly pensava assim acerca da sua própria vida. Da ponta dos cabelos até às unhas dos pés. A vida era completamente mágica. E, uma vez mais, a Molly pensou quanto era feliz por ser uma pessoa normal, simplesmente a Molly Moon.

Iluminada pelo luar, a estrada à sua frente, todo o caminho até Happiness House, brilhava como um fio de prata.

A cerca de cinco mil quilómetros dali, mais de mil metros acima dos Alpes italianos, via-se um avião a fazer um oito. Na cabina de pilotagem seguiam duas mulheres. A que pilotava tinha um brilho de louca no olhar, e não tinha dentes. A sua dentadura postiça pendia de um cordel, por debaixo do queixo, como se fora um medalhão. A seu lado, a mulher mais forte vestia uma *T-shirt* com as palavras: «É MELHOR QUE AME A ITÁLIA, SENÃO...» gravadas no peito.

Enquanto o avião descrevia mais uma espiral, a mulher brigona levantou-se. — Agnes, não te apetece *una pasta molto molto bene?*

— Hummmm, sim, mas, Edna, tem cuidado, sem demasiado picante. Edna, desta vez estou a falar a sério... Não *demasiado* picante.

FIM

Estrela
do Mar